Le Lion

Première de couverture : © Thomas Mangelsen/Minden Pictures/J.H. Editorial.
Deuxième de couverture : [h] © Corbis/Frans Lanting; [b] © Patrick Debétencourt.
Troisième de couverture : [h] © Scala, Florence/Thierry Ollivier/Michel Urtado; [b] © 2010,
musée du quai Branly © Scala, Florence/Patrick Gries.
Page 6: carte réalisée par Coredoc.
Page 273: © Boris Lipnitzki/Roger-Viollet.

ISBN 978-2-7011-5434-3
ISSN 1958-0541

CLASSICOCOLLÈGE

Le Lion

JOSEPH KESSEL

Dossier par Valérie Temman
Certifiée de lettres modernes

BELIN ■ GALLIMARD

Sommaire

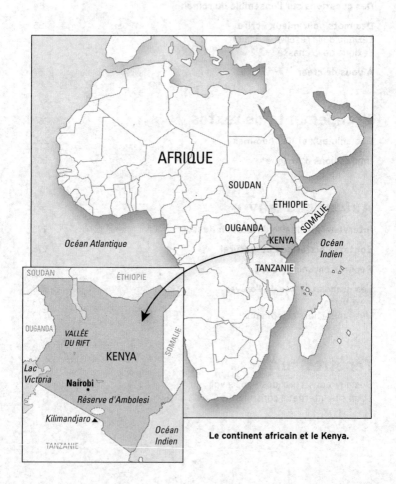

Le continent africain et le Kenya.

Introduction

Lors de la publication du *Lion*, Kessel a soixante ans. C'est un reporter célèbre mais le public a quelque peu oublié l'auteur de nouvelles et de romans qu'il est aussi. *Le Lion* va définitivement lui assurer le titre d'écrivain et lui faire gagner l'affection des lecteurs. Ce sera son œuvre la plus lue.

Le narrateur de ce roman évoque sa rencontre avec la jeune Patricia, petite fille qui vit en contact étroit avec la nature et les animaux au cœur d'une réserve naturelle du Kenya dirigée par son père. Plongé dans un conflit familial qui met en cause l'amitié extraordinaire entre Patricia et King, le lion, celui qui nous raconte l'histoire est fasciné et nous entraîne dans un univers d'amour et de mort où s'opposent les valeurs de deux civilisations. Qu'en adviendra-t-il ? Qui l'emportera ?

Note liminaire

Ce roman rend hommage à l'œuvre accomplie par l'administration des Parcs nationaux du Kenya, qui sauvegarde pour les générations à venir la vie sauvage en Afrique orientale, et à la dévotion enthousiaste des hommes qui ont la charge de ces réserves, singulièrement à mon ami le major Taberer dans la maison duquel j'ai conçu le thème de cette histoire.

C'est dans la réserve d'Ambolesi que se déroule l'action du roman. Chaque Parc national possède évidemment un directeur. Mais le caractère de celui qui paraît dans ce livre ainsi que ceux de sa femme et de sa fille sont entièrement inventés par l'auteur. Personnages de roman, ils n'ont rien de commun avec la famille du major Taberer. Je veux dire cependant la gratitude[1] que je lui porte pour avoir partagé avec moi sa longue et rare expérience des bêtes sauvages. Sans son secours, ce livre n'aurait pas été possible.

---

1. **Gratitude** : reconnaissance.

Première partie

Chapitre 1

Est-ce qu'il avait tiré sur mes paupières pour voir ce qu'elles cachaient? Je n'aurais pu le dire avec certitude. J'avais bien eu le sentiment, au sortir du sommeil, qu'un pinceau léger et râpeux s'était promené le long de mon visage, mais, quand je m'éveillai vraiment, je le trouvai assis, très attentif, au niveau de l'oreiller, et qui m'examinait avec insistance.

Sa taille ne dépassait pas celle d'une noix de coco. Sa courte fourrure en avait la couleur. Ainsi vêtu depuis les orteils jusqu'au sommet du crâne, il semblait en peluche. Seul, le museau était couvert par un loup [1] en satin noir à travers lequel brillaient deux gouttes : les yeux.

Le jour commençait à peine, mais la lumière de la lampe tempête que j'avais oublié d'éteindre dans ma fatigue me suffisait pour apercevoir nettement, sur le fond blanc des murs crépis à la chaux, cet incroyable envoyé de l'aube.

Quelques heures plus tard, sa présence m'aurait paru naturelle. Sa tribu vivait dans les hauts arbres répandus autour de la hutte ; des familles entières jouaient sur une seule branche. Mais j'étais arrivé la veille, épuisé, à la nuit tombante. C'est pourquoi je considérais en retenant mon souffle le singe minuscule posé si près de ma figure.

Lui non plus il ne bougeait pas. Les gouttes elles-mêmes dans le loup de satin noir étaient immobiles.

---

1. **Loup** : masque.

Ce regard était libre de crainte, de méfiance et aussi de curiosité.
25 Je servais seulement d'objet à une étude sérieuse, équitable.

Puis la tête en peluche, grosse comme un poing d'enfant au berceau, s'infléchit sur le côté gauche. Les yeux sages prirent une expression de tristesse, de pitié. Mais c'était à mon propos.

On eût dit qu'ils me voulaient du bien, essayaient de me
30 donner un conseil. Lequel ?

Je dus faire un mouvement dont je n'eus pas conscience. La boule mordorée[1], ombre et fumée en même temps, sauta, vola de meuble en meuble jusqu'à la fenêtre ouverte et se dissipa dans la brume du matin.

35 Mes vêtements de brousse gisaient à terre, tels que je les avais jetés en me couchant, au pied du lit de camp, près de la lampe tempête.

Je les mis et gagnai la véranda.

J'avais le souvenir d'avoir noté la veille, en dépit de l'obscurité,
40 que des massifs d'épineux encadraient ma hutte et que, devant, une immense clairière s'enfonçait dans le secret de la nuit. Mais, à présent, tout était enveloppé de brouillard. Pour seul repère, j'avais, juste en face, au bout du ciel, sur la cime du monde, la table cyclopéenne[2] chargée de neiges éternelles qui couronne
45 le Kilimandjaro.

Un bruit semblable à un très furtif[3] roulement de dés attira mon attention vers les marches de bois cru[4] par où l'on accédait à la véranda. Lentement, délibérément, une gazelle gravissait[5] le perron.

50 Une gazelle en vérité, mais si menue que ses oreilles ne m'arrivaient pas aux genoux, que ses cornes étaient pareilles à des aiguilles de pin et que ses sabots avaient la dimension d'un ongle.

---

1. Mordorée : couleur brune avec des reflets dorés.
2. Cyclopéenne : de la dimension d'un cyclope, c'est-à-dire immense.
3. Furtif : caché, secret.
4. Cru : brut.
5. Gravissait : montait.

Cette merveilleuse créature sortie du brouillard ne s'arrêta que devant mes chevilles et leva son museau vers moi. Je me baissai avec toute la précaution possible et tendis la main vers la tête la plus finement ciselée [1], la plus exquise de la terre. La petite gazelle ne remuait pas. Je touchai ses naseaux, les caressai.

Elle me laissait faire, ses yeux fixés sur les miens. Et dans leur tendresse ineffable [2], je découvris le même sentiment que dans le regard si mélancolique et sage du petit singe. Cette fois encore, je fus incapable de comprendre.

Comme pour s'excuser de ne pouvoir parler, la gazelle me lécha les doigts. Puis elle dégagea son museau tout doucement. Ses sabots firent de nouveau, sur les planches du perron, le bruit de dés qui roulent. Elle disparut.

J'étais seul de nouveau.

Mais déjà, en ces quelques instants, l'aube tropicale, qui est d'une brièveté saisissante, avait fait place à l'aurore.

Du sein des ombres, la lumière jaillissait d'un seul coup, parée, armée, glorieuse. Tout brillait, étincelait, scintillait.

Les neiges du Kilimandjaro traversées de flèches vermeilles [3].

La masse du brouillard que les feux solaires creusaient, défaisaient, aspiraient, dispersaient en voiles, volutes, spirales, fumées, écharpes, paillettes, gouttelettes innombrables et pareilles à une poudre de diamant.

L'herbe d'ordinaire sèche, rêche et jaune, mais à cet instant molle et resplendissante de rosée…

Sur les arbres répandus alentour de ma hutte, et dont les sommets portaient des épines vernies à neuf, les oiseaux chantaient et jacassaient les singes.

Et devant la véranda, les brumes, les vapeurs se dissipaient une à une pour libérer, toujours plus ample et mystérieux, un

---

1. **Ciselée** : sculptée avec soin et précision.
2. **Ineffable** : qu'on ne peut exprimer.
3. **Vermeilles** : d'un rouge vif foncé.

verdoyant espace au fond duquel flottaient de nouvelles nuées [1]
qui s'envolaient à leur tour.

85   Rideau après rideau, la terre ouvrait son théâtre pour les jeux
du jour et du monde.

     Enfin, au bout de la clairière où s'accrochait encore un duvet
impalpable, l'eau miroita [2].

     Lac ? Étang ? Marécage ? Ni l'un ni l'autre, mais, nourrie sans
90   doute par de faibles sources souterraines, une étendue liquide,
qui n'avait pas la force de s'épandre plus avant et frémissait dans
un ondoyant [3] équilibre entre les hautes herbes, les roseaux et
les buissons touffus.

     Auprès de l'eau étaient les bêtes.

95   J'en avais aperçu beaucoup le long des routes et des pistes –
Kivou, Tanganyika, Ouganda, Kenya – au cours du voyage que
je venais d'achever en Afrique orientale. Mais ce n'étaient que
visions incertaines et fugitives : troupeaux que le bruit de la voiture dispersait, silhouettes rapides, effrayées, évanouies.

100   Lorsque, parfois, j'avais eu la chance d'épier quelque temps
un animal sauvage à son insu, je n'avais pu le faire que de très
loin ou en cachette, et pour ainsi dire frauduleusement [4].

     Les attitudes que prenaient dans la sécheresse de la brousse les
vies libres et pures, je les contemplais avec un singulier sentiment
105   d'avidité [5], d'exaltation, d'envie et de désespoir. Il me semblait
que j'avais retrouvé un paradis rêvé ou connu par moi en des
âges dont j'avais perdu la mémoire. Et j'en touchais le seuil. Et
ne pouvais le franchir.

     De rencontre en rencontre, de désir en désir frustré, le besoin
110   était venu – sans doute puéril, mais toujours plus exigeant – de

---

1. Nuées : nuages épais de grande dimension.
2. Miroita : réfléchit la lumière.
3. Ondoyant : qui ondule, s'élève et s'abaisse.
4. Frauduleusement : sans autorisation.
5. Avidité : désir ardent de faire quelque chose.

me voir admis dans l'innocence et la fraîcheur des premiers temps du monde.

Et, avant de regagner l'Europe, j'avais résolu de passer par un des Parcs royaux du Kenya, ces réserves où des lois d'une 115 rigueur extrême protègent les bêtes sauvages dans toutes les formes de leur vie.

Maintenant elles étaient là.

Non plus en éveil, en méfiance, et rassemblées sous l'influence de la crainte par troupes, hardes [1], files et bandes, selon la race, 120 la tribu, la famille, mais confondues et mêlées au sein d'une sécurité ineffable dans la trêve [2] de l'eau, en paix avec la brousse, elles-mêmes et l'aurore.

À la distance où je me trouvais, il n'était pas possible de distinguer l'inflexion des mouvements, ou l'harmonie des couleurs, 125 mais cette distance ne m'empêchait pas de voir que les bêtes se comptaient par centaines et centaines, que toutes les espèces voisinaient [3], et que cet instant de leur vie ne connaissait pas la peur ou la hâte.

Gazelles, antilopes, girafes, gnous [4], zèbres, rhinocéros, buffles, 130 éléphants – les animaux s'arrêtaient ou se déplaçaient au pas du loisir, au gré de la soif, au goût du hasard.

Le soleil encore doux prenait en écharpe les champs de neige qui s'étageaient au sommet du Kilimandjaro. La brise du matin jouait avec les dernières nuées. Tamisés [5] par ce qui restait 135 de brume, les abreuvoirs et les pâturages qui foisonnaient de mufles et de naseaux [6], de flancs sombres, dorés, rayés, de cornes

---

1. Hardes : troupes de bêtes sauvages vivant ensemble.
2. Trêve : arrêt des combats (ici, calme).
3. Voisinaient : se trouvaient côte à côte.
4. Gnous : ruminants vivant en troupeaux. Leur tête ressemble à celle des taureaux, leur queue et leur crinière à celle des chevaux.
5. Tamisés : adoucis.
6. Foisonnaient de : étaient pleins de ; **mufles** : museaux ; **naseaux** : narines des animaux.

droites, aiguës [1], arquées ou massives, et de trompes et de défenses, composaient une tapisserie fabuleuse suspendue à la grande montagne d'Afrique.

140 Quand et comment je quittai la véranda pour me mettre en marche, je ne sais. Je ne m'appartenais plus. Je me sentais appelé par les bêtes vers un bonheur qui précédait le temps de l'homme.

J'avançai sur le sentier au bord de la clairière, le long d'un rideau formé par les arbres et les buissons. Mon approche, au 145 lieu d'altérer, dissiper [2] la féerie, lui donnait plus de richesse et de substance.

Chaque pas me permettait de mieux saisir la variété des familles, leur finesse ou leur force. Je discernais les robes [3] des antilopes, le front terrible des buffles, le granit des éléphants.

150 Tous continuèrent à brouter l'herbe, à humer l'eau, à errer de touffe en touffe, de flaque en flaque. Et je continuai de cheminer. Et ils étaient toujours là, dans leur paix, dans leur règne, chaque instant plus réels, plus accessibles.

J'avais atteint la limite des épineux. Il n'y avait qu'à sortir de 155 leur couvert [4], aborder le sol humide et brillant pour connaître, sur leur terrain consacré, l'amitié des bêtes sauvages.

Rien ne pouvait plus m'en empêcher. Les réflexes de la prudence, de la conservation étaient suspendus au bénéfice d'un instinct aussi obscur que puissant et qui me poussait vers *l'autre* 160 univers.

Et qui, enfin, allait s'assouvir [5].

Juste à cet instant, un avertissement intérieur m'arrêta. Une présence toute proche s'opposait à mon dessein [6]. Il ne s'agissait pas d'un animal. J'appartenais déjà à leur camp, à leur monde.

---

1. Aiguës : pointues.
2. Altérer : modifier, détériorer ; **dissiper** : chasser, faire disparaître.
3. Robes : pelages de certains animaux.
4. Couvert : espace abrité.
5. S'assouvir : être satisfait.
6. Dessein : projet.

165 L'être que je devinais – mais par quel sens? – appartenait à l'espèce humaine.

J'entendis alors ces mots, en anglais :

– Vous ne devez pas aller plus loin.

Deux ou trois pas me séparaient au plus de la silhouette
170 fragile que je découvris dans l'ombre d'un épineux géant. Elle ne cherchait pas à se cacher. Mais comme elle était parfaitement immobile et portait une salopette d'un gris éteint, elle semblait faire partie du tronc auquel elle s'appuyait.

J'avais en face de moi un enfant d'une dizaine d'années, tête
175 nue. Une frange de cheveux noirs et coupés en boule couvrait le front. Le visage était rond, très hâlé, très lisse. Le cou, long et tendre. De grands yeux bruns qui semblaient ne pas me voir étaient fixés sans ciller [1] sur les bêtes.

À cause d'eux, j'éprouvai le sentiment très gênant de me voir
180 surpris par un enfant à être plus enfant que lui.

Je demandai à voix basse :

– On ne peut pas aller là-bas? C'est défendu?

La tête coiffée en boule confirma d'un signe bref, mais son regard demeurait attaché au mouvement des bêtes.

185 Je demandai encore :

– C'est sûr?

– Qui peut le savoir mieux que moi? dit l'enfant. Mon père est l'administrateur de ce Parc royal.

– Je comprends tout, dis-je. Il a chargé son fils de la surveil-
190 lance.

Les grands yeux bruns me regardèrent enfin. Pour la première fois la petite figure hâlée [2] prit une expression en harmonie avec son âge.

– Vous vous trompez, je ne suis pas un garçon, dit l'enfant en
195 salopette grise. Je suis une fille et je m'appelle Patricia.

---

1. Sans ciller : immobile, sans même battre des cils.
2. Hâlée : bronzée.

Chapitre 2

Ce n'était pas la première fois que Patricia étonnait ainsi un visiteur. La malice triomphante de son visage le montrait bien.

En même temps, et sans doute pour mieux convaincre, le sourire, le regard, l'inflexion du cou s'animaient d'un instinct de séduction aussi naïf qu'éternel et donnaient son identité véritable à la silhouette enfantine.

J'avais sans doute besoin de ce choc pour me rendre au sentiment du réel : une petite fille était là, seule, dans la brousse, dès l'aube, à quelques pas des bêtes. Je dis :

– On vous permet de sortir si tôt, si loin ?

Patricia ne répondit pas. Ses traits, de nouveau immobiles et sérieux, pouvaient de nouveau passer pour ceux d'un garçon. Elle contemplait, comme si je n'avais pas existé, les troupeaux sauvages.

La lumière, maintenant, coulait riche et vibrante des hautes fontaines de l'aurore. Le peuple animal autour de l'eau moirée [1] de taches de soleil était plus dense, plus vrai.

Le désir qui m'avait amené jusque-là reprit toute sa force. Une petite fille ne pouvait pas m'en frustrer au dernier moment. Je fis un pas vers la clairière.

Patricia ne détourna pas la tête, mais dit :

– N'allez pas là-bas.

---

1. Moirée : aux reflets changeants.

– Vous avertirez votre père et il m'éloignera du Parc ? demandai-je.

25 – Je ne suis pas une rapporteuse, dit Patricia.

Elle me défia du regard. L'honneur de l'enfance était tout entier dans ses yeux.

– Alors vous avez peur pour moi ? demandai-je encore.

– Vous êtes bien assez grand pour prendre soin de vous-même
30 et ce qui vous arrivera m'est bien égal, dit Patricia.

Comment une figure aussi lisse et fraîche était-elle capable de changer à ce point ? Et se montrer soudain indifférente jusqu'à la cruauté ? Ce que pouvaient me faire subir les sabots, les défenses, les cornes des bêtes importait peu à la petite fille. Elle
35 m'aurait vu piétiné, éventré sans émoi.

– Mais alors, demandai-je, mais alors pourquoi me demandez-vous…

– Ce n'est pas difficile à comprendre, dit Patricia.

Ma lenteur d'esprit commençait à l'irriter. Des étincelles
40 éclairaient ses grands yeux sombres.

– Vous devez bien voir, reprit-elle, combien les bêtes sont tranquilles et à l'aise l'une avec l'autre. C'est le temps le plus beau de leur journée.

Était-ce l'influence de l'heure ? Du paysage ? Un pouvoir sin-
45 gulier émanait de [1] cette petite fille. Par instants, elle semblait posséder une certitude et connaître une vérité qui n'avaient rien à voir avec le nombre des années et les habitudes de la raison. Elle était comme en dehors et au-delà de la routine humaine.

– Je ne veux pas inquiéter les bêtes, lui dis-je. Mais seulement
50 vivre un peu avec elles, comme elles.

Patricia m'évalua d'un regard attentif et soupçonneux.

– Vous les aimez vraiment ? me demanda-t-elle.

– Je le crois.

---

1. Émanait de : se dégageait de.

Les grands yeux sombres restèrent longtemps immobiles.
55 Puis, sur ce visage sensible à l'extrême, un sourire confiant illumina tous les traits.

– Je le crois aussi, dit Patricia.

Il m'est difficile d'expliquer la joie que me firent éprouver
ce sourire et cette réponse. Je demandai :

60 – Alors, je peux aller ?

– Non, dit Patricia.

Sur le cou long et tendre, la tête coiffée en boule appuya ce
refus d'un mouvement très doux mais sans appel.

– Pourquoi ? dis-je.

65 Patricia ne répondit pas tout de suite. Elle continuait de
me considérer en silence, pensivement. Et il y avait beaucoup
d'amitié dans son regard. Mais c'était une amitié d'une nature
particulière. Désintéressée, grave, pleine de mélancolie, apitoyée,
impuissante à secourir.

70 J'avais déjà vu cette étrange expression. Où ? Je me souvins du
tout petit singe et de la gazelle minuscule qui m'avaient rendu
visite dans la hutte. La mystérieuse tristesse du regard animal,
je la retrouvai chez Patricia, au fond des grands yeux sombres.
Mais la petite fille, elle, pouvait parler.

75 – Les bêtes ne veulent pas de vous, dit enfin Patricia. Avec
vous, elles ne peuvent pas s'amuser en paix, en liberté, comme
elles en ont envie, comme elles en ont l'habitude.

– Mais je les aime, dis-je, et vous en êtes sûre.

– Ça ne fait rien, répliqua Patricia, les bêtes ne sont pas
80 pour vous. Il faut savoir et vous ne savez pas… vous ne pouvez
pas.

Elle chercha un instant à mieux se faire comprendre, haussa
légèrement ses épaules minces, et dit encore :

– Vous venez de trop loin et il est trop tard.

85 Patricia s'appuya plus étroitement contre le grand épineux.
À cause de son vêtement uniforme et gris, elle semblait appar-
tenir à l'arbre.

La lumière s'infiltrait toujours davantage sous les buissons et les massifs de la brousse. Les sous-bois devenaient de légers
90 réseaux d'or. De tous ces refuges sortaient de nouvelles familles sauvages qui s'en allaient vers l'eau et l'herbe.

Pour ne pas déranger les bêtes qui étaient déjà sur place, les dernières venues se répandaient aux confins[1] de la clairière. Il y en avait qui s'avançaient jusqu'au rideau végétal derrière
95 lequel je me tenais avec Patricia. Mais celles-là mêmes, je les savais maintenant plus interdites et inaccessibles pour moi que si leurs pâturages avaient été ces champs de neiges éternelles dont je voyais le Kilimandjaro couvert à la limite du ciel, du matin et du monde.

100 – Trop loin… trop tard…, avait dit la petite fille.

Je ne pouvais rien contre sa certitude parce que, disant cela, elle avait eu des yeux aussi doux que la petite gazelle et aussi sages que le petit singe.

Soudain, je sentis la main de Patricia sur la mienne et ne pus
105 m'empêcher de tressaillir, car elle s'était approchée sans que rien, pas même le frémissement d'une brindille, m'eût averti de ce mouvement. Le sommet de ses cheveux m'arrivait au coude, et, mesurée à mon corps, elle était menue et chétive[2] à l'extrême. Pourtant il y avait, dans les petits doigts gercés et rêches qui
110 m'avaient pris le poignet, la volonté de protéger, de consoler. Et Patricia me dit, comme à un enfant que l'on veut récompenser d'une obéissance qui le rend malheureux :

– Peut-être je vous conduirai plus tard à un autre endroit. Là-bas, vous serez content, je vous le promets.

115 C'est alors seulement que je remarquai la façon singulière dont parlait Patricia. Jusque-là, son personnage et son comportement avaient tenu mon esprit dans une espèce de stupeur. Mais à présent, je m'apercevais que la petite fille usait de sa voix

---

1. Aux confins : aux extrémités, aux limites.
2. Menue et chétive : petite et fragile.

à la manière des gens qui n'ont pas le droit d'être entendus
120 quand ils s'entretiennent entre eux : les prisonniers, les guet-
teurs, les trappeurs [1]. Voix sans vibration, résonance ni timbre,
voix neutre, clandestine [2], et en quelque sorte silencieuse.

Je sentis que, sans le savoir, j'avais imité Patricia dans cette
économie de ton.

125 Je lui dis :

– On peut comprendre que les animaux les plus sauvages
soient vos amis.

Les doigts puérils [3] posés sur les miens frémirent de joie. La
main de Patricia ne fut plus qu'une main de petite fille heureuse.
130 Et le visage haussé vers moi, ravi et limpide, avec ses grands yeux
sombres soudain éclaircis et illuminés, n'exprimait plus que la
félicité [4] d'un enfant qui vient d'entendre la louange [5] la mieux
faite pour lui plaire.

– Vous savez, dit Patricia (malgré l'animation qui colorait
135 d'un ton rosé le hâle de ses joues, sa voix demeurait sourde et
secrète), vous savez, mon père assure que je m'entends avec les
bêtes mieux que lui. Et, ne vous y trompez pas, mon père a vécu
toute sa vie auprès d'elles. Il les connaît toutes. Au Kenya et en
Ouganda, au Tanganyika et en Rhodésie. Mais il dit que moi,
140 c'est différent... Oui, différent.

Patricia hocha la tête, la frange de ses cheveux coupés court
se souleva un peu et découvrit le haut du front plus tendre et
plus blanc. Le regard de la petite fille tomba sur ma main dans
laquelle reposait la sienne aux ongles cassés et cernés d'une
145 ligne terreuse :

– Vous n'êtes pas un chasseur, dit Patricia.

– C'est exact, dis-je, mais comment le savez-vous ?

---

1. **Trappeurs** : chasseurs professionnels.
2. **Clandestine** : secrète, qui parle en cachette.
3. **Puérils** : enfantins.
4. **Félicité** : bonheur extrême.
5. **Louange** : compliment.

Patricia rit silencieusement.

– Ici, dit-elle, on ne peut rien me cacher.

150 – Tout de même, dis-je, personne encore ne m'a parlé, personne encore ne m'a vu.

– Personne? dit Patricia. Et Thaukou, le clerc de la réception, qui vous a inscrit sur son registre hier soir? Et Matcha, le boy qui a porté vos bagages? Et Awori, le balayeur qui s'occupe de

155 la hutte?

– Ces Noirs, dis-je, ne peuvent rien connaître de ce que je fais.

Sur les traits de Patricia reparut la malice enfantine qu'ils avaient déjà exprimée à l'instant où elle m'avait appris qu'elle était une fille.

160 – Et votre chauffeur? demanda-t-elle. Vous ne pensez pas à votre chauffeur?

– Quoi, Bogo?

– Il vous connaît bien, dit Patricia. Est-ce qu'il ne conduit pas depuis deux mois dans tous les pays la voiture que vous avez

165 louée à Nairobi?

– Il n'a pu vous raconter grand-chose, dis-je. Il n'y a pas d'homme plus renfermé, plus avare de paroles.

– En anglais, peut-être, dit Patricia.

– Vous voulez dire…

170 – Bien sûr, je sais le kikouyou aussi bien que lui, expliqua Patricia, parce que ma première servante, quand j'étais très petite, était une Kikouyou. Et je sais aussi le swahili, parce que les indigènes [1] de toutes les races le comprennent. Et la langue des Wakamba [2] parce que le pisteur [3] préféré de mon père en est

175 un. Et le masaï parce que les Masaï ont le droit de passage et de campement dans ce Parc.

---

1. **Indigènes** : habitants d'origine d'un pays.
2. Les différentes ethnies citées (Kikouyou, Swahili, Wakamba) ont chacune leur langue propre.
3. **Pisteur** : chasseur qui relève les traces du gibier.

Patricia continuait de sourire, mais ce sourire n'exprimait plus seulement la moquerie et un sentiment de supériorité. Il reflétait de nouveau la tranquille certitude et la faculté qui étaient les
180 siennes de pouvoir communiquer avec les êtres les plus primitifs selon les lois de leur propre univers.

– Les Noirs d'ici viennent tout me raconter, reprit Patricia. Je suis au courant de leurs affaires beaucoup plus que mon père lui-même. Il connaît seulement le swahili, et encore, il prononce
185 comme un Blanc. Et puis, il est sévère, c'est son métier. Moi, je ne rapporte jamais. Les employés, les gardes, les serviteurs le savent bien. Alors, ils parlent. Thaukou, le clerc, m'a dit que votre passeport était français et que vous habitez Paris. Le boy des bagages m'a dit que votre valise était très lourde à cause
190 des livres. Le boy de la hutte m'a dit : «Le Blanc a refusé que je chauffe l'eau pour son bain et il n'a rien mangé avant de dormir tant il était fatigué.»

– Et je dormirais encore, dis-je, si un visiteur ne m'avait réveillé très tôt. Mais sans doute lui aussi était déjà venu vous
195 renseigner.

Je parlai à Patricia du petit singe et de la petite gazelle.

– Ah! oui, Nicolas et Cymbeline, dit Patricia.

Il y avait de la tendresse dans son regard, mais un peu dédaigneuse. Elle ajouta :
200 – Ils m'appartiennent. Seulement, ils se font caresser par tout le monde comme un chien ou un chat.

– Oh! dis-je… Vraiment?

Mais Patricia ne pouvait pas comprendre la peine qu'elle me faisait en ramenant à un rang banal et servile mes deux mysté-
205 rieux émissaires [1] de l'aube.

– Là-bas, ce n'est pas la même chose, dit la petite fille.

Elle avait tendu la main vers les bêtes rassemblées le long du pâturage et autour des réservoirs liquides que la montagne

---

1. **Émissaires** : agents chargés d'une mission secrète.

énorme dominait de ses nuages et de ses neiges. La main de
210 Patricia frémissait et sa voix même, qu'elle gardait sans effort
insonore et détimbrée, avait eu sinon un éclat, du moins un
mouvement de passion.

– Ces bêtes ne sont à personne, reprit Patricia. Elles ne savent
pas obéir. Même quand elles vous accueillent, elles restent libres.
215 Pour jouer avec elles, vous devez connaître le vent, le soleil, les
pâturages, le goût des herbes, les points d'eau. Et deviner leur
humeur. Et prendre garde au temps des mariages, à la sécurité des
petits. On doit se taire, s'amuser, courir, respirer comme elles.

– C'est votre père qui vous a enseigné tout cela ? deman-
220 dai-je.

– Mon père ne sait pas la moitié de ce que je sais, répondit
Patricia. Il n'a pas le temps. Il est trop vieux. J'ai appris seule,
toute seule.

Patricia leva soudain les yeux vers moi et je découvris sur
225 le petit visage hâlé, têtu et fier, un sentiment dont il semblait
incapable : une hésitation presque humble.

– Est-ce que… dites-le-moi… vraiment… je ne vous ennuie
pas si je continue à parler des bêtes ? demanda Patricia.

Voyant mon étonnement, elle ajouta très vite :
230 – Ma mère assure que les grandes personnes ne peuvent pas
s'intéresser à mes histoires.

– Je voudrais passer la journée entière à les écouter, répon-
dis-je.

– C'est vrai ! C'est vrai !
235 L'exaltation de Patricia me surprit jusqu'au malaise. Elle
agrippa ma main avidement. Ses doigts brûlaient d'une fièvre
subite. Ses ongles, dentelés par les cassures, entraient dans ma
peau. De tels signes, pensai-je, n'exprimaient pas seulement la
joie de contenter un penchant[1] puéril. Ils montraient une pro-
240 fonde exigence et que l'enfant acceptait mal de voir toujours

---

1. **Penchant** : attirance.

inassouvie. Se pouvait-il que Patricia fût déjà obligée de payer ses rêves et ses pouvoirs au prix, au poids de la solitude ?

La petite fille s'était mise à parler. Et, bien que sa voix demeurât étouffée et sans modulation, ou plutôt à cause de cela même,
245 elle était comme un écho naturel de la brousse.

Elle tenait en équilibre, en suspens, le travail de la pensée et son effort impuissant à pénétrer l'énigme, la seule qui compte, de la création et de la créature. Elle envoûtait[1] le trouble et l'inquiétude ainsi que le font les hautes herbes et les roseaux
250 sauvages quand les souffles les plus silencieux tirent de leur sein un merveilleux murmure, toujours le même et toujours renouvelé.

Cette voix ne servait plus au commerce[2] étroit et futile des hommes. Elle avait la faculté d'établir un contact, un échange
255 entre leur misère, leur prison intérieure, et ce royaume de vérité, de liberté, d'innocence qui s'épanouissait dans le matin d'Afrique.

De quelles courses à travers la Réserve royale et de quelles veilles au fond des fourrés épineux, par quelle inépuisable vigi-
260 lance et quelle intimité mystérieuse Patricia avait-elle recueilli l'expérience dont elle me faisait part ? Ces troupeaux interdits à tous étaient devenus sa société familière. Elle en connaissait les tribus, les clans, les personnages. Elle y avait ses entrées, ses habitudes, ses ennemis, ses favoris.

265 Le buffle qui, devant nous, se roulait dans la vase liquide avait un caractère infernal. Le vieil éléphant aux défenses cassées aimait à s'amuser autant que le plus jeune de la horde[3]. Mais sa grande femelle, d'un gris presque noir, celle qui en ce moment poussait de la trompe ses petits vers l'eau, son goût de la propreté
270 devenait une manie.

---

1. **Envoûtait** : ensorcelait.
2. **Commerce** : fréquentation.
3. **Horde** : meute.

Parmi les impalas [1] qui portaient sur chacun de leurs flancs dorés une flèche noire, et qui étaient les plus gracieuses des antilopes, et les plus promptes à l'effroi, Patricia montrait celles qui la recevaient sans crainte. Et chez les tout petits bushbucks [2]
275 aux cornes en vrille, et si courageux malgré leur fragilité, elle était l'amie des plus batailleurs.

Dans les troupeaux de zèbres, il y en avait un, disait-elle, qu'elle avait vu échapper à un incendie de brousse. On le reconnaissait aux traces du feu, semées entre les rayures noires comme des
280 taches de rousseur.

Elle avait assisté à un combat de rhinocéros, et le mâle énorme, immobile à quelques pas de nous, sa corne dressée vers le ciel, comme un bloc de la préhistoire, avait été le vainqueur. Mais il gardait cette longue, profonde et affreuse cicatrice que
285 l'on découvrait soudain quand s'envolait de son dos l'essaim [3] tourbillonnant des blanches aigrettes [4] qui lui servaient d'oiseaux pilotes.

Et les girafes aussi avaient leur chronique, et les grands gnous bossus, et les adultes, et les petits, génération par génération.
290 Jeux, luttes, migrations, amours.

Quand je me souviens de ces récits, je m'aperçois que j'y apporte, quoi que je fasse, une méthode, une suite, une ordonnance. Mais Patricia, elle, parlait de tout ensemble à la fois. Les routines de la logique n'intervenaient pas dans ses propos. Elle
295 se laissait porter par l'influence de l'instant, les associations les plus primitives, les inspirations des sens et de l'instinct. Comme le faisaient les êtres simples et beaux que nous avions sous les yeux et qui vivaient au-delà de l'angoisse des hommes, parce qu'ils ignoraient la vaine [5] tentation de mesurer le temps

---

1. **Impalas** : antilopes du Sud et de l'Ouest africain.
2. **Bushbucks** : daims de la savane.
3. **Essaim** : multitude.
4. **Aigrettes** : oiseaux blancs de la famille du héron.
5. **Vaine** : inutile.

300 et naissaient, existaient et mouraient sans avoir besoin de se
demander pourquoi.

Ainsi s'ouvrait à ma connaissance, tel un sous-bois subitement infiltré de soleil, la profonde et limpide épaisseur de
la vie animale.

305 Je voyais les gîtes [1] nocturnes d'où l'aube avait tiré chacune
de ces tribus et les lieux vers lesquels elles allaient se disperser
après la trêve de l'eau. Et les plaines, les collines, les fourrés, les
taillis, les savanes de la Réserve immense que j'avais traversée la
veille, devenaient pour moi les territoires, les abris, les demeures,
310 les patries de chaque espèce et de chaque famille.

Là bondissaient les impalas et là broutaient les buffles. Là
galopaient les zèbres et là jouaient les éléphants.

Soudain il me vint à l'esprit que, dans ce peuple, un clan
manquait, et sans doute le plus beau.

315 – Et les fauves ? demandai-je à Patricia.

Cette question ne la surprit point. On eût dit qu'elle l'attendait
et dans l'instant même où je la faisais.

Je sentis à cela que nous étions arrivés à un degré d'entente où
la différence d'âge ne comptait plus. L'intensité et la franchise d'un
320 intérêt, d'un besoin communs avaient établi, par le truchement [2]
des bêtes sauvages, la complicité et l'égalité entre un enfant et un
homme qui, depuis très longtemps, avait cessé de l'être.

La petite fille ferma les yeux. Un sourire uniquement destiné
à elle-même, pareil à ceux que l'on voit aux très petits visages
325 endormis, sourire clos, à peine ébauché [3], et pourtant nourri
de bonheur mystérieux, illumina comme de l'intérieur les traits
de Patricia. Puis elle releva ses paupières et m'accorda une part
dans son sourire. C'était une espèce de promesse, de pacte [4]
très important.

---

1. Gîtes : lieux où s'abritent les bêtes.
2. Par le truchement : par l'intermédiaire.
3. Ébauché : commencé.
4. Pacte : accord solennel entre deux personnes.

330   – Je vous mènerai où il faut, dit Patricia.

– Quand ?

– Ne soyez pas si pressé, répondit doucement la petite fille. Avec toutes les bêtes, il faut beaucoup de patience. On doit prendre le temps.

335   – C'est que… Justement…

Je ne pus achever. La main de Patricia, que j'avais sentie jusque-là toute confiante dans la mienne, s'était retirée d'un mouvement brusque et brutal. Entre les grands yeux sombres, soudain dépouillés [1] de toute expression, il y avait un pli pareil

340 à une ride précoce.

– Vous voulez partir d'ici très vite, n'est-ce pas ? demanda Patricia.

Elle me regardait de telle manière que j'évitai de répondre nettement.

345   – Je ne sais trop…, dis-je.

– C'est un mensonge, dit Patricia. Vous savez très bien. Vous avez prévenu à la réception que vous quittez ce Parc demain.

Le pli entre les deux sourcils apparaissait davantage.

– Je l'avais oublié, dit la petite fille.

350 Ses lèvres étaient serrées, durcies, mais elle n'arrivait pas à maîtriser leur léger tremblement. Cela faisait mal à voir.

– Je m'excuse du temps perdu, dit encore Patricia.

Elle se détourna vers les bêtes paisibles. Je dis avec maladresse :

355   – Même si je m'en vais, nous sommes amis maintenant.

Patricia me fit face d'un seul élan violent et silencieux.

– Je n'ai pas d'amis, dit-elle. Vous êtes comme les autres.

Les autres… Les passants, les curieux, les indifférents. Les gens des grandes cités lointaines qui, de leur voiture, venaient

360 voler un instant de la vie sauvage et s'en allaient.

---

1. Dépouillés : vidés.

Il me sembla voir la solitude refermer ses eaux mortes sur la petite fille.

– Je n'ai pas d'amis, répéta Patricia.

365 Sans faire craquer une brindille, elle se mit en marche, sortit du couvert des épineux, s'avança dans la clairière. Elle avait la tête un peu rentrée dans les épaules, et les épaules portées en avant.

Ensuite, la petite silhouette grise et coiffée en boule entra dans la tapisserie frémissante que les bêtes de la brousse formaient 370 au pied du Kilimandjaro.

Chapitre 3

J'éprouvai une angoisse de solitude si féroce que, à sa première atteinte, je refusai d'y croire. Cette détresse était vraiment
trop absurde. Elle ne pouvait pas avoir de vérité, de substance,
de sens. Je possédais, moi, des amis, et fidèles, et sûrs et choisis,
5   éprouvés au cours d'une vie déjà longue. J'allais bientôt leur
conter mon voyage d'Afrique. Eux, ils me diraient les joies et
les peines survenues en mon absence. Toutes mes habitudes
m'attendaient dans une maison faite à mon humeur. Et mon
travail aussi, qui suffisait à me donner un monde.

10 Mais c'est en vain que je rassemblai les appuis et les raisons
de mon existence. Rien ne pouvait remplacer la plénitude
merveilleuse que j'avais connue quelques instants plus tôt
lorsque le peuple de la clairière semblait encore vouloir de moi.
J'étais seul maintenant, et perdu, abandonné, refusé, rejeté sans
15 espoir, sans issue jusqu'au dernier de mes jours.

Patricia m'avait laissé son tourment.

Patricia était chez les bêtes.

« Je dois la suivre, me dis-je. Il faut la protéger. »

Je n'essayai même pas. J'avais repris d'un seul coup la cons-
20 cience de mon âge, le sentiment de la masse de mon corps,
la mesure de mes mouvements malhabiles, ma condition
d'homme civilisé.

Je raisonnais de nouveau.

Protéger Patricia ! Dans l'herbe glissante, le dédale [1] liquide,
25 parmi cette faune prompte [2], légère, silencieuse, aux sens aigus
et farouches [3], pour y suivre une petite fille qui était, au milieu
de la brousse et des bêtes, comme une ondine au fond des eaux
ou un elfe [4] dans les futaies.

Allons, il fallait revenir au bon sens.

30 Le chef de cette Réserve, le gardien des animaux sauvages et
leur maître, était le père de Patricia. Les rêves éveillés de sa fille,
c'était à lui d'en répondre. Ce n'était pas le fait d'un étranger,
d'un passant.

Je tournai le dos à la clairière et m'éloignai vers le camp
35 destiné aux visiteurs du Parc royal.

Il avait été conçu de manière à ne pas altérer le paysage.
Masquées par de grands épineux, une dizaine de huttes rondes,
grâce à leurs murs de boue crépis à la chaux et leurs toits
40 pointus couverts de chaume [5], pouvaient passer pour un hameau [6]
indigène.

Il était désert : ce n'était pas la saison du tourisme. De plus,
la terreur Mau-Mau hantait alors le Kenya.

Quand je revins au logis que j'avais pris la veille au hasard, le
45 singe minuscule m'attendait sur la véranda. Il portait toujours
son loup de satin noir et ses yeux, qui avaient gardé leur sagesse,
leur tristesse, semblaient demander : « Eh bien, ne t'avais-je point
prévenu ? »

Mais au lieu de se dissiper dans l'espace, comme il l'avait fait
50 à l'aube, il sauta sur mon épaule.

---

1. **Dédale** : labyrinthe.
2. **Prompte** : brusque et rapide.
3. **Farouches** : sauvages.
4. **Ondine** : déesse des eaux ; **elfe** : génie de l'air, lutin.
5. **Chaume** : paille.
6. **Hameau** : groupement de quelques maisons.

Je me souvins du nom que lui avait donné Patricia, et dis à voix basse :

– Nicolas… Nicolas…

Il me gratta la nuque.

55 Je lui tendis une main ouverte. Il s'installa au creux de la paume. Son poids était celui d'une pelote de laine. On avait plaisir à caresser sa toison[1] courte. Mais, apprivoisé à ce point et si vite, il ne pouvait plus être qu'un doux compagnon de chaîne pour l'homme dans sa prison.

60 Je le déposai sur la balustrade qui courait le long de la véranda et jetai, malgré moi, un regard vers la clairière. Là également les charmes s'épuisaient.

Le soleil déjà dur et brûlant dépouillait la terre de ses ombres, de ses reliefs, de ses couleurs. Tout devenait net et sec, plat 65 et terne. Le monde avait perdu sa dimension de profondeur. Le brasier blanc des neiges s'était éteint sur le Kilimandjaro. Les troupeaux sauvages commençaient à s'amenuiser[2], à se disperser.

Où était, que faisait Patricia ?

70 J'entrai dans la hutte.

Elle contenait une salle à manger et une chambre à coucher, meublées de la façon la plus rudimentaire[3], mais parfaitement adaptée à la vie de camp. De cette habitation principale, un corridor à ciel ouvert et bordé de branchages me conduisait 75 à une hutte plus petite. Là se trouvaient une cuisine et une salle de bains. L'eau chaude venait d'un cylindre de tôle, placé dehors et que supportaient des pierres plates. Sous le récipient brûlait un feu très vif entretenu par un serviteur noir. Ce même boy sans doute qui avait raconté à Patricia que j'avais refusé, 80 la veille, ses soins.

---

1. **Toison** : ensemble des poils, pelage.
2. **S'amenuiser** : se réduire.
3. **Rudimentaire** : simple, sans ornement. Strict minimum.

« Patricia… Encore elle…, me dis-je. Il faut arrêter cette obsession et penser à mes affaires. »

J'avais, dans mes papiers, des lettres de recommandation. L'une, officielle, m'avait été donnée au Gouvernement général de Nairobi pour John Bullit, administrateur de la Réserve. L'autre, privée, était adressée à sa femme. Je la tenais d'une de ses amies de pension que j'avais rencontrée par hasard avant de quitter la France.

Devant la hutte, j'aperçus Bogo, mon chauffeur, venu prendre mes instructions. La livrée de toile grise ornée de grands boutons plats en métal blanc, qui était celle de l'agence pour laquelle il travaillait, pendait sur son torse très maigre. Sa figure sans âge, d'un noir terne, ressemblait – sous le crâne rasé de près et avec la peau toute ramassée en rides et en plis – à une tête de tortue.

En confiant mes lettres à Bogo, je songeai que cet homme taciturne [1] à l'extrême, et qui se montrait par surcroît d'une réserve farouche envers les Blancs, avait pris Patricia pour confidente. Je fus sur le point de lui demander pourquoi. Mais je me rappelai à temps que, en deux mois de vie commune sur des pistes difficiles, je n'avais pas réussi une seule fois à établir avec Bogo un rapport qui ne touchât pas strictement à ses fonctions, où, d'ailleurs, il excellait.

Quand il fut parti, je regardai une fois de plus la clairière. Elle était vide. Je me sentis étrangement libre et m'aperçus que j'avais grand-soif, grand-faim.

Bogo avait déposé la caisse de provisions dans la cuisine. Mais le four à charbon de bois et les ustensiles pendus au mur ne me servaient à rien. Une Thermos remplie de thé, une autre de café, quelques bouteilles de bière, un flacon de whisky, des biscuits et des conserves, qu'avais-je besoin de plus pour un séjour aussi bref?

---

1. Taciturne : silencieux, peu bavard.

Je déjeunai sur la véranda. Le petit singe et la petite gazelle vinrent me tenir compagnie. Il s'empara d'une figue sèche. Elle accepta un morceau de sucre. Le Kilimandjaro était couvert de nuées de chaleur. J'avais retrouvé la paix.

Bogo revint avec une enveloppe.

– De la part de la dame, dit-il.

Dans sa lettre, d'une écriture penchée, haute et mince, et rédigée en français, Sybil Bullit me demandait de venir la voir aussitôt que cela me serait possible. À l'instant même si je voulais bien.

Chapitre 4

L'administrateur du Parc royal avait construit sa maison à
une distance assez faible du camp des visiteurs. Mais de hautes
futaies [1] de brousse isolaient complètement le terre-plein taillé
en forme d'amande où s'élevait ce bungalow couvert de chaume
brun. Les murs étaient d'une telle blancheur que leur chaux
semblait toute fraîche, et l'on eût dit que la peinture venait
seulement de sécher sur les volets d'un vert très doux.

Ceux qui s'alignaient le long de la façade étaient clos lorsque
je débouchai [2] de la piste tracée à travers les épineux. Mais, de
l'intérieur, on devait guetter anxieusement mon approche, car,
avant même que j'eusse atteint la porte d'accès, elle s'ouvrit et
une jeune femme grande et blonde, qui portait des lunettes
noires, se montra sur le seuil. Sans me laisser le temps de la
saluer, elle parla, en anglais, d'une voix pressée, confuse, un
peu haletante, sans doute parce qu'elle voulait exprimer trop
de choses à la fois.

– Je suis, dit-elle, navrée de vous avoir bousculé à ce point…
Entrez, je vous prie… Je suis heureuse de vous voir sans plus de
délai… Entrez vite… Et si reconnaissante que vous ne m'ayez
pas fait attendre… Entrez donc, le soleil est terrible…

---

1. **Futaies** : groupes d'arbres poussés au maximum de leur taille.
2. **Débouchai** : arrivai soudainement.

Sybil Bullit avait élevé une main à la hauteur de ses verres fumés [1] et ne la laissa retomber que pour pousser d'un mouvement impatient le battant de la porte derrière nous.

Au sortir de la brousse et de son flamboiement, le vestibule
25 était très obscur. Je voyais à peine les traits de la jeune femme et encore moins ceux du serviteur noir qui venait d'accourir.

Sybil Bullit lui adressa quelques mots en swahili avec irritation. Il nous laissa seuls.

– Venez, venez, me dit-elle, il fait si sombre ici.

30 Dans la pièce large et profonde qui servait de salon, la clarté ne venait pas de la façade aveuglée par les volets, mais des fenêtres qui donnaient sur une cour intérieure, couverte en partie. La violence de la lumière était encore atténuée par des rideaux en coton épais d'un bleu sourd [2].

35 Le visage et le corps de la jeune femme s'apaisèrent aussitôt, comme si elle avait retrouvé un lieu d'asile. Pourtant, elle n'enleva pas ses lunettes contre le soleil.

– Je m'excuse de mon sans-gêne, dit Sybil Bullit – sa voix était à présent d'un timbre vif et doux. Je m'excuse vraiment. Mais
40 si vous saviez ce que représente pour moi Lise.

La jeune femme s'arrêta un instant et répéta, visiblement pour elle seule, et pour la seule joie de prononcer le nom :

– Lise… Lise Darbois.

Elle demanda soudain avec timidité :

45 – Est-ce que je prononce encore convenablement ?

– Comme le ferait une Française, dis-je (et c'était vrai). Cela ne m'étonne pas après avoir lu votre lettre.

Les joues mates de la jeune femme rougirent légèrement. À cause des verres fumés qui cachaient ses yeux, on ne pouvait
50 pas savoir si ce mouvement du sang trahissait le plaisir ou l'embarras.

---

1. **Fumés** : sombres.
2. **Sourd** : terne.

– J'ai espéré que cela vous ferait venir plus rapidement, dit Sybil.

Elle fit un pas vers moi et poursuivit :

55 – Mon Dieu ! Quand je pense qu'il y a deux mois à peine vous étiez avec Lise… Nous nous écrivons assez régulièrement, sans doute… Enfin moi, surtout… Mais c'est tellement autre chose, quelqu'un qui l'a vue, qui lui a parlé.

Elle eut un geste pour me prendre les mains, ne l'acheva 60 pas et reprit :

– Racontez, racontez… Comment est-elle ? Qu'est-ce qu'elle fait ?

Je tâchai de me rappeler exactement les détails de ma première rencontre avec l'amie de Sybil Bullit que je connaissais 65 très peu. Je ne retrouvai dans ma mémoire qu'une figure assez jolie, assez gaie, mais qui ressemblait à beaucoup d'autres, et un peu trop agitée et sûre d'elle-même. Par quels traits rares, par quelles vertus pouvait-elle susciter tant d'intérêt et d'exaltation ?

70 – Eh bien… Eh bien… ? demanda Sybil Bullit.

– Eh bien, dis-je, Lise continue à représenter en France une firme américaine de produits de beauté… Depuis son divorce, elle vit très librement avec un peintre… C'est lui que je connais surtout.

75 – Heureuse, naturellement ?

– Je ne sais trop, dis-je. On a l'impression qu'elle s'ennuie un peu, qu'elle tourne à vide, qu'elle envie parfois votre existence.

Sybil hocha lentement son visage aveuglé par les lunettes 80 noires et dit lentement :

– Lise a été ma demoiselle d'honneur. Nous sommes venues au Kenya ensemble. Je me suis mariée dans la chapelle blanche entre Nairobi et Naïvâsha. Vous devez la connaître.

– Qui ne la connaît pas ! dis-je.

85 Ce tout petit sanctuaire [1] au dessin doux et humble, des prisonniers de guerre italiens l'avaient construit dans leurs moments de loisirs, alors qu'ils travaillaient à la grande route. Le coin de brousse qu'ils avaient défriché pour servir d'emplacement à la chapelle donnait sur la vallée du Rift [2] immense et
90 sublime qui, à deux mille mètres plus bas, déployait ses vagues immobiles dont le flux commençait au cœur de la noire Afrique pour ne s'arrêter qu'aux sables du Sinaï.

– Vous avez beaucoup de chance, dis-je. Il n'est pas, je crois, au monde, un endroit plus beau.

95 Au lieu de me répondre, la jeune femme sourit avec toute la tendresse que peut inspirer le souvenir le plus exalté. Et comme si elle avait senti la nécessité de donner à ce sourire son expression entière, elle enleva ses lunettes noires d'un geste de somnambule.

100 Pourquoi donc dissimulait-elle ses yeux ? Larges, légèrement effilés vers les tempes, d'un gris sombre semé de paillettes plus claires, ils étaient la seule vraie beauté de Sybil, du moins lorsqu'une émotion violente les faisait briller comme en cet instant.

105 Et à cause de leur éclat, de leur fraîcheur, de leur innocence, je vis soudain combien, par contre, le visage de cette jeune femme avait été prématurément déserté par la jeunesse. Sa peau blême et fade, le soleil d'Afrique lui-même n'avait pas réussi à la dorer. Les cheveux étaient sans vie. Des rides profondes et sèches
110 flétrissaient le front, coupaient les pommettes, hachaient les commissures des lèvres.

Il semblait que cette figure servît à deux femmes différentes. L'une disposait des yeux. L'autre de tout le reste.

---

1. Sanctuaire : édifice religieux.
2. Rift : fracture de l'écorce terrestre qui peut s'étendre sur des centaines ou des milliers de kilomètres.

Lise Darbois n'avait pas trente ans. Était-il possible que le
visage exsangue et usé que j'avais devant moi appartînt au même
temps de l'existence ?

Sybil me donna elle-même la réponse sans le savoir :

– Lise et moi, nous avons le même âge à quelques semaines
près, dit-elle. Et nous avons passé cinq ans de suite sans nous
quitter dans une pension près de Lausanne. La guerre nous y
avait surprises toutes les deux. Ses parents, qui habitaient Paris,
et mon père qui servait aux Indes ont préféré nous laisser là
pendant les mauvais jours.

Sybil rit avec jeunesse, avec tendresse et poursuivit :

– Lise vous a dit tout cela, j'en suis sûre. Mais ce qu'elle n'a
pu faire, c'est vous raconter combien elle était jolie dès alors
et comment, déjà, elle savait s'habiller, arranger ses cheveux
mieux que toutes les autres filles. Une vraie Parisienne à quinze
ans !

Souvenir par souvenir, détail par détail, Sybil Bullit me fit
le récit de cette époque. Je compris alors qu'elle m'avait appelé,
avec tant d'impatience, beaucoup moins pour m'entendre que
pour me parler.

J'appris ainsi que le père de Sybil avait été nommé, vers la
fin de la guerre, à un poste important au Kenya et que Sybil, en
venant le retrouver, avait supplié Lise Darbois de l'accompagner.
Elle avait connu Bullit dès son arrivée et cette rencontre les
avait conduits, un matin, jusqu'à la petite chapelle blanche qui
surplombait la vallée du Rift, immense et sublime.

– Lise est repartie presque tout de suite, acheva Sybil, et peu
après mon père a été rappelé par le ministère des Colonies à
Londres où il est mort sans que je l'aie revu.

Elle se tut. J'aurais dû prendre congé. Sybil avait reçu et même
épuisé tout ce qu'elle attendait de moi, et il était temps que je
commence à visiter la Réserve. Je restai pourtant, sans très bien
savoir ce qui me retenait.

– Votre mari n'est pas là ? demandai-je.

– Il sort toujours bien avant que je ne me réveille et ne rentre jamais à heures fixes, dit Sybil (elle eut un geste vague). Quand ses bêtes lui laissent le temps.

Le silence fut de nouveau entre nous, et qui donna toute sa valeur à l'influence de la pièce où nous étions. Chaque teinte, chaque objet concourait à[1] un sentiment de sécurité, de douceur : les murs aux tons de miel, la lumière atténuée, les nattes[2] claires sur le sol, les gravures aux cadres anciens et les branches chargées de grandes fleurs épanouies dans des vases de cuivre. Le goût et le soin le plus attentifs se montraient en toute chose. J'en fis compliment à Sybil. Elle dit à mi-voix :

– J'essaie de faire oublier qu'il n'y a pas une ville à trois cents kilomètres d'ici et qu'on trouve à la porte de cette maison les bêtes les plus dangereuses.

Les yeux de la jeune femme allaient d'objet en objet comme d'ami en ami. Quelques-uns étaient très beaux.

– Les parents de mon mari les ont amenés avec eux en Afrique lorsqu'ils sont venus se fixer dans le pays au début du siècle, dit Sybil. Ces meubles étaient dans la famille.

Sybil fit une pause, comme par hasard, pour ajouter avec une feinte négligence :

– Une très vieille famille… La branche aînée a le titre de baronnet depuis le temps des Tudor.

Un instant, le visage de la jeune femme porta l'expression qui pouvait le plus mal s'accorder à ses traits et à sa vie présente : une satisfaction vaine, bourgeoise. Était-ce un mouvement profond de sa nature ? Ou seulement un moyen de défense intérieure comme les meubles, les étoffes ?

Elle caressa machinalement un fauteuil minuscule en bois des îles, sorte de jouet ravissant façonné au XVIIIe siècle par quelque artisan de génie.

---

1. Concourait à : participait à.
2. Nattes : brins de végétaux tressés pour former un tapis.

– Mon mari s'est assis là quand il était un tout petit enfant,
180 et son père, et le père de son père, dit Sybil. Et je l'ai vu servir
à ma fille.

– Patricia ! m'écriai-je.

Et je sus pourquoi j'étais resté.

– Vous connaissez son nom ? demanda Sybil. Ah ! oui. Natu-
185 rellement !... Par Lise !

Ce n'était pas vrai. Je pensai un instant à dire comment j'avais
rencontré Patricia. Mais un réflexe obscur m'inspira de préférer
les commodités du mensonge que Sybil m'offrait elle-même.

– Savez-vous ce que je rêve pour Patricia ? reprit vivement la
190 jeune femme. Je voudrais qu'elle aille faire son éducation en
France et qu'elle y prenne le goût de s'habiller, de s'arranger, de se
tenir comme si elle était née à Paris. Comme Lise savait le faire.

Dans les yeux de Sybil brillaient de nouveau la foi et l'éclat de
l'enfance. Soudain elle s'arrêta de parler, tressaillit et d'un mou-
195 vement que, assurément, elle ne remarqua pas, tellement il avait
été rapide et instinctif, remit ses lunettes aux verres fumés.

Le Noir que je vis alors au milieu du salon sans que le bruit
le plus léger eût précédé son approche, était âgé, ridé, borgne [1],
vêtu d'une culotte de toile brune et d'une chemise déchirée. On
200 ne pouvait juger de sa taille véritable car il se tenait plié, cassé
sur des hanches difformes.

Il prononça quelques mots en swahili et s'en alla.

– Kihoro est un Wakamba, me dit la jeune femme à voix basse
et lasse. Il a longtemps servi mon mari comme guide et traqueur.
205 Il ne peut pas être garde dans le Parc. Vous avez vu comme les
bêtes l'ont mutilé. Alors il s'occupe de Patricia. Il a vu naître la
petite. Elle l'aime beaucoup. Il m'a averti qu'il vient de lui porter
son petit déjeuner.

– Elle est ici en ce moment ? demandai-je.

210 – Elle se réveille, dit Sybil.

_____

1. Borgne : qui a perdu un œil.

– Comment… Mais…

Je m'arrêtai juste à temps pour qu'il fût possible à la jeune femme d'interpréter mon étonnement à sa manière.

– C'est un peu tard, je le sais bien, dit-elle. Mais Patricia court
215 tellement toute la journée. Elle a besoin de dormir beaucoup.

Sybil me regarda un instant à travers les lunettes noires et acheva :

– Je vais la chercher. Ainsi vous pourrez parler d'elle à Lise.

J'allai à l'une des fenêtres, du côté où les volets n'étaient pas
220 rabattus, écartai les rideaux. La fenêtre donnait sur un grand patio autour duquel étaient disposées les chambres d'habitation. Une galerie rudimentaire et couverte de chaume courait le long des murs. Sybil la suivit un instant sans accorder un regard aux flamboyants, aux jacarandas [1], aux averses d'or qui éclataient en
225 buissons d'écarlate, d'azur et de feu aux quatre coins de la cour intérieure. Mais au lieu d'entrer tout de suite dans la chambre de Patricia et malgré l'aversion maladive qu'elle avait du soleil, la jeune femme gagna le centre de l'espace découvert que rien ne protégeait contre la violence de la chaleur et de la lumière.
230 Là, elle s'arrêta devant un carré de minces plates-bandes dont le terreau, sans doute, venait de loin et sur lequel, irrigués par de petites rigoles [2] amenées du dehors, poussaient, pauvres, fragiles, décolorés, des zinnias, des pétunias, des œillets.

Sybil se pencha vers les fleurs d'Europe, redressa une tige,
235 assouplit une corolle. Ce n'était pas un tendre soin qui inspirait surtout ses mouvements. Il y avait dans leur inflexion une sorte d'appel, de prière. Était-ce uniquement contre la solitude ?

Je fus arraché à ces pensées par le bruit d'une voiture lancée très vite et arrêtée d'un coup de frein brutal devant la maison,
240 du côté où les volets rabattus aveuglaient le mur.

---

1. Flamboyants, jacarandas : arbres tropicaux.
2. Rigoles : canaux étroits et en pente permettant l'écoulement des eaux.

Chapitre 5

Le crissement des roues contre le sol rêche vibrait encore
que le conducteur de la voiture pénétrait déjà dans le salon. Visiblement, il ne s'attendait pas à m'y trouver. Mais dès qu'il m'eut
aperçu, la taille et le volume pourtant considérables de son corps
ne lui furent d'aucune gêne pour rompre et suspendre d'un seul
coup l'étonnante vivacité de son élan. Il le fit avec l'aisance et la
justesse des professionnels de l'équilibre musculaire, danseurs,
boxeurs, acrobates.

Il avait à la main un *kiboko*, long fouet en peau de rhinocéros.

– Soyez le bienvenu, dit-il d'une voix qui malgré sa raucité [1]
avait un ton net et franc. Je suis John Bullit, l'administrateur de
ce Parc royal.

Je voulus me présenter, mais il poursuivit.

– Je sais, je sais… Votre nom est sur le registre des entrées. Et
comme vous êtes notre seul client…

Il n'acheva pas sa phrase et demanda :

– Whisky ?

Sans attendre de réponse, Bullit jeta son kiboko sur une chaise
et alla vers le coffret à liqueurs [2] placé au fond de la pièce.

Il était d'une beauté vraiment exceptionnelle dans l'ordre de
la plénitude et de la puissance. Très grand, très long de jambes,

---

1. **Raucité** : rudesse d'une voix.
2. **Liqueurs** : boissons alcoolisées.

son ossature massive se trouvait enrobée d'une chair qui, pour
être dense, épaisse et même pesante, n'embarrassait en rien la
25 vitesse et la souplesse de ses mouvements. Cette substance ferme
et active était simplement une source de vitalité, une réserve de
force. Et le soleil qui l'avait cuit et recuit jusqu'à lui donner un
teint de bois brûlé n'avait pu entamer sa surface.

Son vêtement découvrait plus qu'il n'habillait la peau lisse,
30 élastique. Un vieux short s'arrêtait bien au-dessus des genoux,
les manches de la vieille chemise bien au-dessus des coudes.
Ouverte de la gorge à la ceinture, elle dénudait le poitrail.

– À votre santé, dit Bullit.

Avant de boire, il approcha le verre de son nez légèrement
35 camus [1] et respira l'odeur du whisky.

Ses narines bien dessinées se dilataient et se contractaient
rapidement. La mâchoire carrée avançait un peu et avec elle
la lèvre inférieure, vigoureuse et vermeille. Les cheveux drus,
emmêlés, crêtaient d'une broussaille rousse, presque rouge, le
40 front bombé, les joues pleines et dures. C'était, plutôt qu'un
visage, un masque, un mufle. Mais, par son relief, sa densité, son
expression, il exerçait un pouvoir, un attrait singuliers.

– Je n'ai pas eu le temps de m'occuper de vous ce matin,
excusez-moi, me dit Bullit entre deux gorgées d'alcool. Il
45 faisait encore nuit quand j'ai quitté la maison. C'était urgent. On
m'avait signalé deux Noirs suspects dans le coin le plus perdu
de ce Parc. Et il y a souvent des braconniers [2] par là… Vous
comprenez, l'ivoire des défenses fait encore de bons prix et la
corne de rhinocéros, une fois pilée, vaut très cher en Extrême-
50 Orient comme aphrodisiaque [3]. Ces maudits trafiquants hindous
implantés ici servent d'intermédiaires. Alors, il y a toujours des

---

1. Camus : court et aplati.
2. Braconniers : chasseurs qui n'ont pas l'autorisation de chasser.
3. Aphrodisiaque : substance qui est censée accroître le désir physique.

salopards, Wakamba, Kipsigui ou autres, qui, avec leurs flèches empoisonnées, essaient de tuer mes éléphants, mes rhinos.

– Vous les avez surpris ? demandai-je.

55 – Non, fausse alerte, dit Bullit. (Il regarda avec regret le fouet terrible dont il s'était débarrassé en rentrant.) Il y avait bien des Noirs, mais c'étaient des Masaï.

Dans la voix enrouée de Bullit, je reconnus l'inflexion singulière de respect que j'avais décelée chez tous les Anglais du Kenya 60 quand ils m'avaient parlé de cette tribu guerrière.

– Les Masaï, reprit Bullit, ne vendent et n'achètent rien. Ils ont beau être noirs, il y a du seigneur en eux.

Il eut un rire bref et rauque et reprit :

– Mais, tout seigneurs qu'ils soient, il ne faut pas qu'ils s'ex-65 citent sur mes lions.

Il est des hommes, lorsqu'on les aborde, avec lesquels les approches, les temps morts qu'exigent à l'ordinaire les règles de politesse, n'ont pas de sens, parce que ces hommes vivent en dehors de toute convention dans leur propre univers et qu'ils 70 vous y attirent aussitôt. Je dis à Bullit :

– Vos lions, vos rhinocéros, vos éléphants… Les animaux sauvages semblent pour vous un bien personnel.

– Ils appartiennent à la Couronne, répliqua Bullit. Et je la représente ici.

75 – Je ne pense pas, dis-je, que ce soit chez vous seulement un effet du devoir.

Bullit reposa brusquement son verre à moitié plein et se mit à marcher à travers la pièce. Il allait à grands pas. Pourtant, son corps si vaste, haut et lourd, n'effleurait pas un meuble. Et sous 80 ses bottes de chasse, le plancher ne faisait aucun bruit. Quand il eut parcouru plusieurs fois le salon et tout en continuant son va-et-vient silencieux, il dit :

– Après les Masaï, j'ai fait un tour de deux heures dans la brousse pour répandre du sel dans les endroits où les bêtes vont 85 souvent. Elles ont du goût pour le sel. Ça les fortifie. Vous me direz que ce n'est pas mon seul devoir qui me pousse à leur en donner.

Bullit marchait plus vite de son grand pas juste, élastique et muet à travers la pièce encombrée.

90 – Et les barrages de terre que je construis, et les rigoles que je fais creuser pour qu'il y ait partout et en toute saison des abreuvoirs, ce n'est pas davantage l'obligation de mon poste. Et je vide sans pitié les visiteurs quand, avec les trompes de leurs voitures, ils empêchent les bêtes de se sentir chez elles.

95 Bullit arrêta brusquement la lancée de son corps avec cette facilité que je lui avais déjà vue. Il était alors près de moi et grondait :

– Les bêtes, ici, ont tous les droits. Je les veux tranquilles. À l'abri du besoin. Protégées des hommes. Heureuses. Et dans la
100 mesure de mes forces, il en sera ainsi, vous m'entendez.

Je contemplai avec malaise les yeux agrandis qui ne cillaient point. Pourquoi cet éclat si brusque et si brutal ? Il était impossible que j'en fusse l'objet véritable. Mon innocent propos n'avait servi que de prétexte, d'occasion à une crise longuement mûrie.
105 À quoi, à qui s'adressaient à travers ma personne cette fureur et ce tourment ?

Le regard de Bullit perdit soudain toute sa violence. Il redressa la tête, ce qui porta sa mâchoire carrée au niveau de mon front. Puis il reprit son verre et le vida d'un coup. J'entendis alors l'ap-
110 proche légère qu'il avait perçue avant moi. Quand Sybil entra, le visage de son mari était paisible.

Ils allèrent l'un à l'autre d'un mouvement si simple qu'il ne semblait pas relever de leur volonté, ni même de leur conscience. Quand ils se furent rejoints au milieu de la pièce, Bullit posa l'une de ses mains puissantes sur l'épaule de Sybil qu'elle couvrit
5 entièrement et attira vers lui la jeune femme. De l'autre main, il dégagea avec une douceur surprenante les yeux de leurs lunettes. Puis le mufle roux approcha le pâle visage et lui baisa les paupières. Le corps de Sybil se relâcha d'un seul coup et s'infléchit pour se lier et comme se fondre à la masse de chair et de muscles
10 qui l'appelait. Cette effusion [1] fut si rapide et d'une telle décence que je n'éprouvai aucun scrupule, aucune gêne à y assister. Les gestes de Sybil et de Bullit, par leur naturel, leur qualité, les plaçaient à l'abri et au-delà de l'indiscrétion.

Deux époux que leurs tâches différentes avaient séparés au
15 sortir de la nuit se retrouvaient, s'embrassaient. Rien de plus. Qu'y avait-il à cacher? Mais ce que l'amour peut apporter à deux êtres, une fois et pour toujours, en tendresse, en intégrité et en certitude, tout ce qu'un homme et une femme peuvent souhaiter et obtenir l'un de l'autre pour endormir leurs plus profondes
20 angoisses et servir l'un à l'autre de complément prédestiné, je le voyais inscrit de la façon la plus pure et la moins discutable dans les mouvements et les visages de Sybil et de son mari.

---

1. **Effusion** : manifestation de tendresse.

Je me souvins de la petite chapelle blanche dressée dans la brousse à l'endroit où l'on découvre le mieux l'auguste[1] et sauvage
25 vallée du Rift. Bullit y avait épousé Sybil. La naïve solennité, la foi absolue, la merveilleuse solitude à deux qui alors avaient été leur bien, je les imaginais maintenant sans peine. De cela – il y avait dix ans. Mais pour eux, entre eux, rien n'était changé. Et il en serait ainsi jusqu'à la fin de leurs jours communs, tant qu'un
30 battement de vie animerait cette figure exsangue[2] et cette large face presque animale sous la toison des cheveux roux.

Quelques secondes suffirent à nouer et dénouer ce parfait échange d'abandon[3] et de protection. Bullit et Sybil se séparèrent presque en même temps qu'ils s'étaient embrassés. Mais
35 il fallut que le regard de Sybil rencontrât le mien pour qu'elle se rendît compte que j'étais là. Ses yeux si beaux perdirent alors leur lumière, leur bonheur. Elle rabattit sur eux les lunettes noires par ce mouvement d'automate que je connaissais déjà si bien. Ses joues soudain plus creuses furent parcourues d'un frémissement.
40 Ses nerfs étaient de nouveau tendus à l'extrême. Pourtant, ce que Sybil avait à m'apprendre n'avait rien, en apparence, qui pût justifier un tel changement.

– Je suis navrée, dit la jeune femme. Je n'ai pas pu décider Patricia à venir. Il faut l'excuser. Elle n'a pas l'usage de la société.
45 Bullit n'avait pas bougé. Ses larges traits gardaient leur expression sereine. Mais il était devenu, je le vis à son regard, singulièrement attentif. Et il me sembla percevoir ces effluves[4] indéfinissables, cette sorte de rétrécissement de l'atmosphère par où l'étranger devine de temps à autre qu'un vieux désaccord,
50 tenace et secret, met à l'épreuve une fois encore des êtres qui vivent ensemble et s'aiment depuis longtemps.

---

1. Auguste : qui inspire le respect.
2. Exsangue : très pâle.
3. Abandon : confiance.
4. Effluves : souffles, influences.

– Il est tout naturel, dis-je en riant, pour une petite fille du Kilimandjaro, de ne pas se précipiter vers les gens tels que moi et qui débarquent d'un monde dont elle n'a que faire.

55 La gratitude qui se peignit sur les traits de Bullit fut aussi vive que l'avait été son étrange colère quelques instants plus tôt et tout aussi dénuée, semblait-il, de fondement et de mesure.

– Bien sûr, c'est tout naturel, dit-il très doucement.

– Mais dans ce cas, John, s'écria Sybil (et sa lèvre inférieure
60 tremblait un peu), plus ira le temps et plus Patricia, si elle continue à vivre ici, va devenir sauvage, impossible. Il faut faire quelque chose.

Bullit dit plus doucement encore :

– Nous avons essayé, chérie, vous vous en souvenez bien. La
65 pension a rendu la petite malade.

– Elle avait deux ans de moins, répliqua Sybil. Aujourd'hui ce n'est plus la même chose. Nous devons penser à l'avenir de cette enfant.

Des taches d'un rouge fiévreux étaient venues aux pommettes
70 de la jeune femme. Elle me prit brusquement à témoin :

– Ne croyez-vous pas, me demanda-t-elle, que Patricia sera la première à nous reprocher un jour sa mauvaise éducation ?

Bullit ne disait rien, mais il ne me quittait pas de ses yeux trop pâles, striés de fibrilles [1] empourprées (le soleil ? l'alcool ?)
75 et son regard nourri de toute la force dont il était capable voulait une réponse contraire à celle que demandait sa femme. Chacun d'eux, et selon sa nature cherchait en moi un allié dans un débat essentiel dont l'objet était le destin d'une petite fille en salopette grise, la petite fille de l'aurore et des bêtes sauvages.

80 Quel parti pouvait prendre un passant ?

Je pensai à Patricia, à ses cheveux coupés en boule. Ce souvenir, et lui seul, dont les parents de la petite fille ne pouvaient pas connaître l'influence, me décida. Je dis, sur le ton de la

---

1. **Fibrilles** : lignes très fines.

plaisanterie et comme quelqu'un à qui le sens véritable de la
85 discussion eût échappé :

– Sans doute parce que je n'ai pas d'enfants, je suis toujours
de leur côté. Comptez-moi dans le camp de Patricia.

Il y eut un très court silence. Sybil se força à sourire et me
dit :

90 – Pardonnez-nous de vous mêler à nos soucis de famille. Vous
n'êtes pas venu jusqu'ici pour cela.

– En vérité, dit Bullit.

Il souriait également, mais ainsi que l'aurait fait un homme
qui retrouve soudain, après de longues années, un vieux cama-
95 rade.

– Je vous montrerai des choses dans ce Parc… des choses que
bien peu de gens ont vues, poursuivit-il en élevant à demi sa main
redoutable comme pour m'assener[1] une tape sur l'épaule.

Mais il considéra sa femme qui semblait très loin de nous et
100 ajouta presque timidement :

– En l'honneur de notre hôte, vous pourriez venir aussi, pour
une fois, chérie. Comme dans le bon vieux temps. Cela vous
ferait du bien.

Au lieu de lui répondre, Sybil me demanda :

105 – Mon Dieu ! Que va penser Lise quand elle saura que vous
n'avez pas vu Patricia ?

– Lise ? dit Bullit. Pourquoi Lise ?

– Notre hôte est son ami, dit Sybil. Je n'ai pas eu le temps de
vous le raconter. Il avait une lettre de Lise pour moi et figurez-
110 vous qu'il reverra Lise bientôt.

Chaque fois que Sybil répétait ce nom, sa voix se faisait plus
vive et sa figure plus jeune. En même temps, les traits de Bullit
se contractaient, se fermaient davantage. Il ne restait plus rien
sur eux de l'amitié qu'il venait de me montrer.

115 – Quand partez-vous ? me demanda Sybil.

_____

1. Assener : donner.

– Demain, répondit Bullit à ma place et presque brutalement.
D'après le registre.

– Demain ? s'écria Sybil. Déjà… Mais alors, je dois tout de
suite commencer une lettre pour Lise. J'ai tant de choses à lui
confier. Vous savez, je la sens plus vraie, plus près depuis que je
vous ai vu.

Bullit alla se verser du whisky.

– Je ne vous ai même pas reçu d'une façon convenable, reprit
Sybil. Vous devez revenir ici ce soir prendre un bon thé. Vous
n'aurez d'ailleurs rien d'autre à faire. John a interdit qu'on roule
dans le Parc, le jour tombé. N'est-ce pas, John ?

– Les phares aveuglent les bêtes, grommela Bullit.

– Je viendrai avec joie, dis-je à Sybil. Pour votre lettre, rien ne
presse. Mon chauffeur pourra la prendre demain, avant notre
départ.

Bullit me considéra un instant à travers l'alcool qui emplissait
son verre.

– Aurez-vous la bonté de m'expliquer, demanda-t-il brusquement, pourquoi ce chauffeur a passé la nuit dans sa voiture
alors qu'il avait un lit à sa disposition dans la case des serviteurs
du camp ? Ce gentleman de Nairobi répugne peut-être à coucher
sous le même toit que les pauvres Noirs de la brousse ?

– Il ne s'agit pas de cela, dis-je. Nous avons fait, Bogo et moi,
un long circuit jusqu'au lac Kivou. Les hôtels refusaient de loger
les Noirs, sinon dans les chenils. Bogo s'est habitué à dormir
dans la voiture. C'est un homme très simple, mais il a le sens
de la dignité.

– Dignité, répéta Bullit entre ses dents. Dignité.

Son regard se posa sur la longue lanière en cuir de rhinocéros
qui pendait au bras d'un fauteuil, puis revint scruter le fond de
son verre.

– Je suis né en Rhodésie, dit-il soudain. Mon père y admi-
nistrait un très grand district. J'avais quatorze ans quand j'ai fait
mon premier safari avec un garçon de mon âge. Un jour, dans

150 une brousse à lions, mais où la chasse était interdite, nous avons vu remuer un fourré. Défense ou pas défense, nous tirons. L'un de nous a touché. Mais c'était un Noir, tué raide. Nous sommes allés prévenir le chef du village le plus proche. Un vieux Nègre. (Bullit leva un instant les yeux sur moi.) Très digne. Il nous a
155 dit : « Vous avez eu de la chance que ça n'ait pas été un lion. Votre père ne vous l'aurait pas pardonné. » C'était vrai. Mon père avait la loi dans le sang.

– John, pourquoi racontez-vous des histoires pareilles! dit Sybil à mi-voix. Vous savez que je les ai en horreur. Et puis vraiment,
160 elles peuvent vous faire prendre pour un sauvage.

Bullit acheva son verre sans répondre, alla prendre le kiboko et me dit sans me regarder :

– Excusez-moi, j'ai du travail. Pour la visite du Parc, je vous enverrai un garde.

165 Il s'étira les bras en croix, et la pièce, du coup, devint plus étroite.

– John, dit rapidement Sybil, promettez-moi que vous obtiendrez de Patricia qu'elle ne fasse pas de manières et qu'elle soit là pour le thé. Il faut tout de même que notre hôte puisse parler
170 d'elle à Lise.

L'énorme main qui tenait le fouet en peau de rhinocéros se crispa sur le manche. Puis elle se détendit et Bullit approcha son mufle du visage maladif pour dire avec la tendresse la plus profonde.

175 – C'est promis, chérie.

Il effleura des lèvres les cheveux de sa femme. Elle se pressa contre lui et il la reçut sur sa poitrine ainsi qu'il l'avait déjà fait et avec le même amour.

Un quiz pour commencer

Cochez les bonnes réponses.

❶ À quel moment de la journée le roman commence-t-il ?

- ☐ Le matin.
- ☐ Le midi.
- ☐ Le soir.

❷ Dans quel lieu l'action débute-t-elle ?

- ☐ Dans la savane.
- ☐ Dans la chambre du narrateur.
- ☐ Au bord d'un lac.

❸ Quelle est la première créature vivante que le narrateur aperçoit ?

- ☐ Un lion.
- ☐ Une gazelle.
- ☐ Un singe.

❹ *Quelle est la première personne que le narrateur rencontre dans le Parc ?*

- ☐ L'administrateur du Parc.
- ☐ Un enfant.
- ☐ Un *ranger*.

❺ *Qu'éprouve le narrateur en présence de Patricia ?*

- ☐ De l'étonnement devant l'autorité qu'elle possède.
- ☐ De la peur pour la sécurité de la petite fille.
- ☐ De l'amusement.

❻ *Pour quelle raison Patricia interdit-elle au narrateur d'aller rejoindre les bêtes ?*

- ☐ Parce qu'il ne faut pas les déranger.
- ☐ Parce que c'est dangereux.
- ☐ Parce que les visiteurs doivent être accompagnés d'un *ranger*.

❼ *Quelle est la mission de Bullit au Parc royal ?*

- ☐ Accompagner les touristes.
- ☐ Étudier la nature.
- ☐ Protéger les animaux du Parc.

❽ *Quels sont les rapports de Sybil et de Bullit avec la nature ?*

- ☐ Ni l'un ni l'autre ne l'aime.
- ☐ Bullit l'aime et Sybil préfère la ville.
- ☐ Tous deux l'adorent.

❾ *Pourquoi Bogo, le chauffeur, a-t-il dormi dans la voiture du narrateur ?*

- ☐ Il n'y avait pas de lit à sa disposition dans la case des serviteurs du camp.
- ☐ Il devait surveiller la voiture.
- ☐ Il s'est habitué à dormir dans la voiture.

Des questions pour aller plus loin

☞ Analyser le début d'un roman

L'appel de la nature africaine

❶ Le premier chapitre s'ouvre sur le réveil du narrateur.
Quelles rencontres étonnantes fait-il au cours de ce premier chapitre ?

❷ Quelle est la raison qui pousse le narrateur à sortir de sa hutte ?

❸ Relevez, dans les pages 12 à 16, les termes mélioratifs ou péjoratifs employés pour décrire la nature. Quelle image le narrateur veut-il en donner ?

❹ D'après les pages 12-13 et 20, le narrateur éprouve-t-il des difficultés à comprendre le langage des animaux ? Cela entrave-t-il son désir d'aller vers la nature ?

❺ Montrez, en citant le texte, que la nature est présentée comme un paradis.

La rencontre du narrateur avec la famille Bullit

❻ Comment le narrateur est-il introduit auprès de Sybil Bullit, femme de l'administrateur du Parc et mère de Patricia ?

❼ Que remarque-t-on d'étrange dans l'accueil fait par Sybil au narrateur ?

❽ Comment Sybil perçoit-elle le milieu dans lequel elle vit ?

❾ Par quels moyens Sybil tente-t-elle de garder un lien avec la civilisation européenne ?

❿ Quel portrait le narrateur fait-il de Bullit à son arrivée au bungalow, p. 44-45 ?

⓫ Qu'observe le narrateur concernant les rapports de Bullit et de sa femme ?

Une description enthousiaste des animaux du Parc

⓬ La description initiale du petit singe et de la gazelle contient des éléments surprenants et qui semblent exagérés (p. 11 à 13). Lesquels ?

⓭ Nommez le procédé utilisé par l'auteur aux lignes 129-139 du chapitre 1 pour évoquer les animaux du Parc. Quel est l'effet visé ?

⓮ Comment Patricia met-elle en pratique son observation des bêtes sauvages au sein du Parc ? Qu'explique-t-elle au narrateur à leur propos ?

⓯ Dans le deuxième chapitre, quels éléments de la description de Patricia la rapprochent du monde animal ?

Rappelez-vous !
La fonction habituelle de l'*incipit* (le tout début d'un texte) est de donner les informations essentielles à la compréhension du récit. Il répond aux questions : qui ? quoi ? où ? quand ? C'est un passage déterminant qui doit susciter l'intérêt du lecteur. Dans l'*incipit* du *Lion*, seuls les lieux sont détaillés par le narrateur. On ignore l'identité du personnage principal et Patricia effectue elle-même sa présentation à la fin du premier chapitre.

De la lecture à l'écriture

Des mots pour mieux écrire

❶ *Complétez le texte à l'aide des mots suivants et accordez-les si nécessaire :* naseaux, gîte, discrètement, mufles, furtif, robes, hardes, aiguë.

Par des mouvements _____ , les _____ de gazelles tentent de passer _____ près des fauves et d'échapper à leurs dents _____ . Les impalas possèdent des _____ claires et leurs _____ aux larges _____ sont veloutés. Le soir, tous ces animaux se hâtent vers leur _____ .

❷ *Employez chacun des adjectifs (au masculin ou au féminin) dans une phrase complète qui décrira de manière pertinente le caractère ou le physique d'un animal :* furtif, chétif, inassouvi, prompt, farouche.

À vous d'écrire

❶ Imaginez que vous vous réveillez un jour en compagnie de deux petits animaux sauvages. Comme le narrateur, vous découvrez peu à peu la situation à mesure que vous vous éveillez. Donnez toutes les étapes de votre découverte et détaillez les sensations que vous éprouvez. *Consigne.* Votre récit sera écrit à la première personne et au passé.

❷ Écrivez en une vingtaine de lignes un document publicitaire vantant les charmes du Parc royal afin d'y attirer les touristes. Vous évoquerez à la fois la beauté du paysage et la paix qui règne dans le Parc. *Consigne.* Dans votre texte, la description comportera de nombreux adjectifs mélioratifs. Vous donnerez un titre à votre document.

❸ Imaginez l'une des histoires fabuleuses que Patricia raconte au narrateur (chapitre 2, p. 26-27). Vous pourrez choisir le buffle qui a un « caractère infernal », le vieil éléphant qui aime s'amuser, le zèbre qui a échappé à un incendie de brousse…

Ou bien vous choisirez d'autres animaux de la savane, en prenant soin de bien définir leur personnalité.

Consigne. Vous rédigerez votre récit à la troisième personne et au passé.

Du texte à l'image

Histoire des arts

➡ Lion africain, photographie de Thomas Mangelsen.
(Image reproduite en couverture.)
➡ Frans Lanting, Zèbres et gnous dans le Parc national d'Ambolesi.
(Image reproduite au verso de la couverture en début d'ouvrage, en haut.)

👁 Lire l'image

❶ Observez la photographie sur la couverture et décrivez-la avec précision.
❷ Quels sont les attributs propres au lion que vous remarquez dans cette image ?
❸ Qui ou que regarde le lion, selon vous ?

📄 Comparer le texte et l'image

❹ D'après ce que vous venez de lire, ce lion pourrait-il faire partie des animaux du Parc royal ?
❺ Avez-vous déjà eu l'occasion de le rencontrer dans le récit pour le moment ?
❻ Observez l'illustration reproduite au verso de la couverture en début d'ouvrage, en haut. Quelle est la montagne que l'on aperçoit sur la photographie ? Retrouvez les passages des chapitres 1 et 2 qui y font référence.

✏️ *À vous de créer*

❼ **B2i** Sur internet ou dans votre CDI, cherchez d'autres portraits de lions qui auraient pu être utilisés pour la couverture. Décrivez chaque portrait (est-ce un gros plan ? voit-on le corps en entier ? etc.).

❽ Décrivez en une dizaine de lignes la photographie reproduite au verso de la couverture en début d'ouvrage (en haut). Quelle impression s'en dégage principalement ? Vous aurez soin de donner un titre à votre description.

Je quittai Sybil peu après. Elle ne chercha pas à me retenir. Elle pensait à sa lettre, à sa réception.

En sortant du bungalow, je fus obligé de m'arrêter, ébloui, étourdi par l'assaut de la chaleur et de la lumière. Bullit se tenait tête nue près de sa voiture, une Land Rover tout terrain, et donnait des ordres à Kihoro, son ancien traqueur, le Noir borgne, déhanché et couturé de cicatrices. Bullit feignit de ne pas me voir. Mais Kihoro, de son œil unique, me jeta un regard prompt et perçant et se mit à parler très vite à son maître. Je me détournai et pris la direction de ma hutte.

Au moment où, arrivé à la limite de la clairière, j'allais m'engager dans le taillis qui la bordait, une grande ombre à forme humaine se projeta soudain à côté de la mienne. Je m'arrêtai. Bullit se dressa près de moi.

J'éprouvai une singulière et subite sensation de fraîcheur : ce corps était si grand, si large, qu'il m'abritait du soleil. Mais en même temps, je fus pris d'inquiétude. Pourquoi Bullit m'avait-il suivi et rejoint de cette marche silencieuse qui surprenait chaque fois ? Que voulait-il encore ?

Les yeux de Bullit, sans doute pour éviter mon regard, contemplaient les arbres épineux au-dessus de ma tête. Ses bras pendaient immobiles le long des flancs, mais le bout des doigts aux ongles larges courts et coupés ras, remuaient nerveusement sur ses cuisses bronzées. Il semblait mal à l'aise. Il dit en toussotant :

     – Si vous le voulez bien, nous ferons le chemin ensemble. Je vais du côté de votre camp, au village nègre.

     Il marchait en batteur de brousse : un peu incliné vers l'avant, à foulées nonchalantes [1] et rapides. J'avais peine à le suivre. Nous
30 fûmes vite au cœur du taillis. Alors Bullit pivota sur lui-même, barra le sentier mince. Ses poings étaient serrés à hauteur de ses hanches. Ses yeux aux fibrilles rouges m'étudiaient fixement. Entre les cheveux et les sourcils roux, hérissés, des rides profondes creusaient le front. L'idée me vint qu'il allait se jeter sur
35 moi et m'abattre d'un coup. C'était assurément une idée folle. Mais je commençais à trouver que Bullit se conduisait comme un fou. Il fallait rompre entre nous le silence de la terre, de la chaleur, des arbres.

     – De quoi s'agit-il ? demandai-je.
40   Bullit dit à mi-voix, lentement :

     – Vous étiez ce matin tout près du grand abreuvoir.

     Je me trouvais en face d'un homme d'une puissance physique dangereuse et dont je n'arrivais pas à comprendre, à prévoir les impulsions [2]. Pourtant, mon premier réflexe fut de penser à
45 Patricia et qu'elle m'avait trahi. J'en éprouvai une peine si vive que je demandai malgré moi :

     – Votre fille m'a donc livré au bourreau…

     – Je ne l'ai pas vue depuis hier, répliqua Bullit en haussant les épaules.
50   – Mais vous savez tout de même que je me trouvais avec elle là où je n'en avais pas le droit.

     – C'est bien de quoi je tiens à vous parler, dit Bullit.

     Il hésita. Les plis, sous la broussaille rouge de la chevelure, se firent plus épais. Il grommela.
55   – Je ne sais pas comment vous présenter l'affaire.

---

1. Nonchalantes : insouciantes, indifférentes.
2. Impulsions : mouvements spontanés, réflexes.

– Écoutez, lui dis-je. En toute conscience, je ne savais pas que l'endroit était interdit aux visiteurs. Mais si vous estimez que votre devoir est de m'expulser, eh bien, je partirai dans une heure au lieu de partir demain, voilà tout.

60 Bullit hocha la tête et sourit d'un sourire à peine dessiné, timide, qui donnait à son mufle un charme singulier.

– Même si j'avais envie de vous vider, comment le pourrais-je ? dit-il. Sybil est déjà toute à son grand thé. Elle n'a pas beaucoup d'occasions comme celle-ci, la pauvre âme.

65 Et brusquement libéré de tout embarras, Bullit me dit avec la simplicité haute et franche qui était enfin celle de sa stature et de son visage :

– Je vous remercie… Je vous remercie vraiment de n'avoir pas raconté à ma femme que vous avez vu Patricia à l'aube là
70 où vous l'avez vue.

Bullit passa le revers de sa main sur son visage mouillé. Je l'avais vu revenir d'une longue course en plein soleil sans une goutte de sueur. Et nous étions à l'ombre d'épineux immenses. Je ne savais que répondre.

75 À quelques mètres de nous, un impala traversa d'un bond le sentier. Quelques oiseaux s'envolèrent des sous-bois. On entendait jacasser les singes.

– Si ma femme apprenait ce que Pat fait chaque matin, reprit Bullit, eh bien.

80 Il chercha ses mots, s'essuya de nouveau le front et acheva sourdement :

– Cela rendrait les choses très difficiles pour tout le monde.

Il tritura un instant sa toison rêche et rousse tout en déplaçant le poids de son torse d'une jambe sur l'autre.

85 – Ce que je voudrais comprendre, dit Bullit sans me regarder, c'est votre silence. Vous n'étiez au courant de rien. Est-ce que Sybil vous a fait des confidences qui vous ont mis en garde ?

– Pas du tout, dis-je. Et je ne suis pas très sûr moi-même du sentiment qui m'a empêché de parler. La vérité, je crois, est que

90 ma rencontre avec votre fille m'a semblé être un secret entre
nous deux.

– Mais, pourquoi ?

– Pourquoi ?

Je m'arrêtai par crainte du ridicule. Et puis – sans doute à
95 cause de l'odeur et des craquements de la brousse et parce qu'il
y avait sur le masque de Bullit quelque chose de la simplicité
animale –, je me décidai. Je dis à Bullit l'instinct qui m'avait
poussé vers les bêtes sauvages, merveilleusement assemblées au
pied du Kilimandjaro et combien je désirais leur amitié pour moi
100 impossible et comment la petite fille en salopette grise m'avait
donné pour quelques instants l'accès de ce royaume.

Au commencement, encore gêné par cette sorte de confession,
je tenais les yeux fixés sur le sol couvert d'herbes sèches et de
ronces, et je ne voyais de Bullit que ses jambes couleur d'argile [1]
105 foncée, hautes et fermes comme des colonnes. Cependant, l'intensité de son attention que je percevais dans la profonde cadence
de son souffle m'affranchit de ma gêne. C'est en le regardant que
je continuai de parler. Il m'écouta sans qu'un muscle bougeât
sur sa figure, mais le regard exprimait un bonheur incrédule [2].
110 Lorsque j'eus achevé, il dit lentement, péniblement :

– Donc… vous aussi… vous pensez… vous, un homme des
villes… qu'il y a entre Pat et les bêtes quelque chose… quelque
chose qu'il ne faut pas… à quoi on ne peut pas toucher.

Bullit se tut, et, sans qu'il en prît conscience, sa main fourra-
115 gea dans sa toison rouge. En même temps, il m'examinait d'une
tout autre manière, comme s'il cherchait sur moi un signe de
malformation, de tare [3] dissimulée.

– Mais alors, demanda-t-il, comment pouvez-vous être l'ami
de Lise Darbois ?

---

1. Argile : terre rougeâtre.
2. Incrédule : sceptique, qui a du mal à se laisser convaincre.
3. Tare : défaut physique ou psychique.

120 – Je ne le suis pas, déclarai-je. Pas le moins du monde. Je la connais à peine, et ce peu me semble déjà trop.

Le sourire que j'avais déjà remarqué, indécis, timide et plein de charme, vint aux lèvres de Bullit.

– Avouez-le, dis-je, à cause de cette jeune femme, vous m'auriez
125 fait volontiers goûter au cuir des rhinocéros.

– C'est bon Dieu vrai, dit Bullit avec simplicité.

Soudain il éclata d'un rire énorme et naïf, d'un rire d'enfant et d'ogre à la fois qui sembla remplir toute la forêt d'épineux. Entre deux convulsions [1], il répétait :
130 – C'est bon Dieu vrai, je vous aurais bien donné du *kiboko*!

Et il recommençait à perte d'haleine :

– *Kiboko… kiboko… kiboko…*

Et la contagion m'atteignit. Le mot *kiboko* me parut d'un comique étonnant. Et je me mis à rire moi aussi, dans le sentier
135 de brousse, face à Bullit, jusqu'aux larmes. Ce fut à ce moment qu'entre nous vint l'amitié.

Quand, notre accès passé, Bullit me parla de nouveau, il le fit comme à un familier qui connaissait tous les dessous, tous les secrets de sa maison.
140 – On ne croirait jamais, dit-il avec une violence contenue, qu'une poupée aussi vaine et aussi vide que Lise puisse nous faire tant de mal à dix mille kilomètres de distance.

– Et sans le vouloir, ni même le savoir, dis-je.

Bullit secoua son mufle avec entêtement et gronda :
145 – Ça m'est égal, je la hais. Je ne pense, moi, qu'à Sybil et à la petite.

Il pivota sur ses talons et se remit en marche. Cependant il allait moins vite, la nuque plus lourde. Il réfléchissait. Puis il parla sans se retourner. Son dos me bouchait l'horizon. Ses phrases
150 étaient mesurées par la cadence de notre pas. Il disait :

---

1. Convulsions : sursauts violents des muscles.

– Ne me croyez pas complètement fou parce que je laisse Pat courir à son gré dans la brousse et approcher les bêtes comme elle veut. D'abord elle possède le pouvoir sur elles. Ça existe ou ça n'existe pas. On peut connaître les animaux à fond, ça n'a pas de rapport. Ainsi moi, par exemple. J'ai passé toute ma vie au milieu des bêtes et, pourtant, rien à faire, le pouvoir, c'est de naissance. Comme la petite.

Je suivais le grand corps de Bullit en tâchant de mettre mes pas juste dans les siens afin de ne pas troubler, désaccorder cette voix rauque et lente qui me ramenait au mystérieux domaine de Patricia.

– J'ai connu quelques hommes qui avaient le pouvoir, disait Bullit. Des Blancs et des Noirs… des Noirs surtout. Mais personne autant que Pat. Elle est née avec le don. Et puis, elle a été élevée chez les bêtes. Et puis (Bullit hésita d'une manière à peine perceptible), et puis, elle ne leur a jamais fait de mal. Elle les entend et les bêtes l'entendent.

Je ne pus m'empêcher de demander.

– Cela suffit à sa sécurité ?

– Elle en est certaine, dit Bullit marchant toujours et toujours sans se retourner. Et elle doit savoir mieux que nous. Mais je n'ai pas son innocence. Je la fais garder par Kihoro.

– Le Noir mutilé ? demandai-je.

Bullit força un peu l'allure et répondit :

– Ne vous y méprenez pas. Kihoro est estropié mais il a une démarche de léopard. Moi, Patricia entendrait tout de suite que je rôde ou guette aux alentours. Et pourtant, je connais le métier. Pour Kihoro, qui est toujours derrière son ombre, elle ne se doute de rien. Et il a beau n'avoir qu'un seul œil, il tire plus juste et plus vite que moi. Et je passe pour un des bons fusils de l'Afrique orientale.

Bullit se retourna. Il y avait dans son regard un feu étrange et dans sa voix un accent plus jeune.

– Savez-vous que dans le temps, pour aller à n'importe quelle
bête dangereuse, lion, éléphant, buffle même, Kihoro ne demandait jamais plus d'une cartouche ? Et que…

Bullit s'interrompit net, et comme pour se punir d'une faute
qui m'échappait, mordit brutalement sa lèvre inférieure.

– Pour garder la petite, soyez tranquille, dit-il, les chargeurs
de Kihoro sont pleins.

Le sentier s'élargissait. Nous fîmes en silence quelques pas
côte à côte.

– C'est naturellement par Kihoro, demandai-je, que vous
avez appris ma rencontre avec Patricia ?

– Oui, dit Bullit. Mais surtout qu'elle ne sache pas qu'il la
surveille. Tout son jeu lui serait gâché. Et son jeu est le seul
bonheur qu'elle peut avoir ici.

Nous arrivions à un groupe de huttes qui n'étaient pas celles
du camp des voyageurs. Sans m'en rendre compte, j'avais suivi
Bullit jusqu'au village nègre.

Chapitre 8

Une vingtaine de paillotes[1], cachées par une haute végétation d'épineux, servaient d'habitations au personnel de la Réserve : gardes, employés, serviteurs, et à leurs familles. Des bâtiments plus solidement construits abritaient un groupe électrogène[2], un atelier de réparation, la réserve d'essence, un entrepôt de vivres et de vêtements.

La population de ce hameau entoura aussitôt Bullit. Les *rangers*[3] portaient un uniforme : vareuse[4] de toile kaki à gros boutons métalliques, short et chéchia[5] de la même étoffe, cartouchière à la ceinture. Les mécaniciens étaient habillés de guenilles[6], les serviteurs de longues tuniques blanches serrées à la taille par un rouleau d'étoffe bleue, les scribes[7] de vêtements européens, y compris la cravate. Sur les cotonnades des femmes, les couleurs les plus vives, les plus crues, et les plus heurtées, s'affrontaient avec un bonheur constant. Les enfants étaient nus.

L'accueil qui était fait à Bullit ne permettait pas de doute. Le géant roux, le maître du Parc royal était le bienvenu dans le village. Des cris et des chants de joie le saluaient. Une amitié chaude et naïve brillait sur les visages des Noirs.

---

1. Paillotes : huttes au toit de paille.
2. Groupe électrogène : moteur qui produit de l'électricité.
3. Rangers : gardes ou gardiens, dans une réserve.
4. Vareuse : veste.
5. Chéchia : petit bonnet rond.
6. Guenilles : vêtements en lambeaux, très pauvres et déchirés.
7. Scribes : employés aux écritures.

20   Bullit me jeta un regard qui signifiait : «Vous voyez bien…
malgré le *kiboko*… malgré mon aventure en Rhodésie.»
      Il y avait dans ses yeux toutes les certitudes que m'avaient
tant de fois exprimées les vieux colons[1] et leurs fils : l'excellence
naturelle des races blanches, l'infériorité des peuples-enfants
25   qui n'estiment et n'aiment que la force. Je ne partageais pas
ces conceptions. Elles avaient été valables tant que les indigènes y avaient cru. Maintenant c'était fini. Quelques hommes,
encore, par leur personnalité puissante, par une sorte d'instinct
supérieur, semblaient les justifier. Et c'était au fond de régions
30   isolées, perdues, que les grands courants du monde n'avaient
pas atteintes. Les jours venaient, les jours étaient venus pour de
nouveaux rapports entre les hommes de couleurs différentes.
Mais il était vain de perdre du temps, ce temps dont il me
restait si peu, à discuter avec Bullit. Il n'écouterait rien. Il avait
35   sa vérité.
      Bullit chassa gaiement, à grandes claques sonores, la troupe
qui l'assourdissait, fit rouler dans la poussière, avec gentillesse, du
bout de ses bottes, des enfants nus et ravis. Puis il rassembla les
rangers. Le climat changea d'un seul coup. Silencieux, immobiles,
40   bras au corps, talons joints, les gardes entendirent les instructions
et se dispersèrent dans leurs paillotes.
      – Voilà qui est fait, me dit mon compagnon. On ne perdra
pas de vue un seul instant les Masaï pendant la semaine qu'ils
vont passer ici.
45   Je demandai :
      – Vous les laissez camper dans la Réserve?
      – Il faut bien les tolérer, dit Bullit. Le territoire leur a toujours
appartenu, et ils ne sont pas encombrants. Ils se tiennent dans
les pâturages prescrits.
50   – Alors pourquoi les surveiller aussi étroitement?

---

1. Colons : habitants des colonies, territoires étrangers placés sous la domination
d'une métropole.

– À cause des lions, dit Bullit. La tradition, la gloire des Masaï est de tuer un lion à la lance et au couteau. C'est interdit par le gouvernement de la colonie. Ils essaient tout de même en cachette. Beaucoup ne reviennent pas. Ça leur est égal. (Bullit haussa les
55 épaules.) À moi aussi. Quelques Noirs de moins, même Masaï… Mais je ne veux pas admettre qu'ils m'abîment un lion.

Les *rangers* sortaient de leurs cases, armés de carabines, cartouchières garnies à la ceinture et s'égaillèrent[1] à travers la brousse.

60 J'allais prendre le chemin de ma hutte. Bullit me dit :

– Un instant encore… J'ai quelque chose à voir au groupe électrogène.

Il pénétra dans un hangar où bruissaient des moteurs.

Alors, rapidement, silencieusement, et selon une manœuvre
65 exécutée, à coup sûr, plus d'une fois, les enfants noirs se massèrent des deux côtés de la porte. Quand Bullit sortit, ils l'assaillirent de nouveau.

Cette fois, Bullit feignit d'être surpris, effrayé, d'avoir du mal à se défendre. Garçons et filles s'accrochaient en grappes à
70 ses bottes, à ses genoux, aux pans[2] de son short et hurlaient de plaisir. La population du village fit cercle autour du jeu. Dans les joues sombres, riaient les grandes dents blanches.

Soudain, une tête coiffée en boule fendit le rang des spectateurs et, derrière Bullit, surgit un petit démon échevelé qui,
75 d'un cri sauvage, força les enfants noirs à lâcher prise pour un instant, sauta sur les reins de Bullit, s'agrippa à sa nuque et, d'un rétablissement, se hissa sur l'une de ses épaules.

Tout avait été si rapide – et maintenant la petite fille portait une salopette fraîche d'un bleu délavé – que je reconnus seulement
80 alors la silhouette, le cou, et la coiffure de Patricia. Comme Bullit me tournait le dos, je ne pouvais pas voir ce qu'exprimaient les

---

1. **S'égaillèrent** : se dispersèrent.
2. **Pans** : parties tombantes d'un vêtement.

traits de la petite fille, mais il n'était pas difficile de le deviner à ses mouvements. De la main gauche, elle saisit et serra le menton de Bullit à l'étouffer, de la droite, fit voler son grand chapeau de
85 brousse. Puis elle plongea les deux mains au fond des cheveux roux et se mit à les tirer, à les pétrir.

Patricia n'avait pas besoin de parler : tout montrait chez elle l'exigence de la tendresse et le triomphe de la possession.

– Regardez-le, ce géant, ce maître du Parc royal, proclamait la
90 petite fille par chacun de ses gestes. – Regardez-le ! Il est à moi. À moi seule. Je fais de lui ce que je veux.

Et Bullit, le torse martelé à coups de talons, la tête ballottée en tous sens, cambrait les reins, haussait la nuque et riait de bonheur.

95 Patricia promena tout autour un regard étincelant, enivré. M'aperçut-elle ? Sa figure se figea d'un coup. Elle glissa contre le flanc de Bullit comme le long d'un arbre, se jeta sur les enfants noirs, les entraîna. Ils roulèrent tous ensemble dans une mêlée confuse.

100 Bullit ramassa son chapeau de brousse, mais, avant de s'en coiffer, il promena lentement, doucement, sa main massive dans les cheveux roux que les doigts de Patricia venaient de martyriser. Un sourire très vague, imprégné de fierté, d'adoration, éclairait son visage.

105 – Allons, dit-il enfin, je vous accompagne chez vous.

Je me détournai à regret du tourbillon de poussière rouge et de peaux noires où surgissait et disparaissait tour à tour une salopette bleu pastel.

Ma hutte se trouvait tout près, sans que je le sache. Le village nègre et le camp des visiteurs étaient si bien séparés et dissimulés par les épineux, que chacun formait un domaine clos, invisible
5 et comme inaccessible à l'autre.

Devant mon perron, je demandai à Bullit :

– Whisky ?

Et sans attendre davantage sa réponse qu'il ne l'avait fait pour moi dans sa maison, j'allai déboucher la bouteille.

10 Il était près de midi. La lumière toute droite tombait comme une feuille de zinc incandescent [1] contre l'ouverture de la véranda. La terre ne connaissait plus l'ombre des arbres.

Nous buvions en silence, un silence nourri, bienfaisant. Au milieu d'un monde torride [2] qui semblait sur le point de se dissou-
15 dre, il y avait deux hommes protégés par le même toit, accablés par la même torpeur [3], heureux de la même paresse, avec, dans la bouche et le sang, la même douceur de l'alcool. Deux hommes en plein accord physique et qui sentaient leur amitié croître de son propre mouvement.

20 – Dommage… votre départ si vite… dommage, dit Bullit. (Sa voix était à peine distincte.) Vous ne pouvez pas vraiment rester ?

Je remuai à peine les lèvres pour répondre :

---

1. **Incandescent** : rouge vif à cause de la chaleur.
2. **Torride** : brûlant.
3. **Torpeur** : assoupissement, somnolence.

– Impossible… place d'avion retenue.

25 Bullit soupira :

– Pour une fois que j'avais un visiteur convenable.

Il but ce qui lui restait de whisky et contempla son verre. Je le remplis.

– Les touristes… Vous ne connaissez pas cette espèce, dit

30 Bullit.

Lentement, de gorgée en gorgée, il parla de la dame qui avait besoin de ses bijoux au pied du Kilimandjaro et qui les avait vus, un matin, s'envoler de sa table entre des pattes de singe. Il me raconta les gens qui souffraient parce que les huttes du camp

35 manquaient de réfrigérateurs. Et ceux qui, au contraire, trans-portaient leur lit dehors par obsession de l'aventure. Et encore ceux qui s'attendaient à trouver dans la Réserve des plates-formes installées sur les arbres d'où l'on pourrait, la nuit, regarder les animaux sous la lumière des projecteurs en buvant du vin de

40 Champagne comme au fameux hôtel Treetops de Nyeri… Et les couples dont les partenaires se donnaient amoureusement des noms d'animaux sauvages.

– Et dire, acheva Bullit, en s'animant un peu, que si l'une de ces personnes, par idiotie, balourdise ou impudente [1] vanité,

45 désobéit au règlement et, à cause de cela même, est attaquée par une noble bête, c'est la bête que les *rangers* et moi nous avons pour mission de tuer.

– Que feriez-vous donc, demandai-je, si ce n'était pas un devoir ?

50 – Le seul bon côté du devoir est justement de rendre toute question sans objet, dit Bullit.

Je voulais répondre, mais brusquement il me fit signe de me taire. Puis, d'un autre signe, il m'enjoignit de [2] regarder en l'air suivant la direction de son doigt levé.

---

1. **Impudente** : insolente, effrontée.
2. **M'enjoignit de** : m'ordonna de.

55   À quelques pas de la véranda, dépassant les branches d'un acacia et comme accrochée à elle, remuait délicatement une tête effilée au museau plat et naïf, semée de taches de couleur havane, avec de petits triangles très droits pour oreilles et des cils longs, épais, voluptueux, d'un noir velouté de houri [1]. Une jeune girafe
60 cherchait avec grâce et prudence sa nourriture parmi les épines. Une autre apparut derrière elle, beaucoup plus grande.

    – La mère, dit Bullit dans un souffle.

    De celle-ci, on voyait un immense cou moiré qui avait un lent balancement de tige. Elle vint fouiller la cime de l'arbre tout contre
65 la jeune girafe, et la surplomba d'une tête exactement pareille à la première : museau tacheté, oreilles aiguës, cils énormes et qui semblaient fardés. Je contemplai avec émerveillement ce doux monstre bicéphale [2].

    Les têtes superposées se déplacèrent insensiblement de
70 branche en branche et finirent par disparaître.

    – Vous voyez comme les bêtes sont confiantes, ici, et heureuses, dit Bullit. Celles-là comptent parmi les plus craintives. Elles viennent pourtant jusqu'aux huttes.

    Bullit avait posé son menton sur son poing. Le poing parais
75 sait plus énorme et le menton plus carré. L'alcool qu'il venait de boire multipliait et avivait les stries rouges de ses yeux. Cependant, sur le mufle roux et brutal reposaient une joie lumineuse et la timide espérance de voir un vœu accompli. C'était à peine croyable.

80   – Drôle de gueule, hein, pour une nounou d'animaux sauvages ? demanda mon compagnon.

    – En effet, dis-je, ce n'est pas sous ce jour que l'on présente à Nairobi le grand Bull [3] Bullit.

    – Bull Bullit, hein ? dit pesamment le maître du Parc royal.

---

1. **Houri** : femme d'une beauté céleste.
2. **Bicéphale** : qui a deux têtes.
3. **Bull** : taureau (en anglais).

85   Son menton s'écrasa davantage sur son poing. Sa figure se
ferma.

– Bull Bullit, reprit-il. Je n'avais pas entendu ce surnom depuis
longtemps.

– Il est pourtant bien fait pour vous, dis-je.

90   Mon compagnon releva lentement sa large tête rouge.

– Oh! je sais, dit-il. Et j'ai fait mon possible pour le rendre
fameux… Bull Bullit le braconnier en défenses d'éléphants et
cornes de rhinocéros, Bull Bullit le chasseur professionnel, le
fusil à gages, l'exterminateur de gros gibier dans des provinces
95   entières.

Je dis :

– À travers l'Afrique orientale, c'est bien votre légende.

– C'est la vérité, dit Bullit.

Il se redressa d'un seul bloc, alla d'un seul pas jusqu'au bord
100   de la véranda et saisit à pleines mains la balustrade. Elle vibra et
gémit sous ses doigts.

– Et qu'est-ce que j'y pouvais? demanda Bullit.

Il s'adressait moins à moi qu'à la clairière, à l'abreuvoir et
au Kilimandjaro immobile et livide [1] sous l'immobile et livide
105   lumière.

Il revint s'asseoir à la table et dit :

– Pour m'encourager à l'alphabet, on m'a donné une carabine.
Je n'avais pas dix ans que mon père m'emmenait en safari. On
m'a bercé, on m'a nourri, on m'a gavé, bon Dieu, d'histoires de
110   chasse et de fusils célèbres. On m'a enseigné à pister les bêtes
comme un indigène, à placer une balle entre les deux yeux,
juste au défaut de l'épaule, droit au cœur. Et puis, quand j'ai
voulu faire métier de ma carabine, mon père, tout à coup, est
devenu enragé. Il a exigé, parfaitement, il a exigé de m'envoyer
115   en Angleterre en pension.

––––––––––––

1. Livide : très pâle.

Jusque-là, Bullit avait parlé surtout à lui-même. Dès lors, il me prit à témoin.

– Vous pouvez imaginer ça, vous ? Le dortoir, le réfectoire, les classes, les études au lieu des feux de camp, du soleil sur la
120 brousse, des bêtes libres… Je n'avais qu'un parti à prendre et je l'ai pris. J'ai quitté la maison avec ma carabine et des cartouches pour en vivre. Et j'en ai vécu, et même bien vécu.

La voix de Bullit, à ces dernières paroles, avait pris une sourde mélancolie. Il garda le silence, avec sur le visage cette expres-
125 sion de songe, d'indulgence et d'incrédulité que prend un vieil homme – mais Bullit n'avait pas quarante ans – lorsqu'il revoit, comme si c'étaient celles d'un autre, les joies et les folies de sa jeunesse.

Il ne m'était pas difficile de suivre dans ses souvenirs mon
130 rude compagnon. Son passé de coureur et d'écumeur de brousse était connu depuis la côte de l'océan Indien jusqu'aux grands lacs d'Afrique. On trouvait toujours, dans les bars de Nairobi, les hôtels de l'Ouganda, les plantations du Tanganyika et du Kivou, des hommes pour vous parler de Bull Bullit à sa grande époque.
135 L'un disait sa force et son endurance ; un autre son incroyable opiniâtreté [1] ; un autre son audace ; un autre encore la sûreté de son flair et de son tir. Chacun appuyait son propos au moins d'un exemple étonnant.

Hardes d'éléphants décimées [2] pour l'ivoire destiné aux tra-
140 fiquants indiens, troupeaux de buffles massacrés afin de vendre la viande boucanée [3] aux indigènes, fauves abattus pour le prix de leur peau. Missions que le gouvernement donnait à Bullit d'exterminer les bêtes sauvages dans certaines régions qu'elles infestaient. Affûts [4] sans nombre qui délivraient des mangeurs
145 de bétail et d'hommes les villages hantés par la terreur des lions

---

1. **Opiniâtreté** : entêtement, obstination.
2. **Décimées** : exterminées.
3. **Boucanée** : séchée, fumée.
4. **Affûts** : postes d'où l'on guette le gibier.

sorciers et des léopards magiques. Années de marches et de guets, de patience et de risques toutes mêlées à la vie animale, à la brousse infinie, aux constellations de la nuit africaine… Voilà les images, me semblait-il, qui devaient passer dans la mémoire

150 de Bullit. J'en fus assuré quand il dit comme en rêve :

– Kihoro se souvient de tout ça.

Le son de sa propre voix le rendit au sentiment du réel et du présent. Mais seulement à demi, car il me demanda :

– Comment est-ce possible ?

155 Et voyant que je ne comprenais pas ce que sa question supposait, il poursuivit avec impatience :

– C'est pourtant simple. Pour bien tuer les bêtes, il faut les bien connaître. Pour les connaître, il faut les aimer, et plus on les aime et davantage on les tue. C'est même pire que cela en

160 vérité. C'est exactement dans la mesure où on les aime qu'on éprouve le besoin et la joie de les tuer. Et alors, qu'on ait faim ou non, que cela rapporte ou que cela coûte, avec ou sans licence, en terrain permis ou défendu, que l'animal soit dangereux ou sans défense, peu importe. S'il est beau, noble ou charmant,

165 s'il vous touche au plus profond du cœur par sa puissance ou sa grâce, alors on tue, on tue… Pourquoi ?

– Je ne sais pas, dis-je. Peut-être l'instant où vous allez l'abattre est-il le seul où vous pouvez sentir que la bête est vraiment à vous.

170 – Peut-être, dit Bullit en haussant les épaules.

Une troupe de gazelles passa au milieu de la clairière, sur le fond du Kilimandjaro. Leurs cornes très minces et rejetées loin en arrière, presque à l'horizontale, avaient la courbure d'une aile.

175 Bullit les accompagna du regard et dit :

– Aujourd'hui, j'ai l'âme pleine de joie à les voir, simplement à les voir. Mais autrefois, j'aurais choisi la plus grande, la plus légère, avec la plus belle robe, et je ne l'aurais pas manquée.

– C'est votre mariage qui a tout changé ? demandai-je.

180 — Non, dit Bullit. C'est arrivé avant que je rencontre Sybil. Et ça ne peut pas s'expliquer davantage. Un beau jour le coup part et l'animal tombe comme à l'ordinaire. Mais on se rend compte subitement que ça vous laisse indifférent. La joie du sang qui était plus forte que toutes les autres, eh bien, elle n'est plus là.
185 (Bullit promena sa large paume sur la toison rouge qui couvrait son poitrail dénudé.) On continue par habitude jusqu'à un autre jour où l'on ne peut plus continuer. On aime les bêtes pour les voir vivre et non plus pour les faire mourir.

Bullit alla jusqu'au perron, contempla le paysage immense
190 tout imprégné de brume de chaleur.

— Je ne suis pas le seul dans mon cas, dit-il. Les chefs des Parcs royaux sont tous d'anciens chasseurs de métier, tous des tueurs convertis. (Il eut un sourire sans gaieté.) Mais comme j'ai été plus loin qu'eux dans le massacre, je vais aussi plus loin en sens
195 contraire. Question de nature, je pense… Et puis…

Sans achever, Bullit orienta son regard vers le fond de la clairière où la nappe d'eau n'était plus, à cette heure, qu'un terne miroitement. Il me demanda :

— C'est bien de ce côté-là que Patricia est entrée chez les
200 bêtes ?

— C'est bien là, dis-je. Il faut l'avoir vue pour y croire.

— Quand on est innocent à leur égard, les bêtes le savent, dit Bullit.

Il se retourna vers moi et sembla chercher sur mes traits, ainsi
205 qu'il l'avait fait plusieurs fois, une explication qui lui échappait. Il dit enfin :

— Kihoro m'a rapporté que la petite vous a parlé longtemps.

— Patricia, dis-je, m'a montré de l'affection… jusqu'à l'instant où elle s'est rappelé que je partais demain. Alors je n'ai plus été
210 son ami.

— Ah ! oui, murmura Bullit.

Il ferma les yeux. Ses épaules semblaient rompues[1], les bras pendaient sans force. Il avait l'air d'un grand animal très malade.

215 – Faut-il qu'elle se sente seule, murmura Bullit.

Il ouvrit les yeux et me demanda :

– Vraiment, vous ne pouvez pas rester encore un peu ?

Je ne répondis pas.

– Nous avons chaque jour une liaison radio matin et soir, avec
220 Nairobi, dit humblement Bullit. Vous pouvez faire reporter la date de votre billet.

Je ne répondis pas.

– Il faut supposer que chacun a ses devoirs dans l'existence, dit Bullit.

225 Il s'en alla sans me regarder. Comme l'avait fait Patricia.

---

1. **Rompues** : brisées.

Chapitre 10

Je quittai la véranda pour déjeuner à l'intérieur de la hutte. Le chaume du toit aigu et la boue épaisse dont les murs étaient pétris ménageaient un semblant de fraîcheur.

Bogo ouvrit des conserves et une bouteille de bière. Je lui
5   demandai s'il avait revu Patricia. Il dit : « Non, Monsieur », et se tut. Le connaissant, je n'espérais plus autre chose. Cependant, sur ses joues et son front, les minuscules figures de géométrie – triangles, carrés, cercles – que formaient les rides sans nombre bougeaient d'une façon singulière. Il continua comme malgré
10 lui :

– Je n'ai pas revu la petite fille blanche, mais tout le monde au village m'a parlé d'elle.

Bogo prit un temps, hésita. Je feignis d'être absorbé par [1] la nourriture. Toute question pouvait effaroucher ce surprenant
15 besoin de confidence.

– Les gens l'aiment beaucoup, l'aiment très fort, reprit Bogo, mais elle leur fait peur.

Je m'écriai :

– Peur !

20 – Elle est sorcière pour les bêtes sauvages. Monsieur, dit Bogo en baissant la voix. On m'a juré qu'elle a pour père un lion.

Je songeai à la face de Bullit et demandai :

– Les gens veulent dire que son père ressemble à un lion ?

---

1. Être absorbé par : avoir l'esprit occupé par.

— C'est d'un vrai lion que les gens parlent, Monsieur, reprit
25 Bogo.

Sa voix était moins neutre que d'habitude et la peau squameuse [1], toute plissée, de son visage, avait viré du noir au gris,
comme décolorée par la crainte. Pourtant, Bogo était chrétien,
s'habillait à l'européenne, lisait les journaux anglais du Kenya.
30 — Vous croyez cela possible ? demandai-je.

— Tout est possible, Monsieur, dit très bas mon chauffeur.
Tout, si Dieu le veut.

Pensait-il au Dieu des missionnaires [2] ou à d'autres plus anciens
et puissants sur la terre d'Afrique ?
35 Il poursuivit dans un murmure.

— On a vu cette petite fille dans la brousse, couchée près
d'un lion immense, et il la tenait entre ses pattes comme son
enfant.

— Qui a vu cela ? demandai-je.
40 — Les gens, dit Bogo.

— Quels gens ?

— Des gens qui ont vu, des gens qui savent, dit Bogo.

Il me regardait misérablement. Je ne pouvais pas deviner s'il
préférait que je partage ou refuse son effroi.
45 — Allons, Bogo, dis-je, allons, pensez à toutes les histoires
que nous avons entendues au cours de notre voyage et que
vous m'avez traduites !... Dans l'Ouganda, des gens avaient vu
des hommes-panthères, au Tanganyika, les gens avaient vu des
hommes-serpents. Et sur le lac Victoria, il y en avait même qui
50 avaient parlé avec Lutembé, le grand dieu crocodile, vieux de
mille ans.

— C'est juste, Monsieur, dit Bogo.

L'avais-je convaincu ? Sa voix était de nouveau parfaitement
neutre. On ne pouvait plus rien déchiffrer sur ses traits.

---

1. Squameuse : qui semble couverte d'écailles, dure et ridée.
2. Missionnaires : prêtres chargés d'évangéliser les indigènes.

55   Un *ranger* entra dans la hutte. Bogo traduisit son message.
Le ranger était à ma disposition pour la visite. Le règlement
d'ailleurs l'exigeait. Il était interdit de circuler dans le Parc royal
sans la protection d'un garde armé.

      Le *ranger* monta dans notre voiture avec sa carabine pour
60   s'asseoir près de Bogo. Je pris place à l'arrière.

      La Réserve était immense. Elle s'étendait sur des dizaines et
des dizaines de lieues[1], brousse tantôt courte et tantôt boisée,
tantôt savane et tantôt collines et pitons[2]. Et toujours la masse
colossale[3] du Kilimandjaro, sommé[4] de ses neiges, veillait sur les
65   espaces brûlants et sauvages. Les bêtes étaient partout. Jamais
je n'avais vu galoper autant de zèbres, courir tant d'autruches,
bondir tant de gazelles et d'antilopes, ni des troupeaux de buffles
aussi denses, ni de familles de girafes aussi nombreuses.

      Aucun enclos, aucune haie, aucune marque visible ne séparait
70   le Parc de la brousse ordinaire. Les limites en étaient portées uniquement sur des cartes, des cadastres[5]. Et cependant, les animaux
semblaient sentir, savoir (et se transmettre cette connaissance en
un mystérieux langage) que là était le lieu de protection, la terre
d'asile[6].

75   La magnificence de la nature et l'abondance des bêtes commencèrent par m'enchanter. Mais, très vite, je sentis que ces
mêmes splendeurs devenaient pour moi une cause d'irritation
et presque de souffrance. Voulais-je m'arrêter et approcher les
bêtes, le *ranger* ne me laissait pas dépasser quelques mètres de
80   chaque côté de la piste et encore se tenait-il près de moi. Voulais-je
faire suivre à la voiture un de ces mille sentiers qui s'enfonçaient
sous bois ou entre les collines, vers l'ombre des fourrés et des

---

1. Lieues : ancienne unité de mesure de distance équivalant à 4 kilomètres environ.
2. Pitons : pics, montagnes.
3. Colossale : de la taille d'un colosse, immense.
4. Sommé : surmonté.
5. Cadastres : registres publics définissant dans chaque commune la surface d'une propriété.
6. Terre d'asile : lieu où l'on est en sûreté, refuge.

tanières [1], le *ranger* l'interdisait. Nous n'avions pas le droit de prendre la moindre liberté avec l'itinéraire légal, officiel. C'est-
85 à-dire une route grossière et assez large qui traversait le Parc royal dans le sens de la longueur et d'où partaient quelques rares embranchements aménagés par Bullit.

Je me souvins des propos qu'il m'avait tenus sur les touristes et les précautions qu'il prenait à leur égard. J'étais l'un d'eux,
90 ni moins ni plus.

Si j'avais vécu cette journée dans la Réserve comme le faisaient les visiteurs ordinaires, j'aurais sans doute été heureux de contempler ses richesses selon la loi commune. Mais Bullit avait promis de m'en découvrir les refuges et les secrets. Et surtout,
95 surtout, j'avais connu l'abreuvoir au jour levant, avec Patricia.

De temps à autre, le *ranger* pointait une longue main, noire et osseuse, vers sa gauche ou sa droite, et disait :

– *Simba.*

– *Tembo.*

100 Ces mots, les seuls que je comprisse dans son langage, signi-fiaient que dans une lointaine futaie d'épineux, interdite pour moi, vivaient des lions et que là-bas, cachés par des collines volcaniques où je ne pouvais accéder, erraient des troupeaux d'éléphants. Et ma voiture continuait à cahoter [2] sur le chemin
105 prescrit. J'avais le sentiment d'être puni, privé, frustré, volé. À la fin, chaleur et poussière aidant, je n'y tins plus et donnai l'ordre à Bogo de rejoindre le camp.

Devant ma hutte, le *ranger* joignit ses talons noirs et nus, porta à sa chéchia kaki une main noire et osseuse, jeta sa carabine en
110 bandoulière et s'éloigna vers le village nègre avec un sourire aussi brillant que ses boutons de métal plats et polis. Il avait accompli sa mission : me protéger des bêtes et de moi-même.

---

1. Tanières : retraites d'une bête sauvage, caverne ou souterrain.
2. Cahoter : ballotter.

Je regardai le soleil. Il me restait au moins une heure de loisir avant de me rendre au bungalow des Bullit pour la cérémonie
115 du thé. Que faire de ce temps ?

Il n'y avait plus de brume de chaleur. Le ciel n'était que pureté, légèreté. Les lumières et les ombres avaient repris leurs jeux à la surface du sol et contre la paroi immense de la montagne. Sur le sommet en forme de table, fantastique dalle
120 plate et blanche comme un autel [1] dressé pour ses sacrifices à la mesure des mondes, la neige immobile, la neige éternelle commençait à vivre d'un bouillonnement mystérieux et devenait une écume tantôt creusée, tantôt crêtée de vermeil, d'orange, de nacre et d'or.

125 On ne voyait plus de bêtes au fond de la clairière. Les oiseaux se taisaient. Les singes avaient cessé leurs rumeurs [2]. Pas une branche, pas une aiguille ne bougeait sur les arbres, pas une ronce le long des sentiers. C'était l'instant de silence, de repos, de halte, et qui prenait ici toute sa force auguste [3], où le crépuscule,
130 sans se montrer encore, annonçait de la sorte son approche, et où le soleil semblait suspendre son mouvement avant de céder les formes et les êtres aux ailes obscures du soir.

– Quels sont les ordres. Monsieur ? demanda Bogo.

Ce ne fut pas le son de sa voix qui me fit tressaillir, mais le fait
135 qu'elle me rendait à la conscience, à la présence de ma propre personne. Il y avait eu auparavant une minute, ou une seconde, ou même une fraction de seconde – que sais-je et qu'importe –, durant laquelle j'avais cessé d'exister dans les misérables limites humaines et perdu, confondu dans l'univers sans fin, j'étais
140 devenu cet univers et cet univers était moi-même.

Mais Bogo avait parlé et je me retrouvai d'un seul coup raidi, rétréci à ma seule substance et comme recousu malgré moi

---

1. Autel : table où l'on célèbre une cérémonie religieuse.
2. Rumeurs : bruits confus.
3. Auguste : imposante, honorable.

dans ma peau. Et forcé de commander, d'agir, de *faire* quelque chose. Et que faire qui fût en accord avec la brousse et les neiges d'Afrique alors que sur elles se penchait le soir ?

Du couvert des épineux, deux hommes sortirent, deux Masaï.

Qu'ils étaient issus de cette race, j'en fus certain tout de suite malgré mon peu d'expérience. Un voyageur pouvait aisément confondre les Jalluo, les Embu, les Wakamba, les Kikouyou, les Mérou, les Kipsigui et tant d'autres tribus noires qui peuplaient le Kenya. Mais s'il avait croisé, ne fût-ce qu'une fois, dans les grandes plaines raides et dans la brousse ardente quelques Masaï, il ne pouvait plus les oublier ni les méconnaître.

Il y avait cette démarche princière, paresseuse et cependant ailée, cette façon superbe de porter la tête et la lance et le morceau d'étoffe qui, jeté sur une épaule, drapait et dénudait le corps à la fois. Il y avait cette beauté mystérieuse des hommes noirs venus du Nil en des temps et par des chemins inconnus. Il y avait dans les mouvements et les traits cette bravoure insensée, inspirée [1]. Et surtout, cette liberté orgueilleuse, absolue, indicible d'un peuple qui n'envie rien ni personne parce que les solitudes hérissées de ronces, un bétail misérable et les armes primitives qu'il façonne dans le métal tiré du lit sec des rivières comblent tous ses soins et qu'il est assez fier pour ne point laisser sur la terre des hommes ni maison ni tombeau.

Les deux Masaï qui venaient d'apparaître longeaient maintenant la lisière du camp, front haut, nuque droite et du même pas rapide, nonchalant et léger. L'un pourtant était un vieillard et l'autre un morane.

---

1. **Inspirée** : animée par un souffle divin.

Cela voulait dire qu'il appartenait à l'âge fixé depuis des
25 siècles par la coutume de la race, où les jeunes guerriers, quand
ils sortaient de l'adolescence et devenaient la gloire du sang et la
fleur[1] du clan, n'avaient rien d'autre à faire pendant quelques
années que d'être braves, d'être beaux et le montrer. De cet état
privilégié le signe par excellence était leur chevelure.

30 Les *moranes* étaient les seuls, dans l'Afrique orientale, où les
indigènes, hommes et femmes, vont la tête rasée du premier au
dernier de leurs jours, ils étaient les seuls, pour toute la durée
de leur printemps tribal[2], à laisser croître dans toute sa force
et sans y porter le fer leur toison crépue. C'est pourquoi, dès
35 qu'elle avait enveloppé leur front, ils ne cessaient de la soigner
avec persévérance. Ils tiraient de certaines plantes une sève par
l'effet de laquelle les cheveux consacrés poussaient plus vite et
devenaient plus drus. Ils les tressaient en nattes d'une finesse de
liane et les entrelaçaient l'une à l'autre en une profonde masse
40 crêpelée. Puis, ils les nourrissaient de graisse de vache. Elles
devenaient toutes serrées, toutes brillantes. Alors, ils les endui-
saient, les recouvraient de boue rouge et d'argile. Et ce n'était
plus une chevelure qui couronnait les jeunes hommes. C'était
une fauve et merveilleuse matière qui ressemblait à la fois à un
45 nid de serpents pétrifiés[3], à un buisson ardent et à un casque de
cuivre dont le heaume[4] en pointe descendait jusqu'aux sourcils
sauvages et qui se rabattait sur la nuque d'ébène[5].

Le vieillard et le *morane* approchaient de ma hutte.

Je dis à Bogo :

50 — Demandez-leur de s'arrêter un instant.

— Mais… Monsieur… mais…, balbutia Bogo.

---

1. **Fleur** : le meilleur.
2. **Tribal** : de la tribu.
3. **Pétrifiés** : changés en pierre.
4. **Heaume** : grand casque porté par les hommes d'armes au Moyen Âge.
5. **Ébène** : bois très dur et d'un noir foncé.

Son visage, sous les rides sans nombre, était devenu tout gris.

– Mais ce sont des Masaï, acheva-t-il misérablement.

Bogo était un Kikouyou. Il se rappelait que ces pasteurs des
55 plaines stériles, ces nomades sans abri ni merci [1], ces guerriers de
naissance avaient, depuis la nuit des temps, rasé, brûlé, exterminé
les hameaux de son peuple sédentaire [2]. Les Anglais, assurément,
avaient arrêté le carnage. Mais il ne suffisait pas de quelques
années paisibles pour effacer les terreurs immémoriales [3].

60 – Je suis avec vous, dis-je doucement à Bogo. Et les *rangers* et
leurs fusils ne sont pas loin.

– C'est juste, Monsieur, murmura Bogo.

Mais lorsqu'il s'adressa aux Masaï, sa voix n'avait plus de
timbre :

65 – *Kouahéri*, dit Bogo.

Ce qui était manifestement une formule de bienvenue.

Le regard des hommes noirs et nus sous le lambeau d'étoffe
qui tombait de leurs épaules ne fit que glisser sur l'homme noir
habillé comme les Blancs. Mais la peau craquelée de Bogo devint
70 d'un gris encore plus pâle. Ce regard était emprunt d'un mépris
qui allait jusqu'au dégoût mortel. On considère ainsi une chenille qu'on écrase et oublie. Bogo s'était adapté sans doute aux
coutumes nouvelles. Les Masaï, eux, ne changeaient pas.

– *Kouahéri*, dis-je à mon tour.

75 Le *morane* attendit de voir ce que le vieillard allait faire. Celui-ci
fixa ses yeux droit sur les miens. Évidemment, je n'étais pas son
égal. Né d'un autre sang, il n'y avait pas d'homme sous le ciel
qui pût valoir un Masaï. Mais j'étais un Blanc, étranger sur cette
terre. La dignité n'interdisait pas, à mon égard, la politesse.

80 – *Kouahéri*, dit le vieillard avec une bonne grâce hautaine.

---

1. **Pasteurs** : bergers, gardiens du bétail ; **nomades** : peuples sans habitations fixes,
voyageurs ; **ni merci** : ni pitié.
2. **Sédentaire** : qui reste dans une région déterminée.
3. **Immémoriales** : tellement anciennes qu'on en a oublié l'origine.

– *Kouahéri*, dit le *morane* sans aucune expression ni dans la voix ni sur les traits.

Le vieil homme se tenait aussi droit que la haute lance qu'il avait plantée devant lui d'un coup sec.

85 Le *morane* s'appuya des deux mains sur la sienne. Comme il l'avait gardée contre son flanc, ce mouvement lui fit infléchir mollement le torse et le cou. Entendait-il prouver de la sorte que là où même un vieux chef masaï avait à se montrer courtois, le privilège de sa chevelure lui donnait à l'insolence droit et devoir ?

90 Ou savait-il d'instinct que son attitude était celle qui convenait le mieux à son étonnante beauté ?

Ce jeune corps d'éphèbe [1] et d'athlète, sur lequel une peau noire et lustrée [2] moulait des muscles longs, fins et doux, mais d'une vigueur extrême, rien ne pouvait en faire autant valoir la

95 moelleuse puissance et l'éclat charnel que cette nonchalante et légère torsion. Quant au visage qui semblait illuminé du dedans par des reflets d'or, avec sa bouche forte et vermeille, son nez droit et dur, ses vastes yeux tout brillants de langueur [3], tout brûlants de violence, et la masse enfin, d'un métal vivant et rouge qui le

100 coiffait, il prenait, reposant sur un bras nu, noir et ployé [4] à demi, la tendresse du sommeil et la cruauté d'un masque.

À tant de beauté et dans sa sève la plus riche, dans sa plus vive fleur, tout était permis, tout était dû. Le *morane* se laissait admirer, innocent, subtil et féroce comme une panthère noire

105 qui étire au soleil ses membres de meurtre et de velours. Que pouvait-on vouloir davantage ?

– Comment s'appelle-t-il ? fis-je demander par Bogo.

Le *morane* dédaigna de répondre. Le vieillard dit à sa place :

110 – Oriounga.

---

1. Éphèbe : jeune adolescent.
2. Lustrée : brillante, luisante.
3. Langueur : mélancolie douce.
4. Ployé : plié.

Il ajouta :

– Moi, je suis Ol'Kalou.

Puis il me posa une question brève que Bogo traduisit :

– Il veut savoir pourquoi vous êtes ici.

115 – Pour les bêtes.

Ol'Kalou parla de nouveau.

– Il ne comprend pas, dit Bogo. Puisque ici les bêtes on ne doit pas les tuer.

Après un silence, je demandai à mon tour ce que les deux
120 Masaï faisaient dans la Réserve.

– Nous cherchons des pâturages pour le troupeau et un campement pour les familles, dit Ol'Kalou.

Une joue contre son bras et le bras contre sa lance, le *morane* entre de longs cils mi-clos me contemplait avec paresse
125 et superbe [1].

Le silence s'établit de nouveau. Mais cette fois je ne savais plus quoi dire. Le vieux Masaï leva la main en signe d'adieu. À ce mouvement, l'étoffe misérable jetée sur son épaule glissa et découvrit entièrement son corps. J'aperçus alors un énorme
130 sillon qui, depuis la naissance du cou jusqu'à l'aine, labourait une chair maigre et sèche. C'était une cicatrice monstrueuse dont les bourrelets, les crevasses et les lèvres avaient la couleur de la viande boucanée et du sang caillé.

Ol'Kalou remarqua mon regard et dit :

135 – Le cuir des meilleurs boucliers n'arrête pas les griffes du lion.

Le vieil homme arracha sa lance du sol et la considéra pensivement. L'arme était très longue et pesante, mais équilibrée à merveille. Effilée aux deux bouts, saisie en son milieu par un
140 cylindre de métal modelé à la main du guerrier, elle pouvait aussi bien servir de javelot. Ol'Kalou fit osciller la lance d'une main et passa l'autre le long de sa blessure terrible. Il dit :

---

1. **Superbe** : fierté (ici, substantif).

– C'était le temps où les Blancs ne se mêlaient pas des jeux des *moranes*.

145 Oriounga ouvrit les yeux sous son casque d'or rouge et sourit. Ses dents étaient régulières, aiguës et d'un éclat carnassier.

– Obéis aux Blancs si tu veux, disait au vieil homme le sourire sans pitié. Il y a longtemps que tu as cessé d'être un *morane*. Moi, je le suis et dans toute mon audace. Ma seule loi, c'est mon bon
150 plaisir.

Les deux Masaï s'éloignèrent de leur pas nonchalant, ailé. À une certaine distance, leurs silhouettes, la lance à l'épaule, furent semblables par la sécheresse des lignes et la beauté du mouvement aux dessins qui ornent les grottes et les rochers de
155 la préhistoire.

– Quels sont les ordres, Monsieur ? me demanda Bogo.

Mais je n'avais plus rien à faire en un lieu où les hommes étaient plus étranges encore, et secrets, et inaccessibles que les bêtes sauvages.

160 – Allons préparer les paquets pour partir demain sans perdre un instant, dis-je à Bogo.

L'invitation que m'avait faite Sybil Bullit d'une façon si pressante n'avait pour moi qu'un attrait : revoir Patricia. Mais quand j'arrivai au bungalow, la petite fille n'y était pas.

– Il fait encore jour et il est rare que Patricia rentre avant
5   le coucher du soleil… c'est un poète, dit Sybil avec un rire nerveux.

Elle portait des souliers à talons hauts, une robe de soie à fleurs, ouverte sur la poitrine et dans le dos, et autour du cou un rang de perles. Et de même qu'elle était un peu trop
10 habillée pour l'occasion, elle était aussi un peu trop maquillée et parfumée.

Sa voix et son attitude avaient subi les mêmes changements. Elles n'étaient pas fausses vraiment, ni affectées [1]. Mais il y avait en elles cette animation légèrement factice, cette gaieté de com-
15 mande, ce ton à peine plus haut et ces mouvements à peine plus vifs qu'à l'état naturel, par où une maîtresse de maison manifeste qu'elle a bien résolu à l'avance de briller et de faire briller.

Tant de soins, tant d'apprêts [2], en l'honneur d'un passant, d'un inconnu ! Il fallait que le besoin de société se fût aiguisé
20 à l'extrême dans la solitude pour que, par le fait de ma seule présence, le regard de Sybil (les lunettes noires avaient disparu) prît cet éclat fiévreux.

---

1. **Affectées** : qui ne sont pas naturelles.
2. **Apprêts** : préparatifs.

Bullit, lui, avait un costume de toile blanche repassé avec soin et empesé [1]. La cravate était à rayures. Ses cheveux roux mouillés, peignés, plaqués sur le crâne massif faisaient ressortir avec violence l'épaisseur et la brutalité de ses traits. Il semblait mal à l'aise et maussade.

– Soyez tranquille, la petite sera là à temps, me dit-il.

Je n'avais pas prononcé le nom de Patricia et n'avais montré en rien la déception que m'inspirait son absence. Ils parlaient d'elle pourtant, tous les deux et tout de suite. On eût dit que, se servant de moi, ils poursuivaient un dialogue engagé avant ma venue.

– En tout cas, pour prendre le thé, nous n'attendrons pas notre petite coureuse de brousse, s'écria Sybil.

Elle eut le rire forcé d'une note par lequel elle m'avait accueilli.

On passa du salon à la salle à manger. Là se trouvaient réunis tous les attributs exigés pour un thé de cérémonie dans une demeure anglaise de bonne tradition : théière, bouilloire, et pots de vieil argent ; service de vieille porcelaine ; napperons de dentelle et serviettes brodées ; lait, citron, toasts, cakes, marmelade d'oranges, confiture de fraises, petits sandwiches au fromage de Chester – que sais-je encore…

Et dans une jardinière de cristal, au milieu de la table, il y avait des œillets, des pensées, des anémones, bref, ces mêmes fleurs d'Europe fragiles et pâles sur lesquelles j'avais vu Sybil pencher son angoisse.

Je dis à la jeune femme :

– Je ne sais comment vous remercier de cet accueil.

Elle s'écria :

– Oh ! je vous en prie. Je suis si contente d'avoir à sortir enfin les quelques objets convenables que nous possédons. Et quant aux friandises, avec les boîtes, c'est facile.

---

1. Empesé : raide.

55   Sybil eut de nouveau le rire qui lui semblait approprié à notre réunion, mais elle s'aperçut que je regardais la jardinière et s'arrêta net.

– Ah ! vous pensez à mes fleurs, dit-elle lentement.

Pour la première fois, sa voix était basse, grave et sincère et,
60   dans ses yeux libérés d'un éclat de parade, je retrouvai l'expression si belle que j'avais surprise dans la matinée par instants.

– On pourrait s'asseoir, dit Bullit.

Deux serviteurs noirs vêtus de blanc, culottes bouffantes serrées aux chevilles, longues tuniques nouées à la taille d'une
65   écharpe amarante [1], avancèrent des sièges. L'un d'eux ne fut pas occupé.

La tête de Sybil se tourna vers la fenêtre et revint à sa position naturelle d'un mouvement si prompt que je ne l'aurais pas remarqué sans doute si Bullit n'avait pas dit alors, avec toute la
70   tendresse dont il était capable :

– Allons, chérie, vous le voyez bien, il fait jour.

– Si peu, murmura Sybil.

– Chérie, dit Bullit avec un rire bref, notre hôte serait peut-être content d'avoir du thé.

75   Sybil tressaillit, se redressa, toucha sans en avoir conscience son rang de perles et sourit :

– Combien de sucres ? Lait ? Citron ? demanda-t-elle.

De nouveau, la voix et le sourire n'étaient plus tout à fait justes. Sybil reprenait son rôle et, visiblement, il lui faisait encore
80   plaisir.

– Le cake est excellent, disait-elle. On me l'envoie de Londres, la marmelade aussi. Mangez, mangez. Votre dîner sera médiocre, j'en suis sûre. Les hommes qui voyagent seuls sont toujours les mêmes.

85   Tandis qu'elle emplissait la tasse de Bullit et la sienne, la jeune femme continua sur ce ton. Puis, pour assurer à la conversation

---

1. **Amarante** : rouge velouté.

un aimable équilibre, et m'y donner la part qui convenait, elle demanda les impressions que j'avais retenues de ma promenade dans le Parc royal.

90   – Les paysages sont magnifiques, dis-je, et j'ai vu une quantité d'animaux… de loin.

J'adressai un coup d'œil furtif à Bullit mais, à cet instant, il regardait par la fenêtre s'amasser les ombres du crépuscule.

– C'est de loin que les bêtes sont les plus jolies, s'écria Sybil.
95 Les gazelles, surtout. Vous savez, nous en avons une, apprivoisée, toute menue, adorable.

– Je connais Cymbeline. Nous sommes très amis.

– John, dit Sybil à Bullit, vous devriez raconter…

Elle n'acheva pas parce que, à ce moment encore, Bullit regar-
100 dait du côté de la fenêtre. Sybil donna un ordre brusque aux serviteurs noirs. L'un d'eux alla tirer tous les rideaux. L'autre appuya sur le commutateur [1] de l'électricité.

– Non, non, cria Sybil.

Elle fit le geste de rabattre des lunettes sur ses yeux, s'aperçut
105 qu'elle n'en avait pas, les remplaça par une main déployée en éventail.

– Les chandelles, John, je vous prie, dit-elle impatiemment.

Il y avait sur un guéridon deux grands bougeoirs en argent, de forme ancienne. Bullit les alluma. Une clarté paisible et vivante
110 se mit à jouer sur l'argenterie polie par les ans, la porcelaine transparente, les frêles fleurs, les rideaux d'un bleu léger.

Était-il possible, était-il vrai que sur le seuil même de cette pièce, close comme un refuge et comme une illusion, la brousse commençait, la brousse des hommes et des bêtes sauvages ?

115   Le vieil Ol'Kalou me revint à la mémoire et Oriounga le *morane*.

– Deux Masaï, dis-je, se sont arrêtés devant ma hutte. Je les ai trouvés magnifiques. Le jeune surtout. Il était…

_____

1. **Commutateur** : interrupteur.

120 – Oh! non, je vous en supplie, ne continuez pas, s'écria Sybil.

Elle ne pensait plus à son rôle. Il y avait une note hystérique [1] dans sa voix. Il semblait que je venais de faire entrer les guerriers barbares dans la chambre aux rideaux bleutés, sous la douce flamme des chandelles.

125 – Je les connais, reprit Sybil en portant les mains à ses tempes. Je ne les connais que trop. Ces corps nus comme des serpents, ces chevelures, ces yeux de fou… Et ils sont ici une fois de plus!

Bien que la fenêtre fût complètement aveuglée, Sybil dirigea vers elle un regard éperdu et murmura :

130 – Qu'est-ce que je vais devenir… C'est déjà un enfer.

Bullit se leva brusquement. Que voulait-il faire? Il ne le savait pas lui-même. Il était là, debout, immobile, muet, énorme, gauche, endimanché et comme englué par l'empois [2] de son vêtement mal ajusté à ses os, à ses muscles. Sous les cheveux humides, plaqués,

135 son visage portait la bouleversante expression d'un homme qui se sent fautif à mourir et ignore pourquoi.

Sybil vit ce qu'il éprouvait et la force de son amour l'emporta sur tout le reste. Elle fit rapidement le tour de la table, prit la main de Bullit et dit :

140 – Mon chéri, excusez mes nerfs. C'est uniquement à cause de Patricia. Mais je sais très bien qu'il n'y a pas d'autre vie possible pour vous.

Bullit se rassit comme exorcisé [3]. Sybil regagna sa place. Tout, extérieurement, était en ordre. Le jeu de la réception pouvait

145 et devait reprendre.

– John, dit Sybil sur le ton que ce jeu exigeait d'elle, pourquoi ne racontez-vous pas à notre hôte quelques-unes de vos chasses.

---

1. **Hystérique** : nerveuse, exaltée.
2. **Empois** : gelée qui permet de tenir raide le col d'une chemise.
3. **Exorcisé** : délivré de ses démons.

Je suis sûre qu'elles l'intéresseraient beaucoup. Vous en avez eu de si merveilleuses.

150   — Certainement, tout de suite, dit Bullit.

Il eût fait n'importe quoi pour Sybil, après ce que Sybil venait de faire pour lui. Mais le bonheur peut, autant que la souffrance, frapper l'esprit de désarroi. Bullit voulut fourrager dans ses cheveux, les sentit mouillés, retira sa main comme s'il s'était brûlé,

155 et dit :

— Je me demande par quoi commencer.

— Eh bien, conseilla Sybil, prenez l'histoire que vous m'avez dite le soir où nous nous sommes connus.

— Voilà, voilà ! Parfait ! s'écria Bullit.

160   Il se tourna de mon côté et dit :

— C'était dans le Serenguetti, il y a une dizaine d'années.

La suite vint aisément. Il s'agissait de la poursuite d'une tribu de lions mangeurs d'hommes, d'une ruse et férocité diaboliques. Bullit contait bien et avec simplicité. De plus, son récit

165 était nourri d'une vibration particulière : s'il s'adressait à moi, il parlait en vérité pour Sybil. D'abord elle fut, en bonne maîtresse de maison, préoccupée de l'impression que me faisait le récit. Mais son attention se détourna vite de moi. Ses mains, ses traits se calmèrent. Son regard prit cette lumineuse innocence

170 qui le rendait plus beau. Ce n'était pas Bullit distrayant l'hôte d'un soir que Sybil entendait et voyait. Mais Bullit tel qu'il avait été dix années auparavant, plus léger de corps, plus mince et ardent de visage, sans raucité dans la voix, sans fibrilles rouges dans les yeux. Bullit tel qu'elle l'avait connu pour la première

175 fois, colosse timide, qui portait sur lui l'odeur de la brousse et l'auréole[1] de ses dangers, Bullit dans sa pleine gloire de chasseur blanc. Et lui, il disait son histoire pour une jeune fille arrivée d'Europe, limpide, exaltée, joyeuse, qui, sur la véranda fleurie de l'hôtel Norfolk ou au bar du Stanley ou dans les salons du

---

1. **Auréole** : couronne de gloire.

180   Muthaïga-Club, l'écoutait comme on ne l'avait jamais écouté, le
contemplait comme personne jamais ne l'avait regardé.

De temps à autre, d'un chuchotement, Sybil rappelait à Bullit
qu'il avait omis un détail, qu'il abrégeait trop un épisode. C'était
toujours un détail ou un épisode qui faisaient ressortir la puissance,
185   la cruauté, l'intelligence des fauves et par là même la bravoure
et l'adresse de Bullit. Ainsi mené, inspiré par la jeune femme, il
retrouvait le goût du sang animal, il était de nouveau le grand
tueur de la brousse. Mais le récit de ces fatigues, et de ces périls,
de ces courses à travers les fourrés déchirants, des conseils tenus
190   avec les pisteurs noirs et nus, des guets épuisants et mortels avait
pour Sybil et Bullit la merveilleuse douceur de paroles d'amour,
d'un amour qui durait encore.

Soudain, Bullit, au milieu d'une phrase, s'arrêta net, et Sybil,
dont le visage était devenu cireux[1], se redressa à demi. Une longue
195   et terrible clameur, rugissement et plainte à la fois, s'était élevée
dans la brousse – très loin ? tout près ? – et traînait, traînait dans
la pièce close. Tant qu'elle ne fut pas épuisée, aucun de nous ne
fit un mouvement. Mais aussitôt après, Sybil courut à la fenêtre,
écarta les rideaux. Il n'y avait plus de soleil. Le crépuscule si bref
200   touchait à son terme. L'ombre montait du sol, rapidement.

– John ! John ! dit Sybil. Il fait noir.

– Pas encore, chérie, pas tout à fait, dit Bullit qui avait rejoint
sa femme.

– Jamais, jamais Patricia n'est restée dehors si longtemps, dit
205   Sybil. Et la nuit vient, la nuit…

Sybil se retourna brusquement vers l'intérieur de la chambre.
Il lui était insupportable de voir, instant par instant, l'obscurité
croître et s'épaissir comme une fumée sombre. La première brise
du soir entra par la fenêtre ouverte. Les flammes des bougies
210   vacillèrent.

---

1. Cireux : d'une pâleur de cire.

– John ! Faites quelque chose, s'écria Sybil. Prenez les boys, les *rangers*, trouvez Patricia.

Plus faible et atténué, mais encore distinct et redoutable, le grondement que nous avions entendu un peu plus tôt retentit
215 longuement. Sybil plaqua ses mains sur ses oreilles. Bullit rabattit les rideaux contre la nuit qui montait.

– John ! John ! cria Sybil.

– Je pars, dit Bullit.

Mais la porte s'ouvrit comme d'elle-même. Kihoro, noir,
220 déhanché, balafré, borgne, avança d'un pas dans la pièce. Sans dire un mot, il cligna de son œil unique à l'adresse de Bullit, ébaucha un sourire de sa bouche édentée et disparut.

Avec un cri de joie si ténu[1] qu'il ressemblait à un gémissement, Sybil se laissa glisser dans un fauteuil. La grande main de Bullit
225 effleura ce visage où il n'y avait plus une goutte de sang.

– Vous voyez bien, chérie, dit-il très bas, tout est en ordre.

– Mais oui, murmura Sybil, le regard épuisé, vide.

Elle considéra la table et les napperons brodés, les serviettes en dentelle, le service de porcelaine ancienne, le réchaud de
230 vieil argent où l'eau continuait de bouillir. Ses forces lui revinrent. Elle dit :

– Soyez gentil, John, allez chercher Patricia. La petite a besoin de son thé.

---

1. Ténu : qui s'entend à peine.

Quand Sybil et moi nous fûmes seuls, elle eut la tentation de reprendre son attitude et son ton de société. Mais le choc avait été trop violent.

– Je ne sais plus ce que je fais, dit-elle en secouant faible-
ment la tête. John a toujours raison. Mais je n'en peux plus. Mes nerfs sont à bout. Il y a trop longtemps que nous vivons de cette manière.

Elle crut, je ne sais pourquoi, que je voulais l'interrompre et agita la main avec impatience.

– Je comprends, je comprends, dit Sybil. Vous trouvez que c'est merveilleux ici. Naturellement… pour quelques jours… en amateur, en passant. Mais faites-en votre existence ordinaire et vous verrez. Moi aussi dans les premiers temps, j'allais partout avec John, et je trouvais à tout beauté, charme, aventure, poésie…
Et puis, peu à peu, c'est venu.

La jeune femme n'avait pas besoin de nommer le sentiment à quoi elle faisait allusion. Il n'était besoin que de voir son visage. C'était la terreur.

D'une voix monotone, monocorde, elle me raconta les
étapes.

Une fois, après les pluies, la Land Rover de Bullit s'était embourbée et ils avaient dû passer la nuit en pleine futaie sau-
vage. Une autre fois, alors qu'ils s'étaient arrêtés, un rhinocéros, caché jusque-là dans un fourré profond, avait tout à coup chargé leur voiture. Seules, les avaient sauvés la rapidité des réflexes de

Bullit et son adresse de conducteur. Et une autre fois encore, au milieu de la nuit, un éléphant était passé si près de leur roulotte – car au commencement ils avaient une roulotte pour demeure – qu'elle avait entendu son pas et son souffle.

30   – Un caprice de sa part et il renversait, piétinait tout, dit Sybil. Le courage, la force de John n'auraient servi à rien. Et nous avions déjà Patricia, toute petite. Alors j'ai connu la vraie peur. J'ai eu peur jusqu'à la moelle, jusqu'à l'âme. Cette peur-là ne peut plus se calmer. Jamais. C'est fini. Elle pousse. Elle grandit.
35 Elle vous dévore.

La nuit, Sybil, incapable de sommeil, épiait avec épouvante tous les bruits de la brousse.

Le jour, tandis que Bullit courait la Réserve, ne pensant qu'au bien-être de ses bêtes (il y avait de la haine dans la voix de Sybil),
40 elle restait seule avec les serviteurs noirs.

– Je ne peux plus supporter ces rires barbares, gémit-elle, ces dents trop blanches, leurs histoires de spectres, d'hommes-panthères, de sorciers. Et surtout, la manière qu'ils ont d'apparaître sans qu'on les entende venir.
45 Ce fut de cette façon qu'entrèrent Bullit et Patricia.

J'avais attendu toute la journée de revoir la petite fille avec une impatience et une émotion tellement démesurées que plus d'une fois je m'étais senti ridicule. Et voici qu'elle était devant moi et je ne retrouvais à son égard aucun des sentiments qu'elle
50 m'avait inspirés. Mais aussi, qu'y avait-il de commun entre l'apparition de l'aube, la compagne des bêtes sauvages et l'enfant modèle que Bullit tenait par la main ?

Patricia portait une robe de toile bleu marine qui descendait un peu plus bas que les genoux, empesée, ornée d'une colle-
55 rette et de manchettes blanches. Ses chaussettes étaient blanches également. Aux pieds, elle avait de petits escarpins [1] vernis. À

---

1. **Escarpins** : chaussures à semelle mince qui découvrent le cou-de-pied.

ce vêtement s'accordaient le maintien de Patricia, modeste et
réservé, le long cou bien droit et sage dans la collerette blanche,
la frange des cheveux coupés en boule bien alignés au-dessus des
60 yeux baissés. Elle me fit une légère révérence, embrassa sa mère et
alla prendre le siège qui lui était réservé. Je ne reconnus vraiment
d'elle que les mains – quand elle les eut posées sur la nappe –
bronzées, couvertes d'égratignures, avec les ongles en dents de
scie et entourés d'un cerne bleu qui semblait indélébile.
65 Patricia parcourut du regard les gâteaux et les confitures
disposés sur la table et dit d'un ton de satisfaction sérieuse :
– C'est vraiment un grand thé.
Elle remplit sa tasse elle-même et se servit de cake ainsi que
de marmelade d'oranges. Ses manières étaient parfaites, mais
70 elle tenait obstinément les yeux baissés.
– Enfin, vous voyez notre demoiselle, et vous pourrez la décrire
à Lise, me dit Sybil.
Je sentis qu'elle était fière de sa fille et reprenait peu à peu
son équilibre. Elle s'adressa gaiement à Patricia :
75 – Tu sais, notre hôte est un ami de Lise Darbois.
Patricia ne dit rien.
– Je t'ai souvent parlé de Lise, tu t'en souviens, n'est-ce pas ?
demanda Sybil.
– Oui, maman, je me souviens, dit Patricia sans lever les yeux.
80 Sa voix claire, bien timbrée, ne rappelait en rien sa façon
clandestine de parler, près de l'abreuvoir. On y percevait le
dessein têtu de ne pas prendre part à la conversation.
Mais Sybil tenait à faire briller sa fille.
– Ne sois pas si timide, chérie, dit-elle. Raconte quelque chose
85 sur le Parc, sur les bêtes. Tu les connais bien, n'est-ce pas ?
– Je ne sais rien d'intéressant, dit Patricia, le cou droit, le
regard fixé sur son assiette.
– Tu es vraiment trop sauvage, s'écria Sybil sans pouvoir domi-
ner une irritation qui montrait que ses nerfs commençaient à
90 lui désobéir de nouveau.

Elle dit à Bullit avec un rire forcé :

– John, j'espère que vous aurez meilleure mémoire que votre fille. Vous n'avez pas fini de nous raconter votre grande chasse du Serenguetti.

95 Il y eut alors une scène aussi brève qu'étonnante.

Aux dernières paroles de sa mère, Patricia – ce qu'elle n'avait pas fait depuis qu'elle était entrée dans la pièce – leva les yeux brusquement et les tint fixés sur Bullit. Et lui, comme s'il s'était attendu à ce mouvement et l'avait redouté, il n'osa pas d'abord
100 affronter la petite fille. Mais la volonté de Patricia qui durcissait, pétrifiait son tendre et mobile visage l'emporta sur la résistance de Bullit. Son regard rencontra celui de l'enfant. Un sentiment d'impuissance, de faute, de souffrance, de prière se peignit sur ses traits. Les yeux de Patricia demeuraient inflexibles [1].

105 Cet échange silencieux, je n'en mesurai la portée véritable que plus tard. Mais il eut son plein sens pour Sybil. Ses lèvres blanchirent et elle n'arriva pas à maîtriser leur tremblement. Elle demanda – et sa voix à chaque phrase montait d'un ton :

– Eh bien, John ! Vous voilà aussi muet que votre fille ! Toujours
110 d'accord contre moi ! Et vous ne lui avez même pas fait reproche pour rentrer à des heures qui me font mourir d'angoisse, n'est-ce pas ?

– Je suis navrée, maman, croyez-moi, dit Patricia très doucement. Tout à fait navrée. Mais King est venu très tard aujourd'hui. Et
115 il a voulu me raccompagner à toute force. Vous l'avez entendu sans doute.

– Bien sûr, dit Bullit, on reconnaît…

Sybil l'empêcha de poursuivre.

– Assez, assez, cria-t-elle. Je ne veux plus, je ne peux plus vivre
120 dans cette folie.

Elle se tourna vers moi et, toute secouée par un rire qui n'avait ni son ni sens, une sorte de rire blanc, elle s'écria :

_____

1. **Inflexibles** : que rien ne peut faire changer.

103

– Savez-vous qui est ce King que ma fille attend jusqu'au soir et par qui elle se fait reconduire, et de qui son père reconnaît 125 la voix ? Le savez-vous ?

Sybil reprit son souffle pour achever d'une voix stridente [1], hystérique :

– Un lion ! Oui, un lion ! Un fauve ! Un monstre !

Elle était arrivée à la limite d'une crise de nerfs, et dut en 130 avoir conscience. La honte et le désespoir de se montrer dans cet état effacèrent toute autre expression sur sa figure. Elle quitta la pièce en courant.

Patricia se tenait toute raide dans sa robe empesée et le hâle de ses joues s'était comme terni.

135 – Allez avec elle, dit Patricia à son père. Elle a besoin de vous.

Bullit obéit. La petite fille ramena sur moi son regard. Il était insondable [2]. Je m'en allai. Je ne pouvais rien pour personne.

– L'enfant du lion…, disaient de Patricia les Noirs du Parc 140 royal.

---

1. **Stridente** : perçante.
2. **Insondable** : qu'il est difficile d'évaluer, de comprendre.

Chapitre 14

Bogo, qui attendait devant la hutte, me suivit à l'intérieur et demanda :

– À quelle heure dîne Monsieur ?

Son uniforme, sa voix, son visage, son attitude, l'obligation de lui répondre – tout m'irrita d'une façon singulière.

– Je n'en sais rien, dis-je. Et cela n'a pas d'importance. Je m'arrangerai seul plus tard.

– Monsieur voulait que j'emballe tout ce soir pour partir à la première heure, observa Bogo.

– Nous partirons quand j'en aurai envie, dis-je en serrant les dents.

Bogo hésita un peu, le front bas, pour demander :

– Mais nous partons, Monsieur, n'est-il pas vrai ?

Son intonation qui exprimait la crainte, le reproche et l'entêtement à quitter la Réserve au plus vite me fut insupportable.

– Cela ne regarde que moi, dis-je.

– Et l'avion de Monsieur ? murmura Bogo.

Sans doute j'aurais agi comme je l'ai fait, même si mon chauffeur n'avait pas montré tant d'obstination. Mais sur l'instant, il me sembla que, seul, me décida le réflexe de liberté contre une insistance odieuse. J'arrachai une feuille à mon carnet de notes, écrivis quelques lignes et commandai à Bogo :

– Portez cela au bungalow, immédiatement.

Mon message, destiné à Bullit, lui demandait de transmettre à Nairobi, au cours de son prochain contact par radio, que j'annulais la place qui m'avait été réservée pour le surlendemain dans l'avion de Zanzibar.

Le groupe électrogène cessa de fonctionner à dix heures, suivant le règlement de la Réserve. J'allumai la lampe tempête
30 et m'installai sur la véranda. Le whisky était à portée de ma main. Je n'y touchai pas. Je n'avais pas plus soif que faim ou sommeil. Et pas davantage envie de réfléchir. Il faisait frais. La nuit était transparente. On distinguait dans l'obscurité les lignes sèches des arbres épineux et la forme tabulaire [1] du Kilimandjaro.
35 L'auvent [2] de chaume cachait le ciel et les astres. Cela importait peu. Mes pensées avaient le tour le plus pratique, le plus trivial. Je me demandais si je n'avais rien oublié qui me fût nécessaire dans la liste d'achats que j'avais donnée à Bogo. Il devait, dès qu'il ferait jour, aller chercher du ravitaillement à une trentaine
40 de kilomètres de la Réserve, dans le village de Laïtokito, chez l'épicier indien. Je me rappelais avec amusement l'effroi de mon chauffeur noir à tête de tortue quand il avait appris que se prolongeait indéfiniment notre séjour au milieu des bêtes sauvages. Puis je ne pensai à rien. La fatigue sans doute…

45 Les bruits de la brousse – craquements, gémissements, sifflements, chuchotements – formaient autour de la hutte un secret langage nocturne. De temps à autre s'élevaient au-dessus de tous les murmures un cri aigu, une clameur rauque, un strident appel. Et parfois des ombres immenses passaient au fond de la clairière.

50 J'attendais, l'esprit en suspens. Pourquoi lui demander un effort ? Quelqu'un allait venir et me faire comprendre les mystères de la nuit et le sens de ma journée dans le Parc royal et pourquoi j'avais été incapable d'en partir. J'eus beau prolonger ma veillée jusqu'à l'heure où, sur la véranda, la balustrade se
55 couvrit de rosée, il ne vint personne.

---

1. **Tabulaire** : qui a la forme d'une table.
2. **Auvent** : petit toit.

Un quiz pour commencer

Cochez les bonnes réponses.

❶ *Que demande Bullit au narrateur après sa visite chez Sybil ?*

   ❐   De lui offrir un verre.

   ❐   De ne pas révéler à Sybil que Patricia sort tous les matins voir
les bêtes.

   ❐   De l'accompagner au village.

❷ *Quelle précaution Bullit prend-il pour assurer la sécurité de
sa fille dans le Parc ?*

   ❐   Il la suit tous les jours.

   ❐   Il lui donne un fusil pour qu'elle puisse se défendre.

   ❐   Il la fait suivre par Kihoro, excellent tireur.

❸ *Quel événement se prépare dans le Parc ?*

   ❐   Un grand safari réunissant les plus grands chasseurs du pays.

   ❐   La capture d'un lion.

   ❐   La venue de la tribu masaï.

❹ Pour quelle raison les Masaï sont-ils à craindre selon Bullit ?

☐ Ce sont traditionnellement des tueurs de lions.

☐ Ils s'emparent des biens de la population.

☐ Ils attaquent les touristes.

❺ Pourquoi Bullit demande-t-il au narrateur de retarder son départ ?

☐ Il pense que la présence du narrateur pourrait être bénéfique à Patricia, qui est trop solitaire.

☐ Il n'a pas eu le temps de lui faire visiter le Parc.

☐ Il veut que le narrateur l'aide à surveiller les Masaï.

❻ Le narrateur est-il satisfait de sa visite du Parc royal avec le ranger ?

☐ Il est enchanté de pouvoir enfin découvrir la nature comme il rêvait de le faire.

☐ Il est déçu car l'itinéraire choisi le ravale au rang de touriste et ôte toute liberté dans la découverte.

☐ Il est déçu car il trouve la réserve trop petite et n'aperçoit que très peu d'animaux.

❼ Pourquoi Sybil paraît-elle si anxieuse pendant la cérémonie du thé ?

☐ Elle a honte de son mari, bourru, sans éducation, qui ne fait pas honneur à son hospitalité distinguée.

☐ Elle craint que ses bonnes manières soient considérées comme démodées par un Français.

☐ Elle est terrifiée à l'idée que sa fille n'est pas encore rentrée à la nuit tombée.

❽ Comment devient-on un homme chez les guerriers masaï?

☐ Quand ils atteignent l'âge de dix-huit ans.

☐ En tuant un lion à la lance.

☐ Par une cérémonie d'initiation.

Des questions pour aller plus loin

👉 Étudier les personnages

Les tensions de la famille Bullit

1 Au chapitre 7, de quoi Bullit remercie-t-il le narrateur ? Identifiez dans la suite du chapitre les confidences et les découvertes qui font naître l'amitié entre les deux hommes.

2 Quelle a été la jeunesse de Bullit ? Expliquez en quoi son activité passée ne correspond plus à ce qu'il fait aujourd'hui.

3 Quels secrets Bullit cache-t-il à sa femme et à sa fille ?

4 Quelle est l'opinion de Bullit sur Lise Darbois ? Pourquoi ce dernier personnage est-il un sujet de discorde ?

5 En vous appuyant sur des exemples précis tirés du texte, montrez que la cérémonie du thé révèle l'inquiétude de Sybil par rapport à sa fille.

6 Quel est le sujet sur lequel Patricia et Sybil s'opposent le plus violemment ?

Les personnages et leurs points de vue

7 Quels sentiments le narrateur essaie-t-il de nous inspirer à l'égard de Bullit ?

8 Quelle contradiction y a-t-il dans l'opinion et la conduite de Bullit à l'égard des Noirs ? Qu'a-t-il eu à se reprocher autrefois ?

9 Que pense le narrateur de cette opinion de Bullit ?

10 En quoi le chauffeur Bogo tient-il le rôle de porte-parole du mode de pensée africain ? Quelle croyance rapporte-t-il sur Patricia ?

11 Comment le regard de Sybil sur le paysage sauvage du Parc royal s'est-il modifié avec le temps ? Et son regard sur King ?

12 Quelle décision, déterminante pour la suite du roman, est prise par le narrateur au dernier chapitre de la première partie ? Était-ce prévisible ?

Des portraits contrastés

⑬ Quelle est la particularité des Masaï au sein des différentes ethnies ?

⑭ Relevez les termes et expressions qui mettent en valeur Oriounga dans le portrait que le narrateur fait de lui.

⑮ En quoi le *morane* est-il représentatif du peuple masaï ?

⑯ En quoi l'attitude de Patricia à l'occasion de la cérémonie du thé contraste-t-elle avec son comportement habituel ?

Rappelez-vous !

Dans un roman, on distingue : l'auteur, qui est celui qui écrit l'histoire (par exemple pour *Le Lion* : Joseph Kessel) ; le narrateur, qui est celui qui raconte l'histoire ; le personnage, qui est un être de «papier» (c'est-à-dire fictif, inventé).

Le point de vue selon lequel on raconte l'histoire peut varier d'un récit à l'autre. Dans notre roman, le narrateur est aussi un personnage et il s'exprime à la première personne. On ne connaît les événements qu'à travers son regard.

De la lecture à l'écriture

Des mots pour mieux écrire

❶ *Complétez le texte à l'aide des mots suivants et accordez-les si nécessaire :* tribal, immémoriaux, nonchalant, pasteurs, sans merci, superbe, troupeaux, carnage, nomades.

Les Masaï sont un peuple de _____ . Ils ne possèdent que leurs _____ . Ce sont des _____ , qui, depuis des temps

_____ , se livrent à des combats _____ contre les autres tribus, provoquant de véritables _____ . Les adolescents occupent une place particulière dans le système _____ . Ils marchent d'un pas _____ plein de _____ et partent combattre le lion.

❷ *Trouvez les antonymes des mots suivants :* torride, livide, colossale, inflexible, incrédule, affecté.

À vous d'écrire

❶ Rédigez la lettre de deux pages que Sybil écrit à son amie Lise Darbois pour raconter les dernières nouvelles de sa famille depuis l'arrivée du narrateur au Parc royal.
Consigne. Votre récit sera écrit à la première personne et comportera les formules de politesse et la mise en page habituelles pour une lettre.

❷ Tenir un journal de voyage a longtemps été une habitude des voyageurs. Écrivez un extrait du journal de voyage que le narrateur tient depuis son arrivée au Parc la veille au soir. Vous évoquerez les impressions que lui ont laissées les événements de la journée.
Consigne. Dans ce devoir d'une vingtaine de lignes écrit à la première personne et alternativement au présent et au passé composé, vous évoquerez les différents personnages rencontrés dans la journée. Vous n'oublierez pas de mettre une date en haut et à droite de la page.

Du texte à l'image

➡ Guerrier masaï tenant un javelot.
(Image reproduite au verso de la couverture en début d'ouvrage, en bas.)

👁 Lire l'image

❶ Observez la photographie et décrivez-la. Évoquez les contrastes des couleurs et la composition de l'image (premier plan, arrière-plan, centrage...).

❷ Que fait le personnage sur cette photographie ?

❸ Écrivez une légende pour cette illustration.

📄 Comparer le texte et l'image

❹ Quel personnage du roman vous rappelle l'homme sur la photographie ? Expliquez quels sont les éléments qui vous permettent de le reconnaître.

❺ À quel chapitre avez-vous eu l'occasion de le rencontrer dans le récit ? Précisez dans quelles circonstances.

📝 À vous de créer

❻ Imaginez qui peut être l'homme qui a pris la photographie et ce qu'il a vu d'autre.

❼ Décrivez minutieusement le personnage photographié et essayez d'imaginer son caractère d'après son attitude.

Deuxième partie

Je soulevai péniblement les paupières. Ce n'était pas un merveilleux petit singe qui se penchait cette fois sur mon réveil, mais Bogo, mon chauffeur.

– Le déjeuner. Monsieur…, disait-il, le déjeuner !

5 – Le petit déjeuner ? demandai-je.

– Non, Monsieur, le déjeuner, dit Bogo. Il est plus de midi.

– C'est que je me suis endormi très tard.

Il y avait eu dans ma réponse une intention d'excuse. Je ne l'avais pas voulu, mais je n'y pouvais rien. Pendant des semaines,
10 j'avais habitué Bogo à un itinéraire, à un programme d'une rigueur extrême. Départs, arrivées, étapes, repas, tout avait obéi à cette règle. J'avais fait l'impossible pour nourrir chaque instant du voyage de connaissances et d'émotions nouvelles. Bogo s'était mis tout entier au service de mes desseins. Et voilà
15 que je reniais [1], déséquilibrais cette longue discipline. Il fallait me tirer du lit au milieu de la journée pour me nourrir.

Mon corps était raide, meurtri. C'était, pensai-je, d'avoir passé presque toute la nuit sur la véranda sans bouger. Je gagnai la hutte-salle de bains. Mais ni l'eau chaude ni l'eau froide ne
20 purent, comme elles le faisaient à l'ordinaire, détendre mes muscles ni mon humeur. La courbature était d'ordre moral. Tout m'irritait et particulièrement moi-même.

---

1. **Reniais** : renonçais à.

Ces conserves – pour combien de temps m'y étais-je condamné ?

25 Zanzibar… Je n'aurais plus jamais loisir de m'y rendre. Zanzibar, paradis dans l'océan Indien, embaumé de clous de girofle.

Et qu'est-ce qui m'attendait donc dans la Réserve qui valait de renoncer à la dernière partie de mon voyage et sans doute 30 la plus belle ?

Les animaux sauvages… S'il fallait recommencer la promenade faite la veille, sous la surveillance d'un *ranger*, autant rester dans cette hutte protégée au moins de la chaleur et de la poussière et boire le whisky dont Bogo, selon mes instructions, avait 35 rapporté une caisse de Laïtokito.

Une caisse ! Pourquoi une caisse ? Pour qui ? Bullit ? Il me détestait et l'avait bien fait voir. Quant à Sybil, maintenant que j'avais été le témoin de sa crise nerveuse, elle ne pouvait plus me souffrir, c'était évident. Et une haine neuve, brûlante, devait 40 envenimer et embraser le ressentiment de Patricia.

Ils n'avaient tous, assurément qu'une envie : me savoir le plus loin possible. Et je m'implantais, je m'incrustais… Alors que je m'étais obstiné à partir quand on m'avait prié de rester.

Je maudissais chaque instant davantage la décision qui me 45 retenait dans le Parc royal. Mais en même temps – et ainsi que je l'avais fait depuis que je l'avais prise – je refusais d'en reconnaître le motif. Sa puérilité, son ridicule me gênaient trop.

J'avais fini mon repas : nourriture insipide et bière tiède.

– Quels sont les ordres, Monsieur ? me demanda Bogo.

50 – Il n'y en a pas, dis-je en me forçant au calme. Allez vous reposer.

Une voix limpide, une voix d'enfant s'éleva du seuil de la pièce.

– Mais non, qu'il reste. Vous aurez besoin de lui.

55 C'était Patricia. Aucun bruit ne m'avait, bien entendu, averti de son approche. Elle portait de nouveau une salopette grise.

Mais son maintien gardait quelque chose de la sagesse étudiée, de la modestie apprise qu'elle avait montrées la veille pour le thé de Sybil. Le petit singe Nicolas était juché sur l'une de ses
60 épaules. La petite gazelle Cymbeline l'accompagnait.

– Mon père a fait votre message pour Nairobi, dit Patricia. Maman vous invite à dîner ce soir. Ils ont été très contents de savoir que vous ne quittiez pas ce Parc aujourd'hui.

Patricia avait détaché, souligné chaque mot. Son regard exi-
65 geait en retour une courtoisie égale.

– Je suis très reconnaissant à vos parents, dis-je. Ce que vous m'annoncez me réjouit beaucoup.

– Je vous remercie pour eux, dit Patricia.

À ce moment, je m'aperçus que les sentiments de Bullit et de
70 sa femme à mon égard m'intéressaient peu. Je demandai :

– Et vous, Patricia ? Cela vous fait plaisir de me garder ici pour quelque temps ?

L'expression de Patricia ne changea que d'une nuance. Elle suffit cependant pour donner une tout autre signification
75 au petit visage hâlé. Les traits demeuraient graves, sans doute, mais leur gravité n'était plus celle d'une petite fille qui a bien retenu sa leçon de maintien. C'était la gravité attentive, subtile, sensible, de l'enfant qui m'avait surpris près de l'abreuvoir du Kilimandjaro. Elle me donna un espoir et une joie sans
80 apparence de raison.

– Je voudrais savoir pourquoi vous êtes resté, dit à mi-voix Patricia.

Ce que je m'étais refusé jusque-là d'admettre à moi-même, il me parut tout simple soudain de l'avouer.
85 – À cause de King, dis-je. Du lion.

Patricia approuva de la tête à plusieurs reprises, rapidement, vigoureusement, ce qui fit bouger le singe minuscule accroché à son épaule et dit :

– Ni mon père ni maman n'ont pensé à King. Mais moi je
90 savais bien.

Je demandai :

– Nous sommes de nouveau amis ?

– Vous êtes resté pour King, le lion. C'est à lui de répondre, dit sérieusement Patricia.

95 Nous entendîmes alors un son étrange, moitié soupir et moitié sanglot. Mon chauffeur reprenait avec peine sa respiration. La peau de sa figure était grise.

– Que voulez-vous de Bogo ? demandai-je à Patricia.

– Vous le saurez plus tard. Il n'est pas encore temps, dit-
100 elle.

Je fus pris soudain d'une impatience anxieuse. Il y avait eu dans ces paroles de Patricia, me semblait-il, une sorte d'engagement, de promesse. Elle n'était pas venue simplement porter un message de ses parents. Ce prétexte servait une décision plus
105 importante et secrète. Je fermai un instant les yeux comme l'on fait pour échapper au vertige. Était-il possible que le dessein de la petite fille fût celui-là même que je croyais deviner ?

Je me repris. Voilà que j'étais de nouveau la proie des rêves de l'enfance. Il n'y avait qu'à laisser venir l'heure, l'heure de
110 Patricia. Mais je me sentis incapable de l'attendre entre les murs de la hutte.

– Venez dehors, dis-je à Patricia.

Et à Bogo :

– Vous m'apporterez un peu de whisky.

115 Patricia me demanda, les yeux brillants :

– Est-ce que vous avez de la limonade ?

J'échangeai un regard avec Bogo. Nous étions aussi penauds[1] l'un que l'autre.

– Mademoiselle aime peut-être le soda, dit mon chauffeur
120 craintivement.

– Oui, si vous me donnez aussi du sucre et du citron, dit Patricia. Parce que, alors, avec le soda, je fais une limonade.

---

1. **Penauds** : confus, embarrassés.

116

Elle composa soigneusement son breuvage, face à la grande clairière et à la montagne immense que le soleil à cette heure
125 dépouillait d'ombre et de coloris.

– Vous avez été chez les bêtes ? demandai-je.

– Non, dit Patricia. J'ai pris mon petit déjeuner en même temps que maman. Et puis, toute la matinée, j'ai fait mes leçons avec elle. Tout a très bien marché.

130 Patricia s'arrêta de souffler sur l'eau gazeuse pour y faire des bulles. Elle poursuivit à mi-voix :

– Pauvre maman, elle est si heureuse quand je me donne de la peine pour étudier. Elle en oublie tout le reste. Alors, après ce qui s'est passé hier soir, c'était bien mon devoir de l'aider.

135 La petite fille recommença de souffler dans son verre, mais d'une manière toute machinale. Il y avait sur ses traits une compréhension, un tourment d'adulte. La vie était encore plus difficile pour Patricia que je ne l'avais pensé. Elle aimait sa mère et savait combien elle la faisait souffrir, et n'y pouvait rien à moins
140 de cesser d'être elle-même.

Patricia trempa un doigt dans son breuvage, se lécha le doigt autour de l'ongle cassé, ajouta un peu de sucre.

– Maman est très savante, reprit-elle avec fierté. Histoire, géographie, calcul, grammaire, elle connaît tout. Et moi, si je veux,
145 j'apprends très vite.

Elle prit soudain la voix clandestine dont elle usait pour ne pas effaroucher les bêtes et que je n'avais plus entendue depuis notre entretien près du grand abreuvoir.

– Vous savez, à la pension de Nairobi, j'étais en avance sur
150 toutes les autres filles, je l'ai vu tout de suite. J'aurais pu gagner une classe ou deux. Mais j'ai fait l'idiote pour être renvoyée au plus vite. Sinon, je me serais laissée mourir.

Patricia parcourut d'un regard avide la clairière, les flaques d'eau qui miroitaient au loin et les massifs d'arbres les plus épais
155 comme pour en percer les profondeurs. Elle but goulûment sa citronnade et s'écria :

– Appelez votre chauffeur. On part.

Elle décrocha le petit singe de son épaule et le plaça sur le dos de Cymbeline.

160 – Vous deux, leur dit-elle, vous rentrez à la maison.

La petite gazelle, avec le petit singe en croupe, posa délicatement de marche en marche ses sabots de la taille d'un dé à coudre et prit la direction du bungalow de Bullit.

Patricia descendit le perron en dansant et ouvrit la portière
165 de la voiture.

– Si j'étais seule, j'irais comme je fais toujours, à pied, dit-elle. Mais avec vous…

Ses grands yeux sombres scintillaient de gaieté. Elle imaginait sans doute comme je m'essoufflais à la suivre et comment les
170 fourrés où elle glissait sans peine retenaient et déchiraient mon corps maladroit.

– Où allons-nous, Mademoiselle ? demanda Bogo.

Patricia lui répondit très vite, en kikouyou. Il tourna vers moi un visage où l'effroi agitait chaque ride. Le blanc même de ses
175 yeux était comme terni.

– Silence ! cria Patricia. Silence, vous !

Elle était revenue à la langue de sa race, langue de commandement, avec l'autorité naturelle et féroce des enfants à qui, depuis qu'ils sont nés, des serviteurs noirs ont montré une
180 soumission entière.

– Mais… mais… Mademoiselle, mais… Monsieur, balbutia Bogo, il est défendu… Il est absolument interdit de circuler parmi les bêtes sans *ranger*.

– C'est vrai, dis-je à Patricia. Votre père…

185 – Avec moi, s'écria la petite fille, il n'est besoin de personne.

Tandis que j'hésitais, Kihoro se dégagea soudain d'un buisson d'épineux et avança vers nous. Il marchait le buste projeté en avant sur son bassin rompu comme si le poids du fusil de chasse
190 à deux canons qu'il portait sur une épaule l'écrasait. Il s'arrêta

près de la voiture et me scruta de son œil unique. Je comprenais son embarras. Il avait pour mission de veiller sur la petite fille dans toutes ses courses et sans qu'elle s'en doutât. Comment la suivrait-il si elle partait avec moi ?

195   Je proposai :
— À défaut d'un *ranger*, emmenons Kihoro.
— À défaut ! dit Patricia avec indignation. À défaut ! Il est le meilleur pisteur, traqueur et tireur de ce Parc. Et il le connaît mieux que personne. Et il est à moi.

200   Elle fit signe à Kihoro. Il se glissa de biais – son corps estropié empêchait qu'il s'y prît autrement – à côté de Bogo. Mon chauffeur eut un frémissement de répugnance. Il n'y avait rien de commun entre les *rangers* habillés de beaux uniformes, dressés à ménager les visiteurs et ce borgne, ce balafré dont
205   les hardes[1] sentaient la sueur et la brousse. Et puis, Kihoro appartenait à la tribu des Wakamba qui était, avec celle des Masaï, la plus guerrière, la plus cruelle.

Nous prîmes la piste médiane, seul parcours permis aux touristes et que je connaissais déjà. La petite fille appuya son dos
210   contre un accoudoir et allongea les jambes sur la banquette, les replia, les étendit de nouveau, ferma les yeux à demi.
— Elle ressemble à un lit roulant, votre automobile, dit Patricia.

Cette voiture était une Chevrolet de louage, carrossée en conduite intérieure[2], vieille de quelques années, mais beaucoup
215   plus large assurément, et mieux suspendue, que la Land Rover de Bullit, version anglaise de la jeep.
— Seulement, reprit Patricia en étirant ses membres légers avec un sentiment de luxe et de volupté[3], seulement cette automobile ne passera jamais là où va mon père. Et puis on ne voit rien de
220   ce qu'il y a dehors.

---

1. Hardes : vêtements pauvres et usagés.
2. Carrossée en conduite intérieure : automobile entièrement couverte (par opposition à la décapotable).
3. Volupté : plaisir.

Patricia fit glisser ses jambes sur la banquette et s'approcha de moi. Elle riait silencieusement. Elle chuchota :

– Regardez Kihoro. Il n'a pas l'air d'un malheureux singe enfermé dans une boîte ?

225 Aussi bas que Patricia avait pu parler, le vieux pisteur noir avait entendu son nom. Il se tourna vers nous. Je n'avais jamais vu de si près cette face où, parmi vingt cicatrices, l'œil droit formait une tache noire, un trou sanglant. Patricia montra d'un signe à Kihoro qu'elle n'avait pas besoin de lui. Le visage
230 supplicié s'orienta de nouveau dans le sens de la marche.

– Comment le malheureux a-t-il eu toutes ces blessures ? demandai-je.

– Il n'est pas malheureux, dit Patricia avec assurance. Les Noirs ne souffrent pas d'être laids. Et chez eux les chasseurs
235 sont fiers des marques de la chasse.

– Comment les a-t-il reçues ?

– L'épaule et le bassin, ce n'est pas en poursuivant les bêtes, dit Patricia. C'est dans le Parc. Il avait trop confiance en lui avec les animaux sauvages. Une fois, c'est un buffle qui l'a lancé
240 en l'air et piétiné. Une autre fois, il a été serré entre le tronc d'un arbre sur lequel il grimpait et le flanc du rhinocéros qui le chargeait.

– Mais la figure, dis-je, ce sont des marques de griffes ?

– On ne peut pas s'y tromper, dit Patricia.

245 Je la regardai avec plus d'attention. Il y avait eu un étrange mouvement d'orgueil dans sa voix et sur ses traits. Ses yeux étaient plus sombres, ses lèvres plus vives tandis qu'elle racontait.

Les griffes qui avaient labouré le visage de Kihoro étaient celles d'un léopard. Kihoro l'avait pisté longtemps avec, dans
250 son fusil, la seule cartouche que Bullit lui accordait pour aller seul à la chasse. La balle unique avait touché le fauve, mais sans le foudroyer. Il avait eu encore assez de force pour jeter bas

Kihoro et le lacérer jusqu'au moment où un coutelas [1] manié à
l'aveugle avait trouvé le cœur de la bête.

255   Quand Patricia eut achevé ce récit, elle respirait vite et ses
mains étaient crispées l'une contre l'autre. Je lui demandai :

    – Vous êtes fière de Kihoro ?

    – Il n'a peur de rien, dit Patricia.

    – Mais votre père, lui aussi ?

260   – Je ne veux pas. Taisez-vous ! s'écria la petite fille.

    Elle m'avait habitué aux sautes d'humeur les plus violentes
et les plus rapides. Je fus saisi néanmoins par l'expression de
souffrance que son visage prit d'un seul coup. Ces joues blêmies
sous le hâle, cette bouche et ce regard à la torture, seul un
265 intolérable accès de douleur physique semblait pouvoir en
être cause.

    – Les Blancs n'ont pas le droit. Je ne veux pas qu'ils tuent les
bêtes, dit Patricia.

    Sa voix était étouffée, haletante.

270   – Les Noirs, c'est autre chose. C'est juste. Ils vivent avec les
bêtes. Ils ressemblent aux bêtes. Ils n'ont pas plus d'armes que
les bêtes. Mais les Blancs… Avec leurs gros fusils, leurs centaines
de cartouches ! Et c'est pour rien. C'est pour s'amuser. Pour
compter les cadavres.

275   La voix de la petite fille s'éleva brusquement jusqu'au cri
hystérique.

    – Je déteste, je maudis tous les chasseurs blancs.

    Les yeux de Patricia étaient fixés sur les miens. Elle
comprit le sens de mon regard. Son cri se changea en murmure
280 effrayé.

    – Non… Pas mon père. Il n'y a pas d'homme meilleur. Il ne
fait que du bien aux animaux. Je ne veux pas qu'on parle de
tous ceux qu'il a pu tuer.

    – Mais comment le savez-vous ? demandai-je.

---

1. **Lacérer** : déchirer, mettre en morceaux ; **coutelas** : épée courte et large.

285   – Il racontait à maman, à ses amis, quand j'étais très petite. Il pensait que je ne comprenais pas. Maintenant je ne veux pas, je ne supporte pas… Je l'aime trop.

    Alors me revint à l'esprit et dans toute sa véritable signifi-cation le regard par lequel, la veille, dans le bungalow, la petite
290 fille avait interdit à Bullit d'achever le récit de sa chasse aux lions du Serenguetti.

    Patricia baissa la vitre de la portière, plongea dehors sa tête coiffée en boule et aspira longuement la poussière brûlante que soulevait notre course. Quand je revis sa figure, elle ne portait
295 plus un signe de tourment. On ne pouvait y déceler [1] qu'une impatience heureuse. Elle donna un ordre à Bogo. Notre voiture s'engagea dans un sentier bosselé, tortueux.

    Était-ce la configuration du terrain ou l'orientation du sentier qui menait vers les taillis mystérieux et les refuges protégés des
300 animaux sauvages – mais, contrairement à son habitude, Bogo conduisait très mal. Ressorts, freins, changement de vitesse gémissaient, grinçaient. Nous avancions dans un affreux tinta-marre [2].

    – Stop, dit soudain Patricia au chauffeur. Vous allez effrayer
305 les bêtes ou les rendre furieuses.

    Elle saisit son bras et commanda :

    – Venez.

    Puis elle se haussa jusqu'à mon oreille pour chuchoter :

    – *Il* n'est plus très loin.

310   Elle sauta sur le sol et piqua droit vers des buissons hérissés de ronces.

---

1. **Déceler** : découvrir.
2. **Tintamarre** : bruit assourdissant.

Tant que dura notre marche, Patricia ne fit pas un mouvement, pour ainsi dire, qui ne prît soin de moi. Elle écartait les fourrés, soulevait les arceaux [1] d'épines, m'avertissait des passages difficiles et au besoin me frayait un chemin. La suivant, je contournai une colline, un marécage, gravis un piton, m'enfonçai dans une haute brousse qui semblait impénétrable. Il me fallut souvent avancer sur les genoux, et, de temps à autre, ramper.

Quand la petite fille, enfin, s'arrêta, nous étions dans un ravin au bord duquel poussaient des haies compactes [2] et denses comme des murs. Patricia prêta longuement l'oreille, observa la direction du vent puis me dit de sa voix la plus feutrée [3] :

– Ne bougez pas. Ne respirez plus avant que je ne vous appelle. Faites bien attention. C'est terriblement sérieux.

Elle s'enleva sans effort jusqu'au sommet du ravin et fut comme dévorée par les buissons. J'étais seul au milieu du silence le plus complet qui pèse sur la terre sauvage de l'Afrique aux abords de l'Équateur, quand le soleil a seulement dépassé son zénith et que l'air est nourri, embrasé [4] et terni de flamme.

J'étais seul et perdu dans un dédale de jungle sèche, incapable de reconnaître un chemin quel qu'il fût et uniquement relié

1. **Arceaux** : parties arrondies d'une voûte, d'une porte.
2. **Compactes** : dont les branchages sont très rapprochés.
3. **Feutrée** : étouffée, non sonore.
4. **Embrasé** : éclatant de lumière.

au monde habitable par une petite fille qui venait de fondre au milieu des épines.

Mais ce n'était pas la peur qui faisait courir le long de mon corps en sueur des frissons brefs et légers à une cadence de plus
25 en plus rapide. Ou plutôt, c'était une peur en marge et au-delà de la peur ordinaire. Le sens du danger ne lui servait pas de source. Je tremblais parce que chaque seconde maintenant me rapprochait d'une rencontre, d'une alliance en dehors de la condition humaine. Car, si mon pressentiment était juste, et je
30 savais maintenant qu'il l'était…

Je tremblais de plus en plus vite. Ma peur croissait d'instant en instant. Mais il n'y avait pas un bonheur au monde que j'aurais accepté d'échanger contre cette peur-là.

Un rire enfantin, haut et clair, ravi, merveilleux, sonna comme
35 un tintement de clochettes dans le silence de la brousse. Et le rire qui lui répondit était plus merveilleux encore. Car c'était bien un rire. Du moins, je ne trouve pas dans mon esprit, ni dans mes sens, un autre mot, une autre impression pour ce grondement énorme et débonnaire [1], cette rauque, puissante et animale joie.
40 Cela ne pouvait pas être vrai. Cela tout simplement ne pouvait pas être.

À présent, les deux rires – clochettes et rugissements – résonnaient ensemble. Quand ils cessèrent, j'entendis Patricia m'appeler.
45 Glissant et trébuchant, je gravis la pente, me raccrochai aux arbustes, écartai la haie d'épineux avec des mains lardées [2] de ronces et sur lesquelles le sang perlait.

Au-delà du mur végétal, il y avait un ample espace d'herbes rases. Sur le seuil de cette savane, un seul arbre s'élevait. Il n'était
50 pas très haut. Mais de son tronc noueux et trapu [3] partaient, comme

---

1. **Débonnaire** : bon, généreux.
2. **Lardées** : griffées, déchirées.
3. **Trapu** : court et large.

les rayons d'une roue, de longues, fortes et denses branches qui formaient un parasol géant. Dans son ombre, la tête tournée de mon côté, un lion était couché sur le flanc. Un lion dans toute la force terrible de l'espèce et dans sa robe superbe. Le flot de
55 la crinière se répandait sur le mufle allongé contre le sol.

Et entre les pattes de devant, énormes, qui jouaient à sortir et à rentrer leurs griffes, je vis Patricia. Son dos était serré contre le poitrail du grand fauve. Son cou se trouvait à portée de la gueule entrouverte. Une de ses mains fourrageait dans la
60 monstrueuse toison.

– King le bien nommé. King, le Roi. Telle fut ma première pensée.

Cela montre combien, en cet instant, j'étais mal gardé par la raison et même par l'instinct.

65 Le lion releva la tête et gronda. Il m'avait vu. Une étrange torpeur amollissait mes réflexes. Mais sa queue balaya l'air immobile et vint claquer comme une lanière de fouet contre son flanc. Alors je cessai de trembler : la peur vulgaire, la peur misérable avait contracté chacun de mes muscles. J'aperçus enfin, et dans
70 le temps d'une seule clarté intérieure, toute la vérité : Patricia était folle et m'avait donné sa folie. Je ne sais quelle grâce la protégeait peut-être, mais pour moi...

Le lion gronda plus haut, sa queue claqua plus fort. Une voix dépourvue de vibrations, de timbre, de tonalité m'ordonna :
75 – Pas de mouvement... Pas de crainte... Attendez.

D'une main, Patricia tira violemment sur la crinière ; de l'autre, elle se mit à gratter le mufle du fauve entre les yeux. En même temps, elle lui disait en chantonnant un peu :

– Reste tranquille, King. Tu vas rester tranquille. C'est un
80 nouvel ami. Un ami, King, King. Un ami... un ami...

Elle parla d'abord en anglais, puis elle usa de dialectes africains. Mais le mot « King » revenait sans cesse.

La queue menaçante retomba lentement sur le sol. Le grondement mourut peu à peu. Le mufle s'aplatit de nouveau contre

85 l'herbe et, de nouveau, la crinière, un instant dressée, le recou-
vrit à moitié.

– Faites un pas, me dit la voix insonore.

J'obéis. Le lion demeurait immobile. Mais ses yeux, maintenant, ne me quittaient plus.

90 – Encore, dit la voix sans résonance.

J'avançai.

De commandement en commandement, de pas en pas, je
voyais la distance diminuer d'une façon terrifiante entre le lion
et ma propre chair dont il me semblait sentir le poids, le goût,
95 le sang.

À quoi n'eus-je pas recours pour m'aider contre l'éclat jaune
de ces yeux fixés sur moi ! Je me dis que les chiens les plus
sauvages aiment et écoutent les enfants. Je me souvins d'un
dompteur de Bohême qui était devenu mon camarade. Il
100 mettait chaque soir sa tête entre les crocs d'un lion colossal. Et
son frère, qui soignait les fauves du cirque, quand, en voyage,
il avait trop froid la nuit, il allait dormir entre deux tigres. Et
enfin, à portée de secours, veillait Kihoro.

Mais j'avais beau m'entêter à ces images rassurantes, elles
105 perdaient toute valeur et tout sens à mesure que la voix clandestine m'attirait, me tirait vers le grand fauve étendu. Il m'était
impossible de lui désobéir. Cette voix, je le savais en toute certitude, était ma seule chance de vie, la seule force – et si précaire [1],
si hasardeuse – qui nous tenait, Patricia, le fauve et moi dans un
110 équilibre enchanté [2].

Mais est-ce que cela pouvait durer ? Je venais de faire un pas
de plus. À présent, si je tendais le bras, je touchais le lion.

Il ne gronda plus cette fois, mais sa gueule s'ouvrit comme
un piège étincelant et il se dressa à demi.

115 – King ! cria Patricia. Stop, King !

---

1. Précaire : incertaine, mal assurée.
2. Enchanté : magique.

Il me semblait entendre une voix inconnue, tellement celle-ci était chargée de volonté, imprégnée d'assurance, certaine de son pouvoir. Dans le même instant, Patricia assena de toutes ses forces un coup sur le front de la bête fauve.

120 Le lion tourna la tête vers la petite fille, battit des paupières et s'allongea tranquillement.

– Votre main, vite, me dit Patricia.

Je fis comme elle voulait. Ma paume se trouva posée sur le cou de King, juste au défaut de la crinière.

125 – Ne bougez plus, dit Patricia.

Elle caressa en silence le mufle entre les deux yeux. Puis elle m'ordonna :

– Maintenant, frottez la nuque.

Je fis comme elle disait.

130 – Plus vite, plus fort, commanda Patricia.

Le lion tendit un peu le mufle pour me flairer de près, bâilla, ferma les yeux. Patricia laissa retomber sa main. Je continuai à caresser rudement la peau fauve. King ne bougeait pas.

– C'est bien, vous êtes amis, dit Patricia gravement.

135 Mais aussitôt elle se mit à rire, et l'innocente malice que j'aimais tant la rendit à la gaieté de l'enfance.

– Vous avez eu une grande peur, pas vrai ? me demanda-t-elle.

– La peur est toujours là, dis-je.

140 Au son de ma voix, le grand lion ouvrit un œil jaune et le fixa sur moi.

– N'arrêtez pas de lui frotter le cou et continuez à parler, vite, me dit Patricia.

Je répétai :

145 – La peur est toujours là… toujours là… toujours là…

Le lion m'écouta un instant, bâilla, s'étira (je sentis sous ma main les muscles énormes et noueux onduler), croisa ses pattes de devant et demeura immobile.

– Bien, dit Patricia. Maintenant il vous connaît. L'odeur, la
150 peau, la voix… tout. Maintenant on peut s'installer et causer.

Je ralentis peu à peu le mouvement de la main sur le cou du
lion, la laissai reposer, la retirai.

– Mettez-vous ici, dit Patricia.

Elle montrait un carré d'herbes sèches, situé à un pas des
155 griffes de King. Je pliai les genoux pouce par pouce, m'appuyai
au sol et m'assis enfin aussi lentement que cela me fut possible.

Le lion fit glisser son mufle de mon côté. Ses yeux allèrent
une fois, deux fois, trois fois à mes mains, à mes épaules, à mon
visage. Il m'étudiait. Alors, avec une stupeur émerveillée, où,
160 instant par instant, se dissipait ma crainte, je vis dans le regard
que le grand lion du Kilimandjaro tenait fixé sur moi, je vis
passer des expressions qui m'étaient lisibles, qui appartenaient
à mon espèce, que je pouvais nommer une à une : la curiosité,
la bonhomie [1], la bienveillance, la générosité du puissant.

165 – Tout va bien, tout va très bien…, chantonnait Patricia.

Elle ne s'adressait plus à King : sa chanson était la voix de son
accord avec le monde. Un monde qui ne connaissait ni barrières
ni cloisons. Et ce monde, par l'intermédiaire, l'intercession [2] de
Patricia, il devenait aussi le mien. Je découvrais, avec un bonheur
170 où le sentiment de sécurité n'avait plus de place, que j'étais comme
exorcisé d'une incompréhension et d'une terreur immémoriales.
Et que l'échange, la familiarité qui s'établissaient entre le grand
lion et l'homme montraient qu'ils ne relevaient pas [3] chacun d'un
règne interdit à l'autre, mais qu'ils se trouvaient placés, côte à
175 côte, sur l'échelle unique et infinie des créatures.

Fasciné et seulement à demi conscient de mes gestes, je me
penchai sur le mufle royal et, comme l'avait fait Patricia, j'effleurai
du bout des ongles le triangle marron foncé qui séparait les grands

---

1. **Bonhomie** : gentillesse.
2. **Intercession** : intervention.
3. **Ne relevaient pas** : ne dépendaient pas.

yeux d'or. Un frisson léger courut dans la crinière de King. Ses
180 pesantes babines [1] frémirent, s'étirèrent. La gueule s'entrouvrit
et les terribles crocs brillèrent doucement.

– Regardez, regardez bien, dit Patricia, il vous sourit.

Comment ne l'aurais-je pas cru? N'avais-je pas, du ravin,
entendu le rire de King?

185 – J'ai choisi le meilleur moment pour vous faire rencontrer,
dit Patricia. Il a bien mangé, il est repu. (Elle tapota le ventre
puissant.) C'est l'heure la plus chaude. Il y a beaucoup d'ombre
ici. Il est heureux.

Patricia se glissa entre les pattes de devant, mêla ses cheveux
190 en boule à la toison énorme et dit :

– Vous le voyez, ce n'était pas terrible du tout. Ni difficile.

– À condition d'être avec vous.

À peine avais-je achevé ces mots que tout changea en moi et
autour de moi. Je sortis de l'état de transe [2] où m'avaient jeté une
195 peur et une joie poussées à l'extrême et où le miracle n'était que
naturel. Et ce fut sous une lumière et dans une perspective plus
appropriées à ma condition ordinaire que je perçus soudain le
caractère fabuleux de ce qui m'environnait : la savane, du monde
isolée ; l'arbre des terres ingrates [3] qui portait des épines pour
200 feuilles ; et, sous le parasol de ses longues branches, le fauve
royal, la bête de proie redoutable entre toutes en pleine liberté
dans son domaine, à qui je caressais le front. Et tout cela était
réel, véritable, contrôlé par les sens et la raison – mais seulement
grâce à Patricia. Grâce à la petite fille en salopette grise qui faisait
205 penser à un ver à soie lové [4] contre un poitrail de lion.

Comment lui exprimer ce qu'exigeaient de moi une tendresse
et une reconnaissance qui ne pouvaient ressembler à aucune
autre ? Je ne trouvai que le plus banal des moyens. Je dis :

---

1. **Babines** : lèvres pendantes des animaux.
2. **Transe** : inquiétude mêlée d'enthousiasme et d'excitation.
3. **Ingrates** : stériles, hostiles.
4. **Lové** : enroulé.

– Est-ce que je peux vous embrasser, Patricia?

210 Peut-être la force de mon sentiment avait-elle imprégné ma voix, ou bien Patricia était peu habituée à cette sorte d'effusion, mais il lui vint aux joues cette exquise couleur faite de hâle et de rose qu'elles prenaient en rougissant de plaisir. La petite fille écarta vivement la patte énorme qui la recouvrait et vint

215 me tendre son visage. Il sentait le savon de lavande, l'arôme de la brousse et l'odeur du fauve.

De ses grands yeux d'or, King suivait nos gestes avec une attention soutenue. Quand il vit ma tête se rapprocher de celle de Patricia et ma bouche effleurer sa figure, le mufle du grand

220 lion eut de nouveau ce mouvement que Patricia appelait un sourire. Et quand la petite fille eut repris place entre ses pattes, King lui lécha les cheveux.

– Lui, il m'embrasse souvent, dit Patricia en riant.

Ainsi, nous étions réunis tous les trois dans l'amitié de l'ombre

225 et de la terre. Je demandai :

– Dites-moi, Patricia, dites-moi comment tout ceci a commencé?

La petite fille saisit soudain à pleines poignées, d'un mouvement presque convulsif, la crinière du lion, attira la tête massive

230 et velue et sembla se mirer dans les yeux d'or.

– Il était si faible, si menu, vous n'avez pas idée, quand Kihoro m'en a fait cadeau, s'écria Patricia.

Elle considéra un instant encore le mufle de King et ses traits puérils prirent l'expression même – incrédule, attendrie, attristée

235 – que l'on voit aux mères lorsque, devant un fils adulte, elles se souviennent du nouveau-né.

– En ce temps, reprit Patricia avec un soupir, Kihoro était déjà borgne, bien sûr, mais le rhinocéros ne l'avait pas encore écrasé contre l'arbre. Et puis, j'étais bien plus petite. Kihoro n'était

240 pas encore tout à fait à moi. Alors, quand mon père faisait des inspections dans les endroits du Parc où jamais ne va personne, Kihoro s'en allait avec lui. Et alors, un matin Kihoro – vous savez,

il a pour les bêtes bien meilleur flair que mon père – Kihoro a trouvé au creux d'un fourré un tout petit lionceau – deux jours au
245 plus, dit Kihoro – et tout seul et comme aveugle, et il pleurait.

Patricia frotta une de ses joues contre la crinière de King.

– Mais comment était-il abandonné ? demandai-je.

La petite fille plia un doigt et dit :

– Peut-être que ses parents ont poursuivi un gibier et sont
250 sortis de ce Parc et que dans un endroit où mon père ne peut plus protéger les bêtes, des chasseurs les ont tués.

Elle plia un autre doigt :

– Il se peut, continua-t-elle, que la mère avait trop d'enfants et qu'elle était fatiguée pour s'occuper du plus faible.

255 La petite fille pressa plus fort sa joue contre la crinière majestueuse :

– Ou tout simplement, elle ne l'aimait pas assez, dit-elle.

Il y avait dans sa voix tout autant de pitié que si le lion énorme avait été encore sans défense ni recours contre les cruautés de
260 la brousse.

– Vous n'avez jamais vu quelque chose d'aussi petit, s'écria Patricia qui s'agitait entre les pattes monumentales. Je vous jure que, alors, King était moins gros que les deux poings de mon père mis ensemble. Et il était tout maigre et tout nu, sans un
265 poil. Et il gémissait de faim, de soif, de peur. Maman disait qu'il était comme un vrai bébé qui vient de naître. Et aussi, elle disait qu'il était trop chétif pour vivre. Mais moi, je n'ai pas voulu qu'il meure.

Alors, Patricia me raconta en détail, et avec une nostalgie
270 singulière, comment elle avait soigné, fortifié, sauvé le bébé-lion. Elle avait commencé par le nourrir au biberon, puis elle lui avait donné beaucoup de sucre, elle l'avait habitué au porridge. Il dormait avec elle, contre elle. Elle avait veillé à ce qu'il ne prît jamais froid. Quand il était en sueur, elle l'essuyait. Quand les
275 soirées étaient fraîches, elle le couvrait de ses propres lainages.

Quand il était devenu bien gras, bien lisse, Patricia avait donné une fête pour son baptême.

– C'est moi qui lui ai trouvé son nom, dit la petite fille. Je savais bien, et contre tout le monde, qu'un jour il serait un Roi, un vrai.

Patricia eut de nouveau son étrange soupir maternel, mais elle reprit avec une intonation tout enfantine.

– Vous ne pourriez pas croire comme ça pousse vite un lion. Je commençais juste à savoir bien m'occuper de lui qu'il était déjà aussi grand que moi.

Le visage de la petite fille retrouva d'un seul coup son âge véritable.

– Alors, dit Patricia, alors on s'est mis à jouer. Et King faisait tout ce que je voulais.

Patricia rejeta avec violence la patte qui pouvait d'un seul battement la réduire en pulpe et se dressa tendue, crispée et incroyablement fragile devant le grand fauve à moitié assoupi. Il était facile de deviner sur son visage, saisi tout à coup par la fièvre et l'exigence de possession, le dessein qui l'animait. Elle voulait me convaincre – et, par là, surtout elle-même – que, dans la plénitude de sa force et de sa magnificence, King lui appartenait tout autant qu'à l'âge où, lionceau abandonné, il ne respirait que par ses soins. Elle cria :

– Il fait encore et toujours ce que je veux. Regardez ! Regardez !

Je ne croyais pas que j'étais capable, en cette journée, d'éprouver une forme nouvelle de l'effroi. Cependant, Patricia sut me l'inspirer. Mais c'est pour elle que je tremblai.

La petite fille, soudain, plia les genoux, sauta aussi haut qu'elle put et se laissa retomber, les pieds réunis, et d'un élan qui redoublait la violence de sa chute, sur le flanc du lion. Elle rebondit contre le sol et recommença plusieurs fois cet assaut. Puis, elle martela le ventre à coups de poing, à coups de tête. Puis elle se

jeta sur la crinière, la saisit des deux mains et se mit à secouer
en tous sens le mufle terrible. En même temps, elle criait :

– Allons, King ! Réponds, King ! Tu ne me fais pas peur,
grande carcasse [1] ! Allons, King ! Debout, King ! On verra bien
qui est le plus fort.

Le grand lion roula sur le dos, étendit une patte et ouvrit sa
gueule sombre.

« Kihoro ! Kihoro ! pensai-je intensément. Tire ! Tire donc !
Elle va se faire lacérer. »

Mais le rugissement de mort que j'attendais ne vint pas. À sa
place résonna cette sorte de rumeur énorme, rauque et joyeuse,
cette grondante allégresse [2] qui servait de rire à King. La patte
formidable, au lieu de s'abattre sur Patricia et la mettre en pièces,
s'approcha d'elle tout doucement, les griffes rentrées, cueillit la
petite fille et la coucha par terre avec gentillesse. Patricia chargea
de nouveau et King riposta comme il venait de le faire. Mais il
avait pris goût au jeu. Il ne se contenta plus d'envelopper de sa
patte la taille de Patricia et de la déposer sur le sol. Il la renvoya
comme une balle. Chacun de ses coups était un miracle d'élas-
ticité, de mesure et de délicatesse. Il se servait du bout de sa
patte ainsi que d'une raquette veloutée et frappait juste assez
fort pour faire voler, sans lui infliger la moindre meurtrissure,
un corps de petite fille.

Patricia tenta d'échapper à ce fléau moelleux. En vain. Alors,
elle se précipita sur les oreilles du lion, les tira sauvagement,
enfonça les pouces dans ses yeux. Et King était plus fort et
secouait la tête et roulait sur Patricia, mais de telle manière
qu'il ne risquait jamais de l'écraser sous sa masse. Et la petite
fille reparaissait sur l'autre flanc du fauve et tout recommençait.

Enfin, à bout de souffle, en sueur, échevelée, sa salopette grise
couverte de poils fauves, d'herbes sèches et de ronces, Patricia

---

1. Carcasse : ensemble des ossements du corps d'un animal.
2. Allégresse : joie très vive, bonheur.

340 arrêta la partie et s'allongea, haletant doucement, près du fauve. Il lui lécha la main et la nuque. Patricia sourit, comblée. King avait montré toute son intelligence et toute sa soumission.

– J'ai eu très peur pour vous, dis-je à voix basse.

– Pour moi !

345 Elle se redressa sur un coude et me dévisagea, les sourcils rapprochés, les lèvres serrées comme si elle avait subi une insulte.

– Vous pensez que ce lion voudrait me faire mal ? Vous ne croyez pas que je peux tout sur lui ? demanda encore la petite fille.

Ses yeux avaient pris une expression étrange.

350 – Vous avez tort, dit-elle. Si je le désire, King vous mettra en morceaux tout de suite. On essaie ?

Avant que j'aie pu répondre, Patricia poussa la tête du lion de mon côté, me montra du doigt et sa gorge émit un son à la fois bas, sourd, bref et sifflant. King se dressa d'une seule ondu-
355 lation musculaire. Je ne l'avais pas encore vu debout. Il me parut colossal. Sa crinière était droite et dure. Sa queue lui battait les flancs avec fureur. Ses yeux n'étaient plus d'or, mais d'un jaune glacé. Ses épaules se ramassèrent. Il allait…

– Non, King, non, dit Patricia.

360 Elle posa une main sur les narines dilatées par la colère et claqua de la langue plusieurs fois, avec douceur. King retint son élan.

Je devais être très pâle car Patricia, me regardant, se mit à rire avec une malice affectueuse.

365 – Ça vous apprendra, dit-elle, à ne plus avoir peur pour moi.

Elle massa la nuque du grand lion. Les muscles durcis frémissaient encore.

– Il vaut mieux vous en aller, reprit gaiement Patricia. Main-
370 tenant, King sera en méfiance avec vous pour toute la journée. Mais la prochaine fois, il aura oublié.

Patricia m'expliqua le chemin du retour. Je n'avais qu'à gagner le piton. Il était très visible, de l'autre côté du ravin. Ensuite, je n'avais qu'à marcher droit dans la direction du soleil.

375   Patricia sauta sur le dos de King. Je n'existai plus pour eux.

L'après-midi déclinait et les animaux sortaient de leurs retraites. Je les voyais à peine. Entre le monde extérieur et moi, il y avait
King, l'ami de Patricia, le grand lion du Kilimandjaro. Sa crinière,
ses yeux d'or, le rictus [1] de son mufle, ses pattes effrayantes qui
jouaient avec la petite fille comme avec une balle – voilà ce que
je croyais apercevoir au détour de chaque buisson, dans chaque
perspective de savane.

Quand j'eus regagné la voiture et que Bogo me parla d'un
troupeau et de gens en marche, la même obsession m'empêcha
de l'écouter.

Je ne compris les propos de mon chauffeur qu'au moment
où, sur la grande piste médiane, s'étira la colonne des Masaï. Ils
me rendirent enfin à la conscience de ce qui m'environnait.

J'avais souvent rencontré dans ma vie, et sous des cieux divers,
des nomades en marche. Mais les plus déshérités [2] et les plus
humbles avaient toujours un bagage, si pauvre et primitif
qu'il fût, et porté par des animaux de bât [3], au moins quelques
bourricots [4] exténués. Les Masaï, eux, allaient sans un paquet,
sans un ballot, sans une toile pour les abriter, ni un ustensile pour
préparer la nourriture, sans une charge, sans une entrave.

---

1. **Rictus** : sourire forcé.
2. **Déshérités** : ceux qui ne possèdent rien.
3. **Animaux de bât** : animaux qui portent des paquets, souvent des ânes ou des mulets.
4. **Bourricots** : ânes.

Le troupeau autour duquel s'ordonnait le convoi[1] était composé d'une centaine de vaches maigres et chétives. L'épine dorsale et les côtes se dressaient sous leur peau avec autant de relief que sur un squelette. Et cette peau terne, lâche, était couverte de déchirures sanguinolentes[2] aux lèvres desquelles se gorgeaient des essaims de mouches. Mais la tribu, ou plutôt le clan dont ce malheureux bétail était le bien unique, ne portait aucun des stigmates[3] habituels de la misère : crainte, abêtissement, tristesse ou servilité. Ces femmes sous leurs cotonnades en guenilles, ces hommes dénudés plus que vêtus par le morceau d'étoffe jeté sur une épaule du côté où ils tenaient leur lance – tous, ils allaient les reins fermes, la nuque droite et le front orgueilleux. Des rires et des cris violents couraient le long de leur file. Personne au monde n'était aussi riche qu'eux, justement parce qu'ils ne possédaient rien et ne désiraient pas davantage.

La colonne des Masaï tenait toute la largeur du chemin. Il leur eût été facile, pour laisser passer notre voiture, d'aligner leur troupeau le long de la piste. Ils n'y songèrent pas. Bogo dut s'engager dans les plis de brousse pour remonter le convoi. À sa tête marchaient les jeunes guerriers du clan, trois moranes casqués de cheveux et d'argile rouges. Le premier des trois, le plus haut, le plus beau et le plus insolent était Oriounga.

Je me penchai à la portière et lui criai :

– *Kouahéri.*

Les enfants et quelques femmes qui venaient derrière le morane me rendirent joyeusement le salut rituel. Oriounga ne tourna pas la tête.

Je restai seul dans ma hutte jusqu'à la nuit. Je vidai complètement mes valises, rangeai leur contenu, installai mes livres, mes provisions. La durée de mon séjour dans le Parc royal,

---

1. **Convoi** : groupe de voyageurs qui marchent ensemble vers un même lieu.
2. **Sanguinolentes** : où l'on voit du sang.
3. **Stigmates** : marques, signes.

je ne la connaissais plus. Elle dépendait de King. Pouvais-je marchander au destin d'autres journées comme celle que je venais de vivre ?

55 Quand vint l'heure de me rendre, pour dîner, au bungalow de Bullit, je le fis avec appréhension. Je craignais d'y retrouver l'atmosphère de la veille : l'apprêt, la gaieté forcée, la tension nerveuse. Or, je m'aperçus dès le premier instant que cette crainte était vaine.

Sans doute Sybil était habillée pour le soir et Bullit avait 60 plaqué ses cheveux roux et Patricia portait sa robe bleu marine et ses escarpins vernis et la salle à manger était éclairée aux chandelles. Mais tous ces attributs qui, le jour précédent, avaient composé un climat d'artifice et de malaise, donnèrent à cette nuit, par je ne sais quelle grâce, un tour facile, familier et charmant.

65 Sybil se garda bien de la moindre allusion à l'accès que, la veille, elle n'avait pas su maîtriser. À son naturel, on eût dit que cette crise ne laissait aucune trace dans sa mémoire. On eût dit également que, pour Sybil, les conventions appropriées au jeu de société étaient seulement nécessaires la première fois et 70 que, ensuite, l'on pouvait revenir au ton le plus naturel. Elle me donna ainsi, et tout de suite, le sentiment qu'elle me traitait en ami.

Bullit me remercia avec une joie ingénue de lui avoir apporté une bouteille de whisky.

75 – J'étais justement à court, mon vieux, me dit-il à l'oreille. Entre nous, je force un peu la dose, je crois.

Quant à Patricia, très paisible et très douce, elle n'avait rien de commun avec la petite fille échevelée, effrénée [1], qui, sous l'arbre aux longues branches, imposait tous ses caprices au grand lion 80 du Kilimandjaro.

---

1. **Effrénée** : sans retenue, déchaînée.

Je m'interdis de penser à lui. Je redoutais que, dans la hantise[1] où King me tenait, je ne vinsse tout à coup à prononcer son nom. Je me souvenais trop de l'effet qu'il avait eu sur Sybil.

À peine fûmes-nous à table, elle l'évoqua.

85 – J'ai su, dit Sybil en souriant, que Patricia vous a fait aujourd'hui les honneurs de notre Parc et vous a présenté son meilleur ami.

Ma surprise, devant un changement si complet, m'empêcha de croire qu'il s'agissait du lion.

90 – Vous voulez dire?... demandai-je, en laissant par prudence la question inachevée.

– Mais King, voyons! s'écria gaiement Sybil.

Puis elle me demanda avec une moquerie très légère et très tendre à l'adresse de Patricia :

95 – Vous l'avez trouvé beau, j'espère, et intelligent et magnifique?

– Je n'ai rien vu de plus étonnant, dis-je, que le pouvoir de votre fille sur ce fauve.

Les yeux de Sybil gardèrent leur lumière paisible.

100 – Aujourd'hui, dit-elle, Patricia est revenue de bonne heure et nous avons pu continuer les leçons de ce matin.

– Je vous promets, je vous promets, maman, je serai un jour aussi savante que vous, dit Patricia avec ferveur. Et aussi bien habillée que votre amie Lise.

105 Sybil hocha doucement la tête.

– Cela ne sera pas aussi simple, chérie, dit-elle.

Patricia baissa à demi les paupières et les cils se rejoignirent si bien qu'il était impossible de voir l'expression de son regard.

– Il y a bien longtemps que je n'ai vu des photographies de
110 vous, maman, et de Lise dans votre pension, dit Patricia. Est-ce que vous voudrez bien nous les montrer après le dîner?

---

1. **Hantise** : obsession, idée fixe.

– Bien, Pat ! Très bien ! s'écria Bullit : regarde comme tu as fait plaisir à maman.

Les joues de Sybil, si ternes à l'ordinaire, s'étaient légèrement colorées. Elle me dit :

– Je serai très heureuse de vous faire voir ces vieilles images, même si elles vous ennuient un peu. Mais vous aurez une compensation. John a toute une collection sur King dans son jeune âge.

Sybil et sa fille n'échangèrent, dans ce moment, ni une parole, ni un regard. Avaient-elles même conscience que, tout le long de ce jour, elles avaient poursuivi un marché secret et subtil et négocié d'instinct une trêve, un compromis [1] de bonheur ?

Le repas achevé, Bullit et sa femme allèrent chercher leurs souvenirs.

Sybil revint la première, avec un grand album plat, relié d'une affreuse toile et dorée sur tranche.

– Ce n'est pas mon choix, dit Sybil. C'est un cadeau pour bonne conduite de la vieille dame qui dirigeait notre pension.

Un demi-sourire attendri reposait sur le visage de la jeune femme. Elle reconnaissait que son album était d'un goût horrible, mais elle aimait cette horreur même qui lui rappelait un temps qu'elle chérissait.

Malgré tout l'effort auquel je m'obligeai, il me fut impossible de dépasser la plus plate politesse devant des images insipides [2] ou, au mieux, d'une niaiserie [3] désarmante. Mais Patricia montra pour elles l'intérêt le plus vif. Était-ce l'effet de la ruse ou de l'affection ? Ou bien, l'univers lointain, qui avait été celui de filles assez proches de Patricia par l'âge, exaltait-il vraiment chez elle l'imagination et la sensibilité ?

---

1. **Compromis** : arrangement dans lequel chacun fait des concessions.
2. **Insipides** : sans intérêt, ennuyeuses.
3. **Niaiserie** : bêtise.

Quoi qu'il en fût, simulacre [1] ou non, la sincérité de Patricia semblait sans mélange. Elle s'écriait de plaisir, d'admiration. Elle écoutait, elle provoquait sans fin les commentaires de Sybil. Elle ne cessait de louer [2] les traits, les coiffures, les vêtements, les rubans d'une pensionnaire qui, pour moi, ne différait guère des autres et qui, pourtant, était Lise Darbois.

Ce dialogue fut arrêté par le retour de Bullit. Il dit, en posant sur une table étroite et longue, une forte enveloppe bourrée de photographies :

— J'ai été un peu long, mais je ne savais plus, en vérité, où j'avais pu fourrer ces vieilleries.

Bullit fit glisser un premier jeu de clichés sur la table et les plaça l'un à côté de l'autre.

— Premier épisode, Messieurs-dames, dit-il. King en nourrice.

— Ne plaisantez pas, John, dit Sybil à mi-voix.

Elle était debout et penchée sur les photographies.

— Il y a si longtemps qu'elles ne sont pas sorties de leur tiroir, reprit la jeune femme. J'avais oublié comme c'était ravissant. Regardez !

Elle me tendit une dizaine d'images. On y voyait, tantôt pelotonné entre les bras grêles [3] d'une fillette qui semblait être une petite sœur de Patricia, tantôt sur son épaule, tantôt sur ses genoux, tantôt accroché au biberon qu'elle lui donnait, on voyait le plus touchant petit animal qui se puisse imaginer, un peu pataud [4], les yeux mal ouverts, la tête carrée.

— C'est vraiment King ? demandai-je malgré moi.

Bullit fourragea dans ses cheveux qui avaient eu le temps de sécher et se dressèrent soudain en tous sens. Il dit, embarrassé par l'attendrissement qui enrouait sa voix déjà rauque :

---

1. Simulacre : apparence, mensonge.
2. Louer : admirer, féliciter.
3. Grêles : longs et maigres.
4. Pataud : maladroit.

— Même pour moi, il est difficile de croire que ce bout de bestiole…

— Je n'ai jamais rien vu d'aussi gentil, désarmé, aussi affectueux, murmura Sybil.

175 Seule, Patricia ne disait rien. D'ailleurs, elle ne regardait pas les photographies.

— J'aurais bien aimé le soigner alors, reprit Sybil, mais Patricia m'en a toujours empêchée. Si j'essayais de toucher le bébé-lion, elle avait des crises de colère épouvantables.

180 Pour un instant, le visage de Patricia, si paisible ce soir, retrouva la violence que je lui avais vue dans le cirque de brousse, sous l'arbre aux longues branches.

— King était à moi, dit-elle.

Je lui demandai très vite :

185 — Et là, qu'est-ce qui se passe ?

Il s'agissait d'une image où, d'un paquet de laine, émergeait la moitié d'un museau rond aux yeux clos et avec deux petites oreilles d'un dessin exquis.

— Il avait pris froid. Je l'ai mis dans mon sweater, dit Patricia.

190 Elle semblait sur le point de se détendre, mais comme j'allais lui poser une nouvelle question, elle dit sèchement :

— Excusez-moi, j'étais trop petite. J'ai oublié.

C'était faux. Je le savais par les confidences que Patricia m'avait faites alors qu'elle était couchée entre les pattes de King.

195 L'enfance du lionceau, Patricia en gardait tous les détails dans sa mémoire. Mais elle ne voulait pas se souvenir des jours où il dépendait entièrement d'elle, alors que le grand fauve, en cet instant, loin de son atteinte, rôdait en pleine liberté dans la nuit africaine.

200 — Demandez tout ce qui vous intéresse à mon père. C'est lui qui a fait les photos, dit Patricia.

Elle alla rejoindre l'album relié en jaune citron. Sybil la rejoignit. Elles s'assirent dans le même fauteuil et engagèrent une conversation à voix très basse. Je pus donner – et c'était mon

205 seul désir – une entière attention aux séries d'images que Bullit étalait l'une après l'autre.

Elles avaient été classées par lui suivant les dates où il les avait prises. Si bien que je suivais d'étape en étape, comme dans un film au ralenti, et avec le sentiment de surprendre un secret de
210 la vie animale, la transformation prodigieuse qui, du bébé-lion, bercé par une fillette, avait fait la bête magnifique de puissance et de majesté dont il me semblait que je voyais encore les larges yeux d'or sous la crinière royale.

Petit chat. Gros chat. Tout jeune lionceau. Fauve dans l'ado-
215 lescence. Vrai lion, mais aux formes encore inachevées. Et King enfin, tel que je l'avais connu quelques heures auparavant.

– Et il n'a même pas fallu une année pour cela, dis-je en comparant les dates inscrites au revers de chaque photographie par la grande main de Bullit.

220 – Eh oui, dit-il. Ces bestioles poussent plus vite et plus fort que nous. Mais ça ne change pas leurs sentiments. Vous n'avez qu'à voir.

Le film continuait de se dérouler et il devenait malaisé d'y prêter foi.

225 Ce lion énorme, assis dans la Land Rover près de Bullit, ou à table entre lui et Patricia.

Ce fauve effrayant qui déchirait le kiboko avec lequel il venait d'être corrigé, mais qui ne grondait même pas contre son maître.

230 Et qui jouait avec les *rangers*.

Et léchait les mains de Sybil.

Je répétais comme un automate :

– Incroyable !... Incroyable !... Incroyable !

– En quoi ? dit enfin Bullit avec un peu d'agacement. Nous
235 avons eu, à la ferme, quand j'étais enfant, un lion trouvé dans les mêmes conditions que le petit King. Pendant cinq ans, il n'a pas touché un être humain, blanc ou noir, pas un animal. Et quand mon père a été nommé à un poste en ville, et qu'il a

fallu rendre notre lion à la brousse, nous avons dû auparavant
240 lui apprendre à tuer.

– Et ça? demandai-je, et ça?

La photographie que je tenais montrait King dans une clairière en compagnie d'autres lions.

– Je l'ai surpris au cours d'une tournée, dit Bullit. Il s'amusait
245 avec des copains. Cela lui arrivait souvent.

– Mais il revenait toujours, dit Patricia du fauteuil où elle
était avec sa mère.

Elle avait une voix très dure.

Bullit ramassa négligemment les clichés et les jeta pêle-mêle
250 dans leur enveloppe.

– Il est peut-être temps de faire la conversation aux dames,
dit-il.

Sybil m'interrogea sur Paris et sur Londres, sur les derniers
livres et les dernières pièces et les dernières robes et les derniers
255 galas. De temps à autre, elle soupirait. Alors Patricia se pressait
contre elle et Sybil caressait les cheveux coupés en boule. Quand
elle faisait ce geste, je le voyais répété par une ombre confuse
sur les rideaux tirés.

Bullit regardait sa femme et sa fille et aspirait avec béatitude
260 la fumée d'un cigare très noir venu des Indes.

Quand je retrouvai ma hutte, le groupe électrogène avait déjà cessé de fonctionner. Mais un des serviteurs du camp avait placé la lampe tempête allumée sur la table de la véranda. Je m'installai près d'elle et me pris à rêver aux événements de la journée.

5 Mes nerfs étaient à vif. La soirée tranquille que je venais de passer dans le bungalow les avait, par un jeu singulier, éprouvés beaucoup plus que ne l'avaient fait les crises et les scènes presque hystériques de la veille. Une paix et une douceur si unies, si étales[1] ne répondaient pas, me disais-je, à la vérité des êtres

10 réunis sous ce toit. Eaux faussement endormies, dangereuses, malsaines.

Comment accorder la tolérance de Sybil à l'égard de King et la détestation qu'elle montrait pour lui un jour plus tôt?

Et le comportement de Patricia devant l'album de sa mère à

15 ses jeux déchaînés avec la bête fauve?

Le grand lion s'empara de mon esprit une fois de plus. Était-ce lui que j'entendais gronder au fond de la nuit et de la brousse? Ou quelque lointain orage de chaleur? Ou ma propre obsession?

J'avais les nerfs à vif, et, à cause de cela, lorsque Bullit surgit

20 soudain, je compris et partageai la haine de Sybil pour les gens qui se déplaçaient en silence. La grande silhouette qui se dressa tout à coup devant le cercle lumineux projeté par la lampe faillit me faire crier d'effroi.

---

1. **Étales** : calmes.

Bullit avait repris ses vêtements et ses bottes de travail et ses
25 cheveux étaient de nouveau une toison hirsute [1]. Il tenait la bouteille
de whisky, pleine encore à moitié, que je lui avais apportée.

– Je sais que vous en avez toute une caisse, dit-il, coupant
court à ma protestation. Mais, ce soir, c'est bien celle-ci que nous
devons finir ensemble. Elle a été trop bien entamée.

30 Chaque trait de son large visage exprimait, entièrement,
massivement, l'amitié.

– Depuis longtemps, longtemps, la maison n'a pas connu de
nuit aussi heureuse, reprit-il. Votre présence a calmé Sybil et la
petite vous adore.

35 J'allai chercher deux verres avec empressement : quand j'étais
seul avec Bullit, j'avais très envie d'alcool.

Nous buvions sans parler. Je sentais que mon compagnon
trouvait autant que moi ce repos bienfaisant. Mais il me sembla
que de nouveau un rugissement éloigné traversait la solitude noc-
40 turne. Bullit ne bougea pas. Sans doute, je m'étais trompé. Peut-
être son indifférence venait de l'habitude. Je lui demandai :

– Pour quelle raison King est-il parti de chez vous ?

– Sybil, dit Bullit. Elle n'est pas née, elle n'a pas été élevée
en Afrique orientale. Il lui est devenu impossible de voir tout
45 le temps la crinière, les crocs. Et cette masse qui traversait les
pièces d'un seul bond pour me mettre les pattes de devant sur
les épaules ou pour lui lécher la main. Et chaque fois que Pat se
roulait avec le lion dans l'herbe, Sybil était près de s'évanouir.
Elle a pris King en horreur. Et King, comme de juste, l'a su. Il
50 ne venait plus caresser Sybil, ni se faire caresser par elle. Alors,
elle a eu si peur qu'elle a juré de retourner à Nairobi si je ne la
débarrassais pas de King. Moi, ça m'était égal qu'il nous quitte.
Mais il y avait Pat.

Bullit s'arrêta et je vis à son expression qu'il était très pénible
55 de continuer. Mais il me fallait à tout prix connaître la fin de

---

1. **Hirsute** : ébouriffée.

cette histoire à laquelle je m'étais laissé prendre comme dans un piège. Et Bullit, je le sentais, ne pouvait rien me refuser ce soir. Je demandai avec insistance :

– Alors, qu'est-ce qui est arrivé ?

60 – Sybil et moi, dit Bullit, nous avons fait chacun notre devoir. Le même matin, j'ai emmené King dans ma voiture jusqu'au fin fond de ce Parc pour l'y abandonner et Sybil a conduit la petite à Nairobi et l'a laissée dans la meilleure pension de la ville. (Bullit eut un lourd soupir.) Vous savez que nous avons dû reprendre 65 Patricia très vite ?

– Je le sais.

– Eh bien, dit Bullit, en donnant avec le fond de son verre un léger coup sur la table, eh bien, le lendemain du jour où la petite est rentrée, King était devant le bungalow et ils se roulaient 70 ensemble dans la clairière.

Bullit fit une très longue pause avant de poursuivre :

– Sybil m'a supplié d'abattre le lion. Il faut la comprendre. Mais est-ce que je pouvais ? Ma fille, déjà, me pardonne mal d'avoir fait tant de massacres avant sa naissance.

75 Bullit leva sur moi son regard pesant et dit :

– Si j'avais eu le sang de King sur les mains… vous vous rendez compte…

Le grand tueur de bêtes ferma les yeux et frissonna :

– Et alors ? demandai-je.

80 – Alors, dit Bullit en haussant les épaules, on est arrivé à un compromis. Pat et moi nous avons trouvé l'arbre que vous avez vu ce matin avec elle. Et quand le jour suivant King est revenu au bungalow, nous y avons été ensemble tous les trois. Et la petite a expliqué à King que là serait le lieu de leurs rendez-vous. Elle le 85 lui a fait comprendre… sentir… Enfin, vous voyez ce que je veux dire. Elle peut tout sur lui. Vous le savez maintenant.

– En effet, dis-je.

– Le lion m'aimait aussi, dit Bullit. Autrefois, quand je revenais d'inspection, il flairait ma voiture à des milles et des milles

90 de distance et courait à ma rencontre. Cela lui arrive encore
aujourd'hui… Je le vois venir tout à coup pour me faire fête,
dans une savane perdue. Mais la petite, c'est tout autre chose.
Il a connu sa peau en même temps qu'il a connu la vie. Il est à
elle pour toujours.

95 Bullit versa dans son verre ce qui restait de whisky dans la
bouteille, vida son verre et se leva.

– Un instant encore, dis-je. Est-ce que King a lionne et
lionceaux ?

Les yeux de Bullit étaient couverts d'un réseau de fibrilles
100 rouges.

– Je bois trop, dit-il comme s'il n'avait pas entendu ma
question. Je vous souhaite un bon sommeil.

Il descendit le perron lourdement, mais sans bruit.

Je ne traînai pas sur la véranda et me dirigeai vers ma cham-
105 bre. En poussant la porte, j'aperçus le petit singe Nicolas assis
au bord de mon oreiller et Patricia allongée sur mon lit, dans
un pyjama de coton rose.

Ma stupeur la fit rire de son rire le plus enfantin. Elle se
leva d'un bond. Le haut de son léger vêtement s'entrouvrit.
110 Sous le cou hâlé, la peau était d'une pâleur, d'une tendresse
pathétiques[1].

– Je suis sortie de chez moi par la fenêtre et suis entrée chez
vous de la même façon, dit la petite fille. Il fallait bien. Je donne
déjà trop de soucis à mes parents le jour.

115 Je me demandai si Kihoro surveillait Patricia également de
nuit. Mais elle continuait déjà :

– C'est pourquoi je m'en vais tout de suite. Je voulais seulement vous dire de vous réveiller très tôt demain. On ira voir
les Masaï installer leur *manyatta*… leur camp. C'est très drôle,
120 vous verrez.

---

1. Pathétiques : émouvantes, touchantes.

Les Masaï… J'eus l'impression de voir flamboyer la chevelure d'Oriounga le *morane*.

– D'accord? À l'aube? demanda Patricia.

Je répondis :

– À l'aube.

Le petit singe et la petite fille s'envolèrent par la fenêtre.

Chapitre 5

C'était dans la zone la plus dénuée[1] de la Réserve que le vieil
Ol'Kalou et Oriounga avaient cherché un site pour le séjour de
leur clan. Les Masaï, fils des grands espaces arides[2], se méfient
des terres boisées. Le culte[3] des arbres, la religion des forêts sont
contraires à l'instinct de leur peuple. Aussi le choix d'Ol'Kalou et
d'Oriounga s'était-il porté, au voisinage d'un point d'eau, sur une
petite éminence[4] qui dominait de loin la plaine rase et sèche.

Aucune piste ne menait au lieu de campement. Mais le terrain
permettait à une voiture d'en approcher. Si bien que, au lever
du jour, nous fûmes en vue de la colline pelée sur laquelle se
dessinaient des silhouettes noires.

– Les voilà, les voilà ! s'écria Patricia, penchée à moitié hors
de la portière. Et nous sommes à temps.

Elle retomba près de moi et dit en riant :

– Regardez nos deux Noirs, ils ne sont pas contents. Vous
savez pourquoi ?

– Bogo a peur.

– Naturellement, c'est un Kikouyou de grande ville, dit
Patricia avec dédain.

– Et Kihoro ?

1. **Dénuée** : démunie, pauvre.
2. **Arides** : desséchés, secs.
3. **Culte** : hommage, adoration religieuse.
4. **Éminence** : point surélevé, colline.

– Oh! lui, il ne craint pas les Masaï. Il est furieux contre eux. Il voudrait les tuer tous.

Elle prit le ton un peu supérieur qu'elle adoptait à l'ordinaire pour éclairer mon ignorance.

25 – Kihoro appartient aux Wakamba et ce sont des gens très braves. Et ils ont toujours été en guerre avec les Masaï. Et aujourd'hui encore, malgré les lois du gouvernement, ils se battent quelquefois à mort. Leurs territoires se touchent, vous comprenez.

Patricia se pencha sur la banquette avant où se tenait le vieux 30 trappeur borgne et lui chuchota quelques mots dans sa langue natale. Kihoro montra ses gencives ébréchées dans un rictus féroce et tapota son fusil.

– Pourquoi l'excitez-vous? demandai-je à la petite fille.

– Pour le rendre enragé, dangereux, dit-elle. Et quand il le 35 sera trop, alors je le ferai tenir tranquille. C'est un jeu.

– Mais lui ne le sait pas, dis-je.

– Naturellement qu'il ne le sait pas, s'écria Patricia. Sans quoi il n'y aurait pas de jeu.

Kihoro le borgne.

40 King le grand lion.

Avec quel partenaire nouveau et à quelles frontières Patricia allait-elle un jour mener le jeu?

Nous étions au pied du monticule. Patricia bondit de la voiture avant qu'elle fût complètement arrêtée.

45 Le soleil se levait dans sa gloire de brousse, mais une odeur épaisse d'étable mal tenue, de purin [1], infectait l'air si léger de l'aurore.

– Venez vite, me cria Patricia. Ils commencent.

Elle m'entraîna le long de la faible pente jusqu'au sommet de 50 l'éminence. Le sol en était plat et avait la forme d'un ovale grossier. Sur son pourtour étaient plantées des barrières d'épineux

---

1. Purin : partie liquide du fumier.

en deux rangées, traversées par des chicanes[1]. À l'intérieur de l'enceinte, s'étalait une masse jaunâtre, dense, gluante et d'une senteur ignoble. C'était de la bouse de vache à demi liquide.

55 Des hommes, des femmes et des enfants noirs trituraient, piétinaient, malaxaient, brassaient cette immonde matière afin de lui donner un peu plus de consistance. Patricia s'adressa à eux dans leur propre langue. La surprise de l'entendre chez une petite fille blanche saisit d'abord ces figures farouches. Puis
60 même les plus fermées, les plus cruelles prirent une expression adoucie. Les femmes poussèrent des rires aigus et les enfants des cris de joie.

Je cherchai des yeux Oriounga, mais ne vis aucun des trois moranes. Le vieil Ol'Kalou cependant était là. Je le saluai. Il me
65 reconnut et dit :

– *Kouahéri.*

Puis il fit signe aux siens de reprendre leur tâche.

La vague fétide[2] se répandit plus forte, plus épaisse. Je reculai instinctivement et retins ma respiration. Mais Patricia n'était pas
70 le moins du monde incommodée. Cette petite fille qui, la veille, avait laissé derrière elle, lorsqu'elle avait quitté ma hutte, un délicat sillage[3] de savon et d'eau de lavande (on pouvait encore le sentir sur elle), cette petite fille à l'odorat si subtil qu'elle reconnaissait chaque effluve[4] et chaque fragrance[5] de brousse, était en train
75 de humer, les yeux brillants de plaisir, l'odeur répugnante. Elle ressemblait à ces enfants nés, élevés dans un château, mais qui ont grandi avec ceux de la ferme et qui prennent plus de joie aux soins les plus rebutants des écuries et des étables qu'aux divertissements de leur condition[6].

---

1. **Chicanes** : passages en zigzag.
2. **Fétide** : qui a une odeur très désagréable.
3. **Sillage** : ici, parfum.
4. **Effluve** : souffle.
5. **Fragrance** : parfum, odeur agréable.
6. **Condition** : milieu social.

80   – Ils sont vraiment malins, vous savez, les Masaï, dit Patricia
qui voulait me faire partager son exaltation. Ils sont vraiment
intelligents. Faire des maisons avec de la bouse de vache !
Vous comprenez : ils ne vivent jamais à la même place, ils n'ont
pas une pelle, pas un outil, rien. Alors, ils ont inventé ça. Leur

85 troupeau reste tout un jour, toute une nuit là où ils veulent
camper. Après, ils pétrissent, ils préparent.

    – Et après ? demandai-je.

    – Vous allez voir, dit Patricia. Tenez, ils commencent.

    Quelques hommes dressaient autour de la mare gluante des

90 claies [1] couronnées par des arceaux de branchages qui, grâce
à leurs épines, s'accrochaient les unes aux autres. Elles s'inflé-
chissaient en ovale, selon le dessin du terre-plein qui dominait la
petite colline. En très peu de temps une tonnelle ajourée [2] courut
le long de la plate-forme. Elle était très basse (elle n'arrivait qu'à

95 mi-corps de ceux qui la plantaient) et toute hérissée de ronces.

    Maintenant ! Maintenant ! cria Patricia. Regardez !

    Le vieil Ol'Kalou avait donné un ordre. Et tous, hommes,
femmes et enfants s'étaient mis, certains avec leurs paumes,
certains avec des outres qui servaient à l'ordinaire pour le lait

100 et pour l'eau à puiser la matière molle et tiède qu'ils avaient
pétrie et à la répandre sur les branchages qu'ils avaient façonnés.
Cette pâte brunâtre encore liquide et d'une pestilence [3] affreuse
coulait, s'égouttait, s'agglutinait le long des claies et devenait un
mur, collait aux arceaux et formait un toit. Et les hommes, les

105 femmes, les enfants consolidaient ces premiers éléments aussi
vite qu'il leur était possible en les arrosant, les épaississant par
de nouveaux jets de bouse malaxée.

    – Le soleil en quelques heures va tout durcir. N'est-ce pas
merveilleux ? dit Patricia.

---

1. Claies : abris ou grilles.
2. Tonnelle ajourée : petite construction formant un abri, percée de trous.
3. Pestilence : odeur infecte, putride.

110   Bien que le matin fût encore très frais, de grosses mouches
arrivaient en essaims pressés, bourdonnants.

– Partons, il n'y a plus rien à voir, dis-je à Patricia.

– Un instant, je vous en prie, je m'amuse trop! s'écria-
t-elle.

115   Des fillettes masaï l'assaillaient [1] de bavardages et de rires.

Patricia revint à moi en courant.

– Écoutez, écoutez, dit-elle. Ces filles croyaient que nous
étions mariés!

– Qui?

120   – Mais vous et moi, dit Patricia.

Elle fit une pause pour bien jouir de mon étonnement. Puis
elle voulut bien m'expliquer:

– Ces petites ne sont pas plus âgées que moi, et beaucoup
d'entre elles sont déjà mariées. C'est comme ça chez les Masaï.
125   Les autres attendent pour être épousées que les jeunes hommes
du clan aient fini leur temps de *morane*.

– Et où sont les *moranes*?

– Là, dit Patricia.

Elle me conduisit au bord de la plate-forme opposé à celui par
130   où nous étions venus. Au pied de l'éminence et caché par elle,
le troupeau des Masaï se trouvait enfermé dans une enceinte [2]
d'épineux au dessin carré. Parmi le bétail, on voyait briller, sous les
feux du soleil levant, trois lances et trois chevelures cuivrées.

– On descend, décida Patricia.

135   Les *moranes* achevaient de masser le troupeau contre un
panneau mobile fait de branches griffues qui donnait accès dans
l'enclos. Patricia contemplait, immobile, les jeunes hommes. Eux,
ils ne daignaient pas nous accorder la moindre attention. Les
yeux de la petite fille avaient une expression sérieuse et lointaine

---

1. Assaillaient: harcelaient.
2. Enceinte: enclos.

140 qui me rappela la façon qu'elle avait eue de regarder les bêtes
le matin où je l'avais rencontrée.

– Dans le temps, dit Patricia d'une voix basse, et comme
enrouée, un morane, avant d'être un homme et avoir droit à
une femme, devait tuer un lion. Et pas de loin et pas avec un
145 gros fusil… Avec sa lance et son coutelas.

Le bétail maintenant était rangé, prêt à sortir de l'enceinte.
Mais les jeunes hommes n'enlevaient pas encore le panneau
qui en fermait l'entrée. Chacun d'eux s'approcha d'une vache
et chacun, de la pointe effilée de sa lance, fit une incision très
150 mince au cou de l'animal. Et chacun colla sa bouche à la blessure fraîche pour y boire à longs traits. Puis ils appliquèrent une
main sur l'entaille et attendirent qu'elle se refermât. Les vaches
n'avaient même pas gémi.

– Voilà toute leur nourriture, dit Patricia. Le soir, le lait. Le
155 matin, le sang.

Le panneau de ronces fut enlevé. Le troupeau prit le chemin
du pâturage. Oriounga le menait. Quand il passa près de nous,
il lécha le filet rouge qui tachait sa lèvre brune et laissa couler
sur Patricia un regard dédaigneux et brûlant. Puis, il s'éloigna,
160 superbe comme un demi-dieu, lui qui, pour se nourrir et s'abriter, ne disposait au monde que du lait, du sang et de la bouse
de vaches efflanquées[1].

---

1. **Efflanquées** : maigres.

Chapitre 6

Patricia était silencieuse.

– Nous allons à la voiture ? lui demandai-je.

– Si vous voulez, dit-elle.

Nous fîmes le tour de l'éminence. Sur sa plate-forme, la
5 *manyatta* s'achevait. Si je ne l'avais pas vu construire, il est possible que je ne l'eusse point remarquée. La barrière d'épineux
qui l'entourait se confondait avec les touffes et les buissons de
ronces dont les flancs de la petite colline étaient semés. Quant
à la *manyatta* même, guère plus haute que les haies griffues et à
10 laquelle le soleil donnait déjà la couleur de la terre brûlée, cette
sorte de chenille brunâtre et refermée sur elle-même pouvait
passer pour une ondulation de la brousse.

Je me souviens alors d'avoir aperçu plus d'une fois sur les émi-
nences qui bosselaient les plaines des murs pareils à ceux-là qui
15 tombaient en miettes. Je n'en avais pas soupçonné l'origine.

Maintenant que je ne subissais plus l'assaut des mouches
et que l'odeur s'évaporait au-dessus de ma tête, je comprenais
mieux l'admiration qu'avait montrée Patricia pour ces branchages et ces arceaux sur lesquels coulait la bouse épaissie.
20 Quelle ingéniosité dans le dénuement ! Comme elle protégeait
bien les Masaï contre les seuls ennemis qu'ils redoutaient en ce
monde : l'enracinement, l'attachement, la pesanteur. La *manyatta*,
abri sans durée, refuge sans consistance, si aisé à bâtir, si léger
à quitter, si prompt à se dissoudre, il n'était point, pour des
25 passants éternels, de plus belle demeure.

Kihoro, son bassin rompu appuyé contre l'automobile, son fusil dégagé de l'épaule, surveillait la *manyatta* de son œil unique. Patricia ne lui adressa pas une parole et, même, ne sembla pas le voir.

30 Quand nous eûmes tous repris nos places à l'intérieur de la voiture, ce fut vers la petite fille et non vers moi que Bogo tourna la tête pour recevoir des ordres. Mais Patricia ne remarqua pas ce mouvement ou refusa de montrer qu'elle l'avait vu. Bogo, alors, choisit de reprendre en sens contraire le chemin par lequel 35 nous étions arrivés.

Patricia, les paupières closes, paraissait engourdie. Mais je la connaissais trop bien à présent pour m'y laisser tromper. Sous le couvert de l'indifférence, elle réfléchissait intensément.

Devant nous, à faible distance, une mouvante traînée de 40 poussière enveloppait le bétail des Masaï en marche. Quand nous l'eûmes atteint, Bogo le contourna de loin. Sur chaque flanc du troupeau et au-dessus de la poudre soulevée de terre flamboyait la chevelure d'un morane. En tête, et comme nimbé [1] par un nuage, avançait le casque natté d'Oriounga.

45 Patricia entrouvrit les yeux. Je crus qu'elle pensait au plus beau, au plus sauvage des trois jeunes hommes. Je me trompais. Elle pensait au sang qu'il avait bu. Elle dit en effet :

– Quand j'ai commencé à donner à King sa viande crue, il la dévorait avec tant de bruit, tant de plaisir que j'ai voulu y goûter. 50 Ce n'était pas bon. Plus tard, Kihoro allait en dehors du Parc avec son fusil chercher la nourriture du lion. J'étais toujours là quand il mangeait. Et puis King a chassé lui-même. D'abord il rapportait la gazelle ou l'antilope dans sa gueule près de la maison. Mais maman ne voulait pas. C'est alors que mon père a 55 dû corriger King et que lui, après, il déchirait le *kiboko*.

---

1. **Nimbé** : encerclé, couronné.

À ce souvenir, Patricia eut un rire léger. Mais son visage reprit aussitôt l'expression de gravité, presque la sévérité qui la vieillissait singulièrement.

60 – C'est quand il léchait le sang sur ses babines que mon lion semblait le plus heureux, dit Patricia. Alors, plusieurs fois j'ai essayé. J'ai trempé mon doigt et je l'ai léché. Ce n'était pas bon.

Patricia se tourna vers l'arrière de la voiture. Mais on ne voyait plus rien du troupeau et de son conducteur. La poussière même n'était plus qu'une mince colonne qu'on discernait à peine.

65 – L'envie m'est passée depuis longtemps, reprit Patricia. Mais le morane, tout à l'heure, a léché le sang sur sa lèvre. Vous avez vu… Ça m'a rappelé King et, un moment, j'ai eu envie de nouveau. C'est bête.

Patricia secoua le front et ses cheveux dansèrent.

70 – Les Masaï, eux, ils boivent le sang des vaches depuis qu'ils sont tout petits, dit-elle. Ils ont l'habitude, comme les animaux qui tuent pour manger.

Nous avions quitté la savane où les Masaï avaient leur *manyatta* et leurs pâturages et nous roulions au gré du terrain carrossable [1],
75 tantôt entre des massifs, tantôt à travers des clairières, tantôt au pied de collines boisées. Patricia, le menton posé contre le rebord de la portière, surveillait les animaux qui semblaient se multiplier autour de nous. Même en ces lieux privilégiés, leur abondance était surprenante.

80 – C'est l'heure où les bêtes reviennent de boire, dit Patricia. Les unes vont brouter, se promener…

Les douces lèvres de la petite fille et les ailes si fines de son nez frémirent en même temps. Elle ajouta :

– Les autres chassent.

85 Elle saisit l'épaule de Bogo et ordonna :

– Allez aussi lentement que possible.

Puis, elle me dit :

---

1. Carrossable : terrain où peuvent circuler les voitures.

– Une voiture qui fait peu de bruit et ne va pas vite, les bêtes n'y font pas attention. Elles pensent que c'est une autre bête.
90 Demandez à mon père. Il ne se rappelle pas qu'un lion ou un éléphant ou un rhino ou un buffle en colère ait chargé une automobile, même quand il y a des gens dedans.

– Vous entendez, Bogo ? demandai-je.

– Parfaitement, Monsieur, dit le chauffeur.

95 Sur le profil qu'il me présentait en conduisant, je vis se défroisser les plis de sa peau. C'était sa façon de sourire.

– Ne parlez plus, dit à mi-voix Patricia.

Le visage à la fenêtre elle épiait la brousse.

Après un long parcours dans une zone plate et nue où
100 s'ébattaient [1] et galopaient des zèbres par troupeaux entiers, notre voiture avait pris une manière de [2] piste naturelle qui serpentait au pied d'une faible ondulation de terrain couverte d'arbustes.

– Stop ! chuchota Patricia.

105 Elle appuya sur la poignée de la portière, tout doucement, par pressions répétées, insensibles.

Puis elle me fit signe de ne pas bouger et se laissa glisser au sol. Le torse de Kihoro se déplaça d'une façon à peine perceptible, mais les deux canons de son fusil se trouvèrent pointés
110 dans la direction que prenait la petite fille.

Elle avançait d'un pas silencieux vers deux buissons très drus, séparés par un mince couloir. Soudain Patricia suspendit tout mouvement. Le fusil de Kihoro bougea de l'épaisseur d'un fil sur ses genoux. Une tête de félin venait d'apparaître entre les deux
115 buissons. Une tête effilée, d'un dessin exquis, à la peau claire égayée de taches fauves, mais dont les babines se retroussaient sur des crocs redoutables et dont la gorge était toute frémissante d'un grondement meurtrier.

---

1. **S'ébattaient** : se donnaient du mouvement, folâtraient.
2. **Une manière de** : une sorte de.

La bête se porta un peu en avant. Elle avait un museau et un
120 poitrail minces, des pattes longues, un col [1] plus arrondi et des
taches plus petites et moins sombres qu'une panthère ou un
léopard. C'était un guépard de forte taille. Patricia le regardait
droit dans les yeux et sans plus remuer que si elle avait été une
petite statue de bois oubliée dans la brousse. Au bout d'un temps
125 qui me parut très long, le grand félin fit un pas en arrière et la
petite fille un pas en avant. Puis ils furent de nouveau immobiles.
Le guépard recula d'une foulée et Patricia avança de la même
distance. Les buissons les cachèrent.

Kihoro allait-il suivre l'enfant dont il avait la charge ? Il laissa
130 le fusil reposer sur ses genoux et ferma son œil unique. Il savait
reconnaître, lui, l'instant exact où le pouvoir de Patricia la
protégeait mieux qu'une balle.

Je poussai la portière que la petite fille avait laissée ouverte,
descendis de voiture, et, me haussant sur la pointe des pieds,
135 jetai un regard par-dessus les buissons. Il y avait là une carcasse
qui avait la forme et la taille d'un jeune poulain et dont la peau
blanche était striée de rayures noires. Près d'elle jouaient deux
chats couleur crème et comme poudrés de confettis bruns, deux
chats les plus vifs, les plus gracieux, les plus nobles que l'on pût
140 rêver. Ils se donnaient des coups de patte, des coups de tête, se
poursuivaient, se culbutaient. Entre leurs jeux, les petits guépards
venaient donner un coup de dent à la carcasse du petit zèbre.

Les buissons dissimulaient Patricia et le grand félin. Pour
quels échanges ? Quels entretiens ?

145 Quand Patricia, enfin, me rejoignit, je lui demandai :

– Pourquoi n'avez-vous pas une ou deux de ces bêtes chez
vous ? On m'assure qu'elles s'apprivoisent à merveille.

La petite fille me considéra avec stupeur et dédain :

– Des guépards ! Quand j'ai eu King !

150 Patricia répéta doucement :

———————————

1. Col : cou.

– King…

Une résolution violente, presque sauvage, saisit, tendit ses traits. J'étais incapable d'en deviner la nature, mais je pris peur.

155 – Rentrons, dis-je. Vous m'avez fait lever avant le jour. Et puis, la bouse de la *manyatta*… les mouches… j'ai bien envie d'un bain.

– Rentrez si vous voulez, dit Patricia. Mais sans moi.

Que faire sinon rester avec elle ?

160 La petite fille se pencha sur Kihoro pour lui parler à l'oreille. C'est la première fois que je vis le pisteur borgne secouer son visage sillonné de cicatrices dans un signe de refus. Patricia lui parla plus vite et plus fort. Il inclina la tête. Si elle lui avait tenu les mêmes propos qu'à moi, que pouvait Kihoro, sinon accepter ?

165 Et quelle autre ressource restait-il à Bogo que d'obéir aux ordres et aux signes par lesquels le vieux pisteur borgne lui montra la nouvelle course que nous avions à suivre ? Celle qu'avait exigée Patricia.

Très peu d'hommes à coup sûr, qu'ils fussent blancs ou noirs, 170 s'étaient aventurés là où nous mena Kihoro. Et seul avant nous, Bullit dans sa Land Rover avait traversé en voiture ces grands espaces libres et secrets, ce fief des bêtes sauvages.

Profonds vallonnements… Jungle sèche et craquante… Immenses perspectives qui glissaient vers des taillis mystérieux. Tantôt 175 on apercevait le sommet du Kilimandjaro… Tantôt les branches hérissées de dards [1] crissaient contre le métal de l'automobile… Mais sans cesse et partout on voyait, on entendait, on sentait (galops, bonds, fuites, hennissements, plaintes, grondements, barrissements [2]) vivre les animaux dans leur instinct essentiel. 180 C'était pour les plus menus et les plus colossaux, les plus innocents et les plus carnassiers, l'heure où ils cherchaient nourriture.

---

1. Dards : épines, aiguillons.
2. Barrissements : cris de l'éléphant.

Kihoro fit signe à Bogo de s'arrêter. Nous étions alors entre deux massifs qui nous masquaient entièrement. Je quittai la voiture avec le vieux trappeur et Patricia. Le visage de Bogo était couvert
185 par la sueur de l'effroi et ses gouttelettes mêmes semblaient grises. Il me fit pitié. Je m'attardai pour lui dire :

— Vous n'avez rien à craindre. Rappelez-vous les paroles de la petite fille blanche.

— J'essaierai, Monsieur, dit Bogo humblement.

190 Patricia et Kihoro n'avaient sur moi qu'un instant d'avance. Mais ils étaient si prompts, légers et silencieux à glisser, à filer de couvert en couvert qu'ils ne laissaient dans leur sillage ni un son ni une ombre. Tout près de moi et pourtant aussi éloignés, inaccessibles que s'ils avaient été à des lieues. Et comment les
195 découvrir dans ce labyrinthe lacérant ? Par bonheur, Patricia, irritée sans doute de m'entendre piétiner ronces et brindilles, signala d'un léger sifflement sa présence. Je la retrouvai blottie au creux d'un buisson et seule.

Je chuchotai :
200 — Kihoro ?

Patricia tendit la main vers l'espace que l'on voyait à travers les rameaux hérissés d'épines, une longue plaine, mollement ondulée, herbue et coupée de fourrés.

— Pourquoi ? demandai-je.

205 Patricia répondit de sa voix clandestine :

— Il connaît les terrains de chasse de toutes les bêtes… Alors…

Elle s'arrêta parce que venait de s'élever et s'étirait, semblait-il pour l'éternité un long appel qui tenait d'un cri et d'un chant
210 barbare. J'eus un mouvement pour me lever, regarder. Patricia me retint par la manche.

L'appel cessa, reprit, se brisa et traîna de nouveau.

— Par ici, murmura Patricia.

Je me penchai entre deux branches. Leurs épines me griffaient
215 les mains, le front. Mais qu'importait ! Je voyais Kihoro adossé

contre un acacia isolé dans la plaine et vers lui, crinière au vent, accourait par bonds énormes un énorme lion. Et c'était King.

Quand il fut au terme de sa course, il se dressa de toute sa taille et posa les pattes de devant sur les épaules de l'homme
220 qui l'avait appelé.

– Kihoro a trouvé, sauvé King, tout petit, tout perdu, murmura Patricia. King ne l'a pas oublié.

Kihoro pressa un instant son visage mutilé contre le mufle du lion, puis il le prit par la crinière et le mena jusqu'au fourré
225 qui nous abritait.

King me renifla, me reconnut. Alors, il fit fête à Patricia, mais sans le moindre bruit.

– C'est l'heure de la chasse, me dit la petite fille.

Je ne demandai pas d'explications. Tout maintenant me
230 paraissait possible, naturel. J'avais franchi la grande frontière. J'étais passé dans l'univers de Patricia, de Kihoro, de King.

Le vieux trappeur borgne nous quitta. Patricia, la main accrochée à la crinière du grand lion, le garda près d'elle. Et moi je savais – mais par quelle connaissance ? – que le Noir qui avait
235 été autrefois l'un des meilleurs rabatteurs de l'Afrique orientale reprenait son ancien métier. Et que, cette fois, il ne travaillait pas au profit de l'homme.

L'attente fut longue. Par contre, tout ensuite se déroula à une vitesse stupéfiante.
240 Un ululement[1] suraigu retentit et un autre et un autre encore. Ils semblaient venir de tous côtés en même temps et emplir tout l'espace de leur stridence. Un troupeau de buffles qui broutait au fond de la plaine s'ébranla[2], terrifié, et se dispersa en tous sens. Derrière l'un d'eux venait Kihoro. Par ses clameurs sauvages,
245 il le dirigeait vers notre abri. Le buffle passa le long du fourré, grondant, naseaux écumeux et martelant le sol de ses sabots.

---

1. Ululement : hurlement, plainte prolongée. Cri de certains oiseaux de nuit.
2. S'ébranla : se mit en marche.

Patricia alors ôta sa main de la crinière de King et fit entendre
ce hissement[1] dont je me souvenais si bien et qui avait failli jeter
le grand lion contre moi. King, d'une seule détente, s'envola
250 par-dessus le fourré. Et soudain j'eus devant les yeux l'image
même que j'avais vue dans un des livres où j'avais appris à lire
et qui avait hanté toute mon enfance : un buffle lancé dans un
galop frénétique[2], avec, pour cavalier, un lion dont les crocs
labouraient sa nuque bossue.

255 Le couple fabuleux avait disparu dans les fourrés et la poussière. Kihoro nous avait rejoints. Mais Patricia tenait encore son
regard fixé du côté où le buffle avait emporté King accroché à
ses flancs. Aucun des traits de Patricia ne rappelait ceux de son
père. Mais combien ils se ressemblaient tous deux en cet instant !
260 Ou plutôt, comme je retrouvais sur le visage tendre et lisse de la
petite fille l'expression même qu'avait Bullit quand il revivait avec
souffrance et passion le temps où il tuait sans merci ni répit !

Patricia mit soudain une oreille contre le sol, écouta…

– Fini, dit-elle en se relevant.

265 Je vis en pensée la chute du buffle vidé de son sang,

– Vous qui aimez tant les bêtes, dis-je à Patricia, vous n'avez
pas de peine pour celle-là ?

La petite fille me considéra avec étonnement et répondit :

– Il faut bien que les lions mangent pour vivre.

270 Je me souvins des petits guépards qui se nourrissaient à la
carcasse du zèbre.

– C'est vrai, dis-je. Et King doit avoir une famille.

Patricia devint d'un seul coup toute blanche et toute raide. Sa
bouche prit une inflexion pitoyable. Je crus qu'elle allait gémir.
275 Mais elle se contint et fixa sur moi un regard où je ne pus rien
déchiffrer.

– Pourquoi pas ? dit-elle.

Nous fîmes en silence le chemin jusqu'à la voiture.

---

1. Hissement : mot formé par Kessel sur l'anglais *hiss*, sifflement.
2. Frénétique : déchaîné, violent.

Chapitre 7

Je pris un bain très chaud et si long que Bullit m'y trouva endormi à moitié.

– Ah! ah! s'écria-t-il, tous les parfums de la *manyatta*, pas vrai?

Son rire d'enfant et d'ogre emplit la hutte. Après quoi il dit :

– Je vous tiendrais bien compagnie pour la désinfection intérieure.

Nous en étions seulement à notre premier whisky lorsque des voix furieuses retentirent derrière les épineux les plus proches de mon logement. Bullit prêta l'oreille.

– Des Wakamba, je pense, dit-il.

Une dizaine de Noirs, drapés dans des cotonnades en guenilles, pieds nus, mais armés de lances et de coutelas, débouchèrent devant le perron. Des *rangers* les encadraient.

Bullit s'avança sur la plus haute marche. Les Wakamba l'assaillirent de cris en agitant leurs armes.

– De purs sauvages, me dit Bullit en souriant. Ils ne parlent même pas le swahili. Et des dialectes indigènes, je ne connais que celui-là. Il faut que j'envoie chercher Kihoro. Il est de leur tribu.

Le vieux pisteur borgne parut comme par enchantement devant la hutte. Il se mit à parler avec une telle violence que le sang afflua à son œil mort et le couvrit d'une taie rouge.

– On ne peut jamais être tranquille dans ce maudit Parc, grommela Bullit. Voilà qu'ils accusent les Masaï de leur avoir

volé des vaches. Et Kihoro est avec eux. Je dois y aller tout de
suite. Sinon ils iront sans moi. Et alors…

Bullit leva les bras vers l'auvent de la véranda qu'il toucha
presque, les rabattit, vida son verre et me dit :

30 – Vous venez ? Ce ne sera pas long.

Nous montâmes à six dans la Land Rover. Le plus âgé des
Wakamba et deux *rangers* se mirent à l'arrière. Je m'assis entre
Bullit et Kihoro à l'avant. Les *rangers* étaient les seuls à porter le
fusil. Bullit avait défendu à Kihoro de prendre le sien.

35 – Il descendrait tous les Masaï avec volupté, me dit le géant
roux en riant de grand cœur.

Bullit conduisait très bien, très vite et fonçait droit devant
lui. Sa voiture tout terrain avait des possibilités interdites à la
mienne. Nous fûmes en vue de la *manyatta* beaucoup plus vite
40 que je ne l'avais pensé.

– Vous voyez, ça n'a pas été long, dit Bullit en sautant à terre.
Et l'affaire elle-même ne durera pas davantage. Il faut rendre cette
justice aux Masaï : parmi tous les Noirs, et quoi qu'il puisse leur
en coûter, ils sont les seuls assez fiers pour ne jamais mentir.

45 Sur l'étrange abri qui couronnait la petite colline, le grand
soleil avait déjà rempli son office [1]. Les murs étaient asséchés. Le
toit également. Et l'odeur même, comme aspirée par la chaleur,
était devenue à peu près supportable. La *manyatta* ressemblait
maintenant à un tunnel circulaire, divisé par des cloisons en
50 cellules toutes pareilles, dont chacune avait une seule ouverture
à même la paroi.

Ce fut dans l'une d'elles que Bullit trouva, étendu sur le sol,
le vieil Ol'Kalou. L'une des vingt blessures que les griffes d'un
lion lui avaient faites un demi-siècle auparavant s'était rouverte
55 une fois de plus à cause de l'effort qu'il avait dû fournir pour
pétrir la bouse de vache et la répandre sur les murs de la *manyatta*.
Mais dès qu'il vit le maître du Parc royal, le vieux chef du clan

---

1. **Office** : fonction.

masaï se leva en serrant autour de son ventre un chiffon ensan-
glanté. Ce qu'il faisait n'était pas dû au respect qu'il avait pour
60   Bullit mais pour lui-même.

Le plafond voûté se trouvait à si faible distance du sol qu'il
obligeait l'habitant de la taille la plus ordinaire à baisser la tête.
Ol'Kalou et Bullit, très grands l'un et l'autre, eurent à commencer
leur entretien – en swahili – pliés en deux. Après quelques mots,
65   n'y tenant plus, ils sortirent.

Je restai seul pour m'imprégner de la nudité de cette demeure.
Il était impossible d'en trouver une qui fût aussi démunie de ce
qui sert à l'homme. Elle ne contenait rien. Ni l'âtre le plus primitif, ni le moindre objet, ni la plus humble besace [1], ni la natte
70   la plus pauvre, ni le plus élémentaire ustensile pour préparer
une nourriture ou la consommer. Rien.

Dehors, au milieu du rond-point dessiné par les murs de la
manyatta, les Masaï entouraient Bullit et Ol'Kalou et approu-
vaient les propos de leur vieux chef qui s'appuyait lourdement
75   sur sa lance.

– Il vient avec nous au pâturage, me dit Bullit. Il sait que les
moranes, en traversant le territoire des Wakamba avant de pénétrer dans le Parc, ont en effet emmené quelques vaches. Mais
combien et lesquelles, il ne s'en est pas occupé. C'est l'affaire
80   des *moranes*.

La voiture de Bullit nous porta rapidement jusqu'au pâturage
où un bétail misérable cherchait sa pitance dans l'herbe sèche
et les épines.

Oriounga et ses deux compagnons, assis sur les talons, à
85   l'ombre d'un acacia nain mais largement branchu, surveillaient
le troupeau. Leurs lances étaient fichées [2] au sol, à portée de la
main.

-----

1. Besace : sac d'une matière souple avec des poches.
2. Fichées : plantées dans le sol.

Aucun d'eux ne se leva à notre approche. Aucune des têtes casquées de cheveux et d'argiles rouges ne daigna remuer quand
90   l'homme des Wakamba désigna en hurlant deux bêtes qui paissaient non loin.

Ol'Kalou posa une question à Oriounga.

Le morane nonchalamment fit non de la tête.

– Bon Dieu! L'impudent bâtard! s'écria Bullit. (La colère fit
95   monter un flot de sang à son visage massif.) Il nie avoir volé ces deux vaches. Bon Dieu! c'est la première fois que je rencontre un Masaï qui ment.

Mais Oriounga laissa tomber avec paresse quelques mots de ses lèvres dédaigneuses. Ol'Kalou les traduisit pour Bullit et Bullit
100   siffla légèrement sans bien s'en rendre compte. Et il grommela avec une singulière nuance d'estime dans la voix :

– L'impudent bâtard! Ce n'est pas vrai, dit-il qu'ils ont pris deux vaches parce que la vérité c'est qu'ils en ont volé trois.

La dernière bête enlevée aux Wakamba broutait derrière
105   un buisson qui l'avait cachée jusque-là. Elle fut réunie aux deux autres. Après des vociférations et des menaces et des sarcasmes[1] et des cris de triomphe à l'adresse des Masaï, Kihoro et l'homme de sa tribu emmenèrent les trois vaches. Les *rangers* les suivirent pour les protéger.

110   Oriounga était toujours assis sur les talons, ses yeux mi-clos et le visage empreint[2] d'une complète indifférence.

Mais comme les deux Wakamba, leur bétail et leur escorte allaient quitter le pâturage, le morane se dressa soudain, arracha au sol son javelot et le lança. La détente du corps magnifique
115   avait été si rapide et ses mouvements si bien liés que la tige de métal aiguisée aux deux bouts sembla jaillir toute seule de la terre, se placer dans la main d'Oriounga et prendre son vol

---

1. **Sarcasmes** : moqueries.
2. **Empreint** : marqué par.

d'elle-même pour atteindre, sifflante et vibrante, le cou de la vache que poussait Kihoro. Elle trébucha et s'abattit.

120   Les compagnons d'Oriounga saisirent à leur tour leurs javelots. Mais il n'était plus temps. Les *rangers* les visaient de leurs fusils, et Ol'Kalou, le ventre bandé d'un torchon sanguinolent, s'était placé devant les jeunes hommes.

      Le chef du clan parla à Bullit et celui-ci acquiesça de la
125 tête.

      – Il n'y a plus qu'à partir, me dit ce dernier. Le vieux promet que, si le commissaire du district accorde une indemnité aux Wakamba, les Masaï paieront volontiers. Il pense qu'il n'est pas de prix assez cher pour la fierté d'un *morane*.

130   Oriounga se rassit sur ses talons, avec un demi-sourire. Je ne sais pourquoi, je pensai à Patricia et, je ne sais pourquoi, je fus content qu'elle n'eût pas assisté à son triomphe.

      Mais le soir de ce même jour, elle accompagna ses parents que j'avais invités à prendre sur ma véranda les boissons rituelles
135 du crépuscule. Et, mettant à profit un instant où Sybil et Bullit se tenaient sur le perron pour admirer les derniers feux du soleil sur la neige du Kilimandjaro, la petite fille me demanda de sa voix insonore, secrète, mais les yeux brillants :

      – Ce Masaï, si adroit au javelot, c'est bien le *morane* qui m'a
140 regardée ce matin ?

Le jour suivant, Bullit fit enfin honneur à l'engagement pris par lui au cours de notre première rencontre : me servir de guide dans son domaine.

– Vous verrez des choses, avait-il dit alors, que bien peu de gens ont vues. Il tint parole grandement, en seigneur.

Au départ toutefois, quand je pris place dans la Land Rover où se trouvaient déjà Patricia, Kihoro et deux *rangers*, je n'espérais pas de cette matinée une révélation nouvelle. À force de suivre dans le Parc une petite fille qui en connaissait les sauvages secrets, je pensais n'avoir plus rien à découvrir qui pût m'étonner vraiment. Je me croyais blasé.

Comme je me trompais ! Et avec quel bonheur je le vis aussitôt !

Il y avait d'abord la voiture de Bullit, sans toit, sans vitres, ouverte à toutes les vues, à tous les souffles, d'une robustesse [1] conçue pour les pires terrains. Il y avait la manière dont Bullit pilotait : impérieuse, hardie, aisée, magistrale [2]. Il y avait sa connaissance absolue des lieux – fruit d'expéditions, d'inspections, de battues et d'observations sans nombre – travail de chaque jour et pendant des années. Et surtout, il y avait Bullit lui-même ou plutôt cette part de lui-même essentielle que libérait dans sa plénitude l'exercice d'un métier qui ne se pouvait comparer à

---

1. Robustesse : solidité, résistance.
2. Magistrale : qui est digne d'un maître.

aucun autre, et pour lequel son corps puissant, son mufle crêté
de cheveux roux semblaient façonnés, prédestinés.

25   Les épaules vastes et droites, le cou massif et nu, ses fortes
lèvres un peu retroussées par le vent de la vitesse, il m'emmenait
dans le matin joyeux comme à une conquête.

    En cet instant – et il le savait et ne s'en étonnait point – tout
appartenait à Bullit.

30   La voiture dont il faisait ce qu'il voulait.

    Les rangers qui étaient à sa dévotion [1] et dont j'entendais
le grand rire puéril et barbare lorsqu'un bond de la Rover ou
un cahot ou un virage brutal les projetaient ainsi que de noirs
pantins.

35   Patricia, serrée au flanc de son père comme pour en recueillir
la chaleur, la vigueur et qui, son petit visage levé, fouetté par le
mouvement de l'air, me tirait sans cesse le bras et me clignait
de l'œil pour faire admirer l'adresse et l'audace des mains si
robustes qui tenaient le volant.

40   Et la brousse enfin, toute la brousse et dans toutes ses formes,
avec sa végétation et avec ses créatures, sur des lieues et des lieues
étendue, sous le signe tutélaire [2] du Kilimandjaro.

    Tantôt Bullit lançait la Land Rover à un angle incroyable
sur le flanc d'une abrupte colline et la tenait cabrée [3] jusqu'au
45 sommet d'où la vue embrassait, comme en survol, un espace
sans bornes, et tantôt il plongeait au creux des vallonnements
si obscurs, épineux et rompus qu'ils ressemblaient à des fonds
sous-marins semés de madrépores [4]. Et tout à coup éclataient la
liberté et la lumière des savanes. Et puis les futaies monumentales
50 érigeaient leurs travées [5].

---

1. **À sa dévotion** : prêt à tout pour lui.
2. **Tutélaire** : protecteur.
3. **Cabrée** : dressée vers le ciel.
4. **Madrépores** : sorte de poulpes.
5. **Travées** : espaces entre les arbres.

Sans doute les secrets que j'avais approchés en suivant Patricia, rien ne pouvait en prendre la place. Mais rien non plus ne pouvait avoir une commune mesure avec la course merveilleuse que menait Bullit. L'âge même de la petite fille – et qui
55 était aussi son pouvoir essentiel –, l'obsession qu'elle avait de King et l'obsession que j'avais d'elle resserraient le terrain où elle m'avait accueilli à une zone de mystère et de fable. Bullit, lui, ouvrait, dévoilait, déployait le Parc royal dans toute son ampleur et sa magnificence.

60 L'aptitude[1] la plus élémentaire à s'orienter, la notion de droite et de gauche, d'avant ou d'arrière, je les avais perdues depuis longtemps et ne m'en souciais plus. Elles n'avaient ni valeur ni sens au regard de ces champs clos, de ces hautes forêts, de ces clairières effilées en forme de demi-lune, de ces massifs d'arbres
65 géants, de ces bois semés de prairies qui se succédaient, se chevauchaient, s'enchevêtraient dans un seul et même paysage à la fois bucolique[2] et farouche, plein de douceur et de sauvagerie. Dans cet océan de verdure, le soleil du matin faisait ressortir le ton sourd ou vif, brutal ou tendre de chaque mouvement d'herbes
70 et de feuillages, et l'on y voyait surgir, comme autant d'écueils[3], les pitons formés par d'anciens volcans qui portaient leurs laves pétrifiées en couronnes de noire écume.

Où étaient les villes et même les hameaux perdus et même ces masures[4] solitaires dont la cheminée laisse filtrer un filet
75 de suie vers le ciel ? Ici, la terre n'avait jamais connu une trace, une fumée, une odeur, une ombre qui fût à l'homme. Depuis la nuit des âges, il n'y avait eu dans cette brousse pour naître, vivre, chasser, s'accoupler et mourir, que le peuple des bêtes. Rien n'était changé. Les bêtes comme la terre demeuraient fidè-
80 les aux premiers temps du monde. Et Bullit, grand sorcier aux

---

1. Aptitude : capacité.
2. Bucolique : qui a trait à la campagne, à la vie simple et paisible.
3. Écueils : rochers pointus.
4. Masures : cabanes misérables.

cheveux rouges, les conjurait[1] toutes à la fois à l'intérieur de sa ronde effrénée.

Antilopes, gnous, gazelles, zèbres et buffles – la voiture poussée à la limite de sa vitesse, penchée, dressée, plongeant, remontant, rabattait ces troupeaux les uns sur les autres, en faisant chaque fois plus étroitement le tour jusqu'à l'instant où galops, ruades, bonds et charges dispersaient vers les horizons de brousse la foule de robes, de museaux et de cornes.

Haletante, éblouie, et suffoquée de joie, Patricia criait :

– Regardez ! Comme ils sont beaux ! Comme les zèbres courent vite et les antilopes sautent haut, et les buffles foncent droit !

Elle saisissait mon poignet pour mieux faire passer en moi sa certitude et ajoutait :

– Mon père est l'ami des bêtes. Elles nous connaissent. Nous pouvons nous amuser avec elles.

Est-ce que Bullit, si dur envers ceux qui portaient la plus légère atteinte à la paix animale, partageait la conviction naïve de sa fille ? Pensait-il que la rigueur même et la vigilance par lesquelles il assurait cette paix méritaient qu'il pût la troubler quelquefois ? Ou, simplement, était-ce un goût, un instinct qu'il ne savait pas maîtriser ? Qu'importe ! Le jeu continuait. Et de plus en plus rude.

Je me souviens des éléphants que nous avons surpris au creux d'une vallée. Ils étaient toute une harde – quarante, cinquante peut-être – et répandus autour d'une nappe d'eau vive, nourrie par quelque source miraculeuse de brousse et que Bullit avait fait aménager en bassin. Les uns, du bout de leur trompe, cherchaient nourriture dans la végétation qui poussait à flanc de coteau. D'autres se roulaient dans la vase. Les petits se bousculaient, se faisaient asperger par leurs mères. Le chef de la harde, aux

---

1. **Conjurait** : charmait.

défenses jaunies par le temps, énorme et solitaire, veillait sur sa tribu comme une effigie [1] de granit.

Quand il vit notre voiture entre les arbres, il ne bougea pas. Cet insecte qui portait d'autres insectes, en quoi pouvait-il menacer, inquiéter sa toute-puissance ? Mais de mamelon en mamelon, de trou en trou, la Land Rover approcha du troupeau géant, rebondit, grondant et cliquetant entre les groupes, les familles. Les petits prirent peur. Alors la trompe du vieil éléphant se redressa, se recourba et un barrissement plus sonore, plus aigu, plus effrayant que l'éclat de cent trompettes de guerre retentit dans la sérénité de la brousse. Toute la harde rejoignit le chef, les mâles derrière lui, les femelles protégeant les enfants.

Bullit arrêta la voiture face aux éléphants serrés en une seule masse de nuques, d'épaules et d'échines [2] colossales, leurs trompes convulsées comme des serpents furieux. Et ce fut seulement à la seconde même où de toutes ces trompes jaillit la même stridence enragée et où la phalange [3] formidable se mit en branle que Bullit fit pivoter la Land Rover et la lança à toute vitesse sur une bonne piste qu'une chance merveilleuse me sembla ouvrir soudain parmi les buissons, mais que lui, à coup sûr, avait depuis longtemps repérée, et aménagée.

J'ignore quelle expression pouvait avoir mon visage après cette aventure mais, le considérant, Bullit et Patricia échangèrent un regard de connivence [4]. Puis Bullit se pencha vers la petite fille et lui parla à l'oreille. Patricia approuva vivement de la tête tandis que ses yeux étincelaient de malice.

La voiture gravit la côte par où nous étions descendus dans la vallée des éléphants et atteignit un plateau où les taillis alternaient avec de grands espaces découverts. Bullit ralentit en abordant l'une de ces prairies d'herbe sèche. Au milieu, en plein soleil,

---

1. Effigie : sculpture, statue.
2. Échines : dos.
3. Phalange : corps de l'armée rangé en ordre serré.
4. Connivence : complicité.

gisaient côte à côte trois énormes et rugueux billots [1] de bois à l'écorce grise. Quel ouragan et de quelle violence avait pu les projeter jusque dans ce champ nu ? Je le demandai à Bullit. Sans me répondre et les lèvres serrées, il nous menait de plus en plus
145 doucement vers les troncs foudroyés.

Soudain, sur l'un d'eux, une extrémité remua, se redressa, devint une tête de cauchemar, mal équarrie [2], toute en bosses et méplats grossiers et qui allait en s'affaissant jusqu'à une corne recourbée et massive. Les deux autres billots s'animèrent de la
150 même façon monstrueuse. Maintenant, trois rhinocéros épiaient la voiture sans bouger. Alors Bullit se mit à tourner autour des trois têtes. Et, à chaque tour, il réduisait un peu le cercle.

Le premier des monstres se releva pesamment. Puis le second, puis le dernier. Ils s'accotèrent croupe contre croupe, le corps
155 orienté chacun dans une direction différente. Ils étaient d'une matière si brute et d'une forme si primitive qu'ils semblaient faits de blocs grisâtres, fendillés de crevasses, taillés et ajustés au hasard, dans les derniers instants de la création.

Les rhinocéros tournaient leur tête horrible et cornue en
160 tous sens. Leurs yeux étroits et obliques entre de lourds plis de peau ne nous quittaient plus.

J'entendis Patricia chuchoter :

– Vous ne reconnaissez pas le plus large ? Avec la grande cicatrice au dos ? Je vous l'ai montré à l'abreuvoir.
165 C'était vrai. Mais je n'eus pas le loisir d'y penser davantage. Bullit avait rétréci encore le rayon de sa ronde autour du groupe d'apocalypse [3]. Les naseaux énormes laissèrent échapper un hissement long, tenace, sinistre. La distance entre les rhinocéros et nous s'amenuisait toujours.

---

1. **Billots** : tronçons de bois gros et courts dont le sommet est plat.
2. **Équarrie** : taillée.
3. **D'apocalypse** : relatif à la fin du monde, en référence au dernier livre du Nouveau Testament dans lequel on trouve de nombreux monstres.

170 – Regardez notre ami ! cria Patricia. C'est le plus méchant, le plus courageux ! Il va charger.

Sa voix retentissait encore que la bête fonça.

La stupeur m'interdit tout autre sentiment. Je n'aurais jamais cru qu'une telle masse et portée par des pattes si courtes et dif-
175 formes fût capable de cette détente subite et de cette vélocité [1]. Mais Bullit était sur ses gardes. Il donna le coup d'accélérateur et le coup de volant qu'il fallait. Pourtant, la bête lancée comme par une catapulte [2] manqua de si près notre voiture découverte que j'entendis son chuintement [3] furieux. Eus-je peur alors ? Comment
180 le saurais-je ? Tout était si rapide et mouvant et saccadé. Les deux autres rhinocéros chargèrent à leur tour. Entre ces fronts baissés de monstres, la Land Rover virait sur une aile, reculait, tournoyait, bondissait. Une défaillance du moteur, une fausse manœuvre et nous étions transpercés, éventrés, empalés [4] par les cornes
185 tranchantes. Mais Bullit menait le jeu avec tant d'assurance ! Les rangers hurlaient avec tant d'allégresse ! Et Patricia riait si bien, de ce rire merveilleux, cristallin, qui, dans les cirques, monte des travées d'enfants comme un carillon [5] de joie…

Les bêtes se fatiguèrent plus vite que la machine. L'un après
190 l'autre, les rhinocéros abandonnèrent l'attaque. Ils se massèrent en un seul bloc, les flancs soulevés par des halètements colossaux sur leurs énormes pattes qui tremblaient, mais les cornes toujours dardées vers nous.

– À bientôt, les copains ! cria Bullit.
195 Quand il quitta la prairie des rhinocéros, sa voix et sa figure étaient beaucoup plus jeunes, plus saines qu'à l'ordinaire. Il sortait rafraîchi de ces dangers que son audace avait voulus et son adresse dominés. C'était, pensai-je, une exigence de nature

---

1. Vélocité : rapidité.
2. Catapulte : machine servant à lancer de lourds projectiles.
3. Chuintement : bruit continu et assourdi. Sifflement.
4. Empalés : traversés par un objet pointu. Ici, par les cornes.
5. Carillon : série de cloches.

sur laquelle le temps ne pouvait rien. Il fallait que le maître
200 du Parc royal l'exauçât comme l'avait fait Bull Bullit. La seule
différence était que maintenant il se servait d'une voiture tout
terrain au lieu de fusil.

Je demandai à mon compagnon :

– Vous n'emportez jamais d'arme ?

205 – Je n'en possède plus, dit Bullit.

Je me rappelai que la maison de ce chasseur professionnel
ne contenait ni une carabine ni un trophée [1].

– Cela m'est interdit, reprit doucement Bullit.

Il enleva une main du volant et caressa les cheveux légers
210 de sa fille. Patricia, alors, étendit son bras dans un mouvement
impulsif, passionné, plongea ses doigts dans la toison rouge de
son père (je ne pus m'empêcher de songer qu'elle agrippait
de la même façon la crinière de King), attira la tête de Bullit
jusqu'à elle et frotta sa joue contre la sienne. La même intensité
215 de bonheur était sur leurs deux visages.

La voiture roulait lentement et comme au hasard. De nouveau,
tout autour, se multipliaient antilopes, zèbres, autruches et buffles.
Plusieurs fois, Patricia quitta la voiture pour aller chez les bêtes. À
la distance qui nous séparait de la petite fille, sa silhouette d'une
220 couleur tendre (elle portait ce matin-là une salopette d'un bleu
délavé) paraissait presque immatérielle [2]. On acceptait comme
une évidence qu'elle glissât parmi les animaux sauvages sans
éveiller crainte, inquiétude ou même surprise.

Elle s'attarda surtout dans un creux où des infiltrations souter-
225 raines rendaient l'herbe plus verte et plus molle et où quelques
arbres portaient, au lieu d'épines, des feuilles fragiles. Les animaux y étaient plus nombreux, plus heureux. De l'éminence
où Bullit avait arrêté la voiture, nous pouvions observer chaque
mouvement de la petite fille, et chaque mouvement des bêtes.

---

1. Trophée : souvenir de combats où l'on a vaincu.
2. Immatérielle : qui n'a pas de corps, tel un esprit.

230 Seules l'aisance et l'innocence qu'elles avaient pour accueillir
Patricia pouvaient se mesurer à l'innocence et à l'aisance que
Patricia montrait pour se mêler à elles. Des antilopes venaient
effleurer son épaule de leur museau. Des buffles la reniflaient
amicalement. Un zèbre s'obstinait à caracoler [1] autour d'elle et
235 à lui faire des grâces. Patricia parlait à tous.

– Elle sait les maîtres mots, me dit Bullit à mi-voix.

– En quelle langue ? demandai-je.

– Celle des Wakamba et des Jalluo, des Kipsigui et des Sambourou
et des Masaï, dit Bullit. Elle les tient de Kihoro et des rangers et
240 des sorciers ambulants qui passent dans le village nègre.

– Vous y croyez vraiment ? demandai-je encore.

– Je suis un Blanc et un chrétien, dit Bullit. Mais j'ai vu des
choses…

Il hocha la tête et murmura :

245 – En tout cas, pour la petite, c'est une certitude. Elle parlerait
de même avec les éléphants, les rhinocéros.

Peut-être avaient-ils raison tous les deux. Ce domaine m'était
inconnu. Mais depuis la matinée que je venais de passer avec
Bullit et Patricia, ma certitude était que l'essence [2] de son pouvoir,
250 la petite fille le tenait d'un tout-puissant instinct héréditaire [3]
et des leçons que son père avait recueillies en vingt années de
brousse. Il lui avait fait connaître, comme autant de contes et de
berceuses la vie et les humeurs des animaux sauvages et l'expérience de mille affûts, de mille poursuites, et l'odeur des futaies,
255 des savanes, des tanières. Et il avait personnifié [4] pour Patricia,
dès sa naissance, les grands fauves et les monstres du Parc royal
et, en même temps, le maître de ces monstres.

Bullit suivait d'un regard ébloui, bienheureux, sa fille si petite
et si frêle glissant parmi les troupeaux de brousse. Pouvait-il se

---

1. **Caracoler** : sautiller.
2. **L'essence** : le secret, l'essentiel.
3. **Héréditaire** : qui vient des parents.
4. **Personnifié** : représenté.

260 douter que le doux empire [1] exercé par Patricia sur toutes les bêtes était devenu le seul moyen, le seul pouvoir qui lui restât (puisqu'il avait renoncé au meurtre) de posséder encore, par une étrange délégation [2] du sang, le grand peuple libre et merveilleux auquel il avait lié sa vie ?

265 Il n'y avait pas d'entente, il n'y avait pas de tendresse qui pouvaient se comparer à celles qui existaient entre Patricia et Bullit. Leur génie avait chacun une part différente et nécessaire dans une alliance aussi naturelle et précieuse pour eux que le souffle.

270 Cela explique la rencontre que nous fîmes peu après. Quand une exigence primordiale veut s'accomplir, elle ne laisse pas de place au hasard.

---

1. Empire : pouvoir, domination.
2. Délégation : ici, transmission.

Chapitre 9

Non, en vérité, ce ne fut pas le hasard.

Bullit savait bien – puisqu'il me l'avait lui-même raconté – que King flairait à des milles de distance sa voiture et comment il accourait pour l'accueillir. Et Bullit devait bien savoir – puisque c'était son métier – quels étaient selon les pluies, les sécheresses et les saisons étales les gîtes du grand lion rendu à la brousse.

Je remarquai d'ailleurs, au moment où nous abordions une très longue savane, que Bullit haussait la tête de façon à regarder par-dessus le pare-brise et que, sous les sourcils rouges et hirsutes, ses yeux de chasseur, habitués à déceler le moindre détail, se fixaient avec une attention soutenue sur la lointaine lisière d'une futaie qui fermait la prairie d'herbe sèche. Et puis, il sourit. Et puis il toucha légèrement du coude le bras de Patricia. Alors je vis, du fond de la savane, jaillir et dévaler vers nous une tache, une boule, une bête fauve.

– King! cria Patricia. Oh! père, c'est vraiment King!

Bullit riait doucement. Il était dans l'ordre des choses que cette matinée d'amitié parfaite entre Patricia et lui s'achevât par la plus belle surprise qu'il pût faire à sa fille.

– Quand avez-vous su qu'il habite ce coin? s'écria Patricia.

– Hier seulement, dit Bullit. J'avais mis trois rangers à ses trousses depuis qu'il a déménagé. Et hier, Maïna, le Kipsigui (Bullit se tourna un instant vers le plus jeune des gardes noirs installés à l'arrière de la voiture), est venu m'avertir.

Bullit mit son bras pesant autour du cou de la petite fille.

– J'ai voulu vérifier avec toi, dit-il.

– King, King! cria Patricia en se dressant sur la banquette.

Le grand lion arrivait à pleine charge, la crinière étalée au vent et il grondait de joie. Il allait atteindre la voiture, mais
30 Patricia commanda :

– Père, faites-le courir encore. Le plus vite qu'il peut. Il est si beau, alors!

Bullit, d'un rude coup de volant, obliqua de manière à ne plus avoir le lion de face mais de côté. Et il poussa la Land Rover
35 à l'allure qu'il fallait pour ne pas distancer King, et assez rapide cependant pour l'obliger à fournir tout son effort et donner tout son souffle. Et King se mit à nous suivre à grands bonds, exactement comme l'eût fait un chien, mais un chien de fin du monde et il jappait[1] d'allégresse, mais ses abois faisaient
40 trembler la brousse.

Nous fîmes ainsi deux fois, trois fois le tour de la grande savane. On voyait à l'horizon fuir des bêtes épouvantées et au-dessus de nous, trompés par ce jeu qui avait toutes les apparences, tous les bruits d'une chasse à mort, les vols des vautours[2] se rassem-
45 blaient dans le soleil.

King bondissait et rugissait toujours, mais l'écume lui venait aux commissures des babines. Patricia se rassit et mit sa main sur une des mains de Bullit. Ils semblaient piloter ensemble. La voiture ralentit, s'arrêta.
50 Aussitôt King fut contre elle, debout, et ses pattes de devant sur les épaules de Bullit. Avec un rauque halètement de fatigue et de joie, il frotta son mufle contre le visage de l'homme qui avait abrité son enfance. Crinière et cheveux roux ne firent qu'une toison.

---

1. Jappait : poussait des cris, aboyait.
2. Vautours : rapaces de grande taille au bec crochu, qui se nourrissent de charognes (corps morts).

55 — Est-ce que vraiment on ne croirait pas deux lions? dit Patricia.

Elle avait parlé dans un souffle, mais King avait entendu sa voix. Il étendit une patte, en glissa le bout renflé [1] et sensible comme une éponge énorme autour de la nuque de la petite
60 fille, attira sa tête contre celle de Bullit et leur lécha le visage d'un même coup de langue.

Puis il se laissa retomber à terre et ses yeux d'or examinèrent chacun de ceux qui se trouvaient dans la voiture. Il nous connaissait tous : Kihoro, les *rangers* et moi-même. Alors, tran-
65 quille, il tourna son regard vers Bullit. Et Bullit savait ce que le lion attendait.

Il ouvrit lentement la portière, posa lentement ses pieds sur le sol, alla lentement à King. Il se planta devant lui et dit, en détachant les mots :
70 — Alors, garçon, tu veux voir qui est le plus fort? Comme dans le bon temps? C'est bien ça?

Et King avait les yeux fixés sur ceux de Bullit et comme il avait le gauche un peu plus rétréci et fendu que le droit, il semblait en cligner. Et il scandait [2] d'un grondement très léger chaque
75 phrase de Bullit. King comprenait.

— Allons, tiens-toi bien, mon garçon, cria soudain Bullit.

Il fonça sur King. Le lion se dressa de toute sa hauteur sur ses pattes arrière et avec ses pattes avant enlaça le cou de Bullit. Cette fois, il ne s'agissait pas d'une caresse. Le lion pesait sur
80 l'homme pour le renverser. Et l'homme faisait le même effort afin de jeter bas [3] le lion. Sous la fourrure et la peau de King, on voyait la force onduler en longs mouvements fauves. Sous les bras nus de Bullit, sur son cou dégagé saillaient [4] des muscles et des tendons d'athlète. Pesée contre pesée, balancement contre

---

1. **Renflé** : gonflé, arrondi.
2. **Scandait** : accentuait, ponctuait.
3. **Jeter bas** : faire tomber.
4. **Saillaient** : ressortaient.

85 balancement, ni Bullit ni King ne cédaient d'un pouce. Assurément, si le lion avait voulu employer toute sa puissance ou si
un accès de fureur avait soudain armé ses reins et son poitrail
de leur véritable pouvoir, Bullit, malgré ses étonnantes ressour-
ces physiques, eût été incapable d'y résister un instant. Mais
90 King savait – et d'une intelligence égale à celle de Bullit – qu'il
s'agissait d'un jeu. Et de même que Bullit, quelques instants
plus tôt avait poussé sa voiture à la limite seulement où King
pouvait la suivre, de même le grand lion usait de ses moyens
terribles juste dans la mesure où ils lui permettaient d'équilibrer
95 les efforts de Bullit.

Alors, Bullit changea de méthode. Il enveloppa de sa jambe
droite une des pattes de King et la tira en criant :

– Et de cette prise-là, qu'est-ce que tu en dis, mon fils ?

L'homme et le lion roulèrent ensemble. Il y eut entre eux une
100 mêlée confuse et toute sonore de rires et de grondements. Et
l'homme se retrouva étendu, les épaules à terre, sous le poitrail
du lion. Maintenant Bullit reprenait souffle et King attendait,
et son œil le plus étroit, le plus étiré semblait le moquer doucement. Soudain, d'une seule torsion, Bullit se plaqua face au
105 sol, ramena les genoux sous son ventre, prit appui sur les deux
paumes, arqua le dos et, secousse par secousse, il souleva dans un
effort herculéen [1] le grand lion du Kilimandjaro qui, les pattes
ballantes, se laissait faire.

– Hourra, père ! Hourra pour vous ! criait Patricia.
110 Les deux rangers battaient des mains.

Seul Kihoro demeurait silencieux. Et même, il s'était détourné
du spectacle pour scruter de son œil unique, avec un singulier
entêtement, les fourrés minces et longs qui s'avançaient à la
lisière en forme de triangle.

115 Mais comment Bullit eût-il remarqué cela ? Il avait fait glisser
King de son dos et, la tête renversée, offerte au soleil, il faisait

---

1. Herculéen : digne d'Hercule (héros romain à la force colossale), monumental.

mouvoir ses épaules, étirait les bras, creusait les reins. Chacun
de ses muscles devait souffrir, chacune de ses jointures était
sans doute meurtrie. Mais il riait de bonheur. Sa force et sa
120 violence se trouvaient enfin assouvies, couronnées sous les yeux
de sa fille.

– Bien joué, garçon, dit-il à King en le prenant par la crinière.

– À mon tour, cria Patricia.

125 Elle allait sauter de la voiture, mais la main noire et sèche
de Kihoro la retint. Au même instant, du triangle épineux que
le vieux trappeur borgne avait observé avec tant d'obstination,
un grondement s'éleva, suivi aussitôt par un autre. Et il était
impossible, même pour une oreille aussi peu habituée que la
130 mienne aux voix de la brousse, de se tromper sur leur message. Ce
n'étaient plus les rugissements débonnaires, amicaux ou joyeux
que King m'avait appris à connaître. C'était l'âpre [1] et rauque et
affreux roulement – et dont la menace arrête pour un instant
le cœur des hommes les plus braves – que forme la gorge des
135 fauves possédés jusqu'à la furie par le besoin de tuer.

Deux lionnes sortirent des buissons. Deux lionnes de haute
taille, de robe superbe et dont les queues allaient et venaient
d'un flanc à l'autre comme des fléaux et qui pointaient vers
King leurs gueules rugissantes.

140 Derrière elles accourut une petite troupe de lionceaux.

Si je compris tout de suite le sens véritable de cette scène,
ce fut – et uniquement – par l'expression qui saisit les traits de
Patricia. Ce visage si mobile, et sensible, était devenu inerte et
clos. Il semblait pris et comme déshonoré dans une souffrance
145 haineuse, vile [2] et malsaine. Un sentiment – et un seul – avait la
faculté d'enlaidir à ce point une figure : la jalousie portée à un
point extrême. Et Patricia ne pouvait être atteinte de ce mal et à ce

---

1. **Âpre** : rude, cruel, désagréable.
2. **Vile** : impure, sans dignité.

degré que pour une raison et une seule : les deux lionnes étaient les compagnes attitrées de King et le rappelaient à elles.

150 King le sut en même temps que Patricia. Ses yeux allèrent à Bullit, à la petite fille, aux lionnes en furie. Il secoua sa crinière. Il hésitait. Patricia entrouvrit la bouche. Le grand lion tourna la tête de son côté. Si elle l'avait retenu, il fût resté sans doute. Mais la fureur de l'orgueil brilla en cet instant dans les yeux de 155 Patricia. Elle ne proféra [1] pas un son. Alors, King s'en alla vers ses femelles qui le réclamaient. D'abord, et comme par politesse envers nous, d'une foulée lente et digne. Mais, à mesure qu'il s'éloignait, il allongea le pas. Enfin, il s'élança et rejoignit en quelques bonds lionnes et lionceaux. Ils s'enfoncèrent ensemble 160 dans les fourrés.

Bullit reprit le volant et mit en route le moteur. Il dit avec un sourire et un ton aussi maladroits l'un que l'autre :

– Eh bien, on s'est bien amusés, n'est-il pas vrai ?

La petite fille ne lui accorda pas une parole. Bullit lança la 165 voiture vers l'extrémité de la futaie située sur notre gauche.

– Nous serons vite arrivés, maintenant, me dit Bullit.

Il parlait comme un homme qui le fait uniquement pour s'empêcher de réfléchir. Il poursuivit :

– À la corne du bois s'amorce une bonne piste. En direction 170 sud. Je l'ai aménagée récemment. Un peu après, c'est la savane de la *manyatta* et un peu après le bungalow, et, tout de suite après, whisky.

La lisière, maintenant, était derrière nous, Bullit poussa un profond soupir de soulagement. Mais comme il allait prendre 175 la piste dont il avait parlé, Patricia lui saisit le poignet.

– Arrêtez là, dit-elle.

Bullit la considéra sans comprendre. Elle cria :

– Arrêtez, vous dis-je. Ou je saute en marche.

---

1. **Proféra** : articula, prononça.

Patricia tâchait de contrôler sa voix. Mais cette voix avait une
180 intonation presque hystérique et qui me fit frémir : c'était le
timbre de Sybil aux approches d'une crise nerveuse.

Bullit avait obéi. La petite fille fut au sol sans même ouvrir la
portière. Bullit ébaucha un mouvement.

– Non, dit Patricia, avec la même inflexion morbide [1]. Je ne
185 veux personne. Je n'ai besoin de personne pour me défendre
dans ce Parc.

Ses yeux fiévreux rencontrèrent les miens. Elle ajouta alors,
comme à demi consciente, et sans qu'il fût possible de savoir si le
sentiment qui l'inspirait était de dédain ou une vague amitié :
190 – Vous… Bien sûr… Si vous y tenez.

– Oui, oui, murmura Bullit.

Je quittai la voiture. Patricia dit à son père :

– Allez-vous-en.

Bullit mit la Land Rover en marche. Patricia s'engagea dans
195 le bois d'épineux. Avant de la suivre, je me retournai à temps
pour apercevoir un corps noir, au bassin difforme, tomber sans
bruit de la voiture et s'aplatir aussitôt sur le sol.

Les troncs d'arbres étaient serrés. Dans les intervalles
poussaient des buissons chargés de ronces. Ils retardaient la
200 marche de Patricia. J'en fus heureux. Kihoro aurait le temps de
glisser ou ramper, invisible, sur nos pas.

Mais bientôt Patricia sortit de l'abri de la futaie et longea
rapidement sa lisière. Quand nous fûmes en vue des fourrés
disposés en triangle qui servaient de tanière à la tribu des fauves,
205 elle me dit :

– Rentrez dans le bois. Les lions n'aiment pas attaquer entre
les arbres aussi rapprochés. Et quand ils le font, ils sont maladroits. Allez vite. Je veux être tranquille.

---

1. **Morbide** : maladive, malsaine.

Patricia se mit à courir à l'orée [1] de la savane et ne s'arrêta
210 qu'en terrain découvert. Le soleil donnait à plein sur son visage.
Et son visage regardait à plein le triangle de buissons épineux.

La petite fille porta à ses lèvres une main pliée en forme de
cornet et poussa cette modulation singulière par laquelle j'avais
entendu Kihoro appeler King.

215 À l'intérieur du triangle, deux rugissements brefs éclatèrent
et les deux lionnes sortirent des buissons, le poil hérissé, les crocs
avides. La distance qui les séparait de Patricia, elles pouvaient,
elles allaient la franchir d'un saut. Que faisait Kihoro ?
Qu'attendait-il ?

220 Mais un autre rugissement retentit, si puissant qu'il couvrit
tous les sons de la savane et un bond prodigieux enleva King
par-dessus les fourrés et le porta là où il l'avait voulu : juste
entre ses femelles enragées et Patricia.

La plus grande, la plus belle des lionnes et la plus hardie fit
225 un saut de côté pour contourner le flanc de King. Il se jeta sur
elle et la renversa d'un coup d'épaule. Elle se releva d'un élan et
revint à la charge. King lui barra encore le chemin et, cette fois,
sa patte, toutes griffes dehors, s'abattit sur la nuque de la grande
lionne, lacéra la peau et la chair. Le sang jaillit sur le pelage fauve.
230 La bête blessée hurla de douleur et d'humiliation, recula. King,
grondant, la poussa davantage et, pas à pas, la força de regagner
l'abri des buissons où l'autre lionne était déjà terrée [2].

La modulation d'appel s'éleva de nouveau dans l'air brûlant de
la savane. King s'approcha de Patricia qui n'avait pas bougé.

235 Elle frissonnait légèrement. Je le vis quand elle leva une
main et la posa contre le mufle de King, entre les yeux d'or.
Le tremblement cessa. Les ongles de la petite fille remuèrent
doucement sur la peau du lion. Alors King se coucha et Patricia
s'étendit au creux de son ventre, embrassée par ses pattes. Elle

---

1. Orée : lisière, bordure.
2. Terrée : cachée.

240 passa un doigt sur celle qui portait des traces toutes fraîches de
sang. Et son regard défiait la haie d'épineux derrière laquelle
gémissaient sourdement les femelles de King, maîtrisées, hon-
teuses et battues.

Ensuite, même ces plaintes rauques se turent. Les lionnes
245 s'étaient résignées. Le silence écrasant de midi régna d'un seul
coup sur la savane.

Je suis certain que sans la soudaineté et la plénitude du silence,
je n'aurais pas été capable de percevoir le son qui m'alerta. Faible,
ténu et presque imperceptible, c'était un tintement, un frôle-
250 ment de métal contre le tronc d'un arbre. Je me penchai entre
les buissons pour voir d'où venait ce bruit si léger. Dans la clarté
diffuse [1] du sous-bois brillait confusément un fer de lance. Sa
pointe était appuyée à un grand épineux. Contre cette même
écorce je vis un casque aux tons de cuivre. C'était la chevelure
255 d'Oriounga, le *morane*.

Son profil féroce et superbe tourné vers Patricia semblait,
tellement il était immobile, sculpté dans un marbre noir. Rien
en cet instant n'existait pour lui, que cette petite fille blanche
embrassée par un lion. Sa lance lui avait échappé des mains et
260 il se montrait à découvert sans souci d'être vu.

Patricia reposait contre le poitrail de King.

---

1. **Diffuse** : répandue dans toutes les directions, floue.

Arrêt sur lecture 3

Un quiz pour commencer

Cochez les bonnes réponses.

❶ Quelle est la véritable raison pour laquelle le narrateur est resté au Parc ?

☐ Il désire étudier les mœurs des Masaï.

☐ Il souhaite poursuivre son amitié avec Patricia et Bullit.

☐ Il veut rencontrer le lion.

❷ Quelle est l'invitation que porte Patricia au narrateur le lendemain de la cérémonie du thé ?

☐ Elle l'invite à faire un safari.

☐ Elle l'invite à dîner le soir même chez ses parents.

☐ Elle l'invite à assister à un spectacle.

❸ Où Patricia entraîne-t-elle le narrateur dans l'après-midi ?

☐ Au village masaï.

☐ Elle l'emmène faire une visite du Parc hors itinéraire touristique.

☐ Elle va lui présenter King.

❹ *Quelle surprise attend le narrateur lors du dîner chez les Bullit ?*
- ❏ Bullit raconte ses anciennes aventures de chasse.
- ❏ Sybil est redevenue calme et affectueuse à l'égard de King.
- ❏ Patricia se conduit à nouveau en petite sauvageonne.

❺ *Comment les Masaï construisent-ils leur village provisoire ?*
- ❏ Ils utilisent de la bouse de vache pour bâtir les murs.
- ❏ Ils montent des tentes.
- ❏ Ils construisent des huttes à l'aide de branchages.

❻ *Quelle est la nourriture ordinaire des Masaï ?*
- ❏ Ils cueillent les fruits de la savane.
- ❏ Ils tirent du sang et du lait de leurs vaches.
- ❏ Ils sacrifient parfois une des bêtes de leur troupeau et la mangent.

❼ *Au chapitre 7, quel problème les Masaï ont-ils causé au village ?*
- ❏ Ils effraient les autres tribus.
- ❏ Ils chassent le lion.
- ❏ Ils ont volé des vaches.

❽ *Qu'a aperçu le narrateur lors du triomphe de Patricia sur les lionnes, et qu'elle n'a pas vu ?*
- ❏ Un guépard aux aguets.
- ❏ Le *morane* Oriounga qui guette l'étreinte entre Patricia et King.
- ❏ Bullit se cachant derrière des buissons d'épineux.

Des questions pour aller plus loin

👉 Comprendre l'évolution de l'action

Initiation aux secrets de la brousse

❶ Au début de la seconde partie, le narrateur ne sait pas clairement pourquoi il est resté au Parc royal. Quel est son désir secret et qui le lui révèle ?

❷ L'attitude de Patricia dans les deux premiers chapitres de la seconde partie est-elle celle d'une enfant ? Pourquoi ?

❸ Qu'éprouve le narrateur à l'idée de rencontrer le lion ? Et au moment où il le rencontre ?

❹ Relevez les étapes de la rencontre du narrateur avec le lion. En quoi cette présentation ressemble-t-elle à une cérémonie orchestrée par Patricia ?

❺ Dans le portrait que le narrateur fait de King, a-t-on l'impression de faire la connaissance d'une bête sauvage ? Est-ce ainsi que vous imaginiez le lion ?

❻ Relevez tous les termes qui servent à décrire le lion. Quelles sont les caractéristiques qui dominent ?

Récit de l'enfance d'un lion : le bonheur perdu

❼ Comment et par qui King a-t-il été trouvé ?

❽ Qui s'est ensuite occupé de lui et de quelle manière ?

❾ Quel lien unit King à Patricia ?

❿ Quelle décision a dû prendre le père de Patricia quand King a grandi et pourquoi ?

⓫ Où a-t-on envoyé Patricia quand King a été renvoyé à la vie sauvage, et pourquoi ? Cet éloignement entre le lion et la petite fille a-t-il été couronné de succès ?

Jeux dangereux dans la brousse

⓬ Durant le circuit inédit en Land Rover qu'offre Bullit au narrateur au chapitre 8, comment est décrite la relation entre Patricia et son père ?

⓭ Quels jeux périlleux sont décrits lors de ce circuit ?

⓮ Quelle rencontre importante pour la suite de l'action Patricia fait-elle lors de la construction de la *manyatta* ?

⓯ Que révèle l'épisode des lionnes sur les sentiments éprouvés par Patricia pour son lion ?

Rappelez-vous !
Dans un récit comme *Le Lion*, les dialogues permettent de faire avancer l'action. Ils délivrent les informations nécessaires à la compréhension de l'intrigue et même parfois révèlent les secrets du passé des personnages.

De la lecture à l'écriture

Des mots pour mieux écrire

❶ *Complétez les phrases à l'aide des mots suivants, appartenant au lexique des bruits et des odeurs :* ululement, feutré, barrissement, strident, clandestin, effluves, sillage, fétide, fragrance.

a. Patricia, dans la brousse, parle d'une voix _____ que le narrateur qualifie de _____ .

b. Parfois des éléphants font entendre leurs _____ .

c. Des _____ mystérieux et nocturnes au son assez _____ peuvent donner la chair de poule.

d. Le _____ de Patricia est une _____ de lavande et de savon.

e. Des _____ désagréables se dégagent des constructions des Masaï. L'odeur _____ se répand aux alentours.

❷ *En vous aidant d'un dictionnaire, cherchez les antonymes des mots suivants :* rigueur, blême, bonhomie, massive, allégresse, dénuement, robustesse, humblement.

À vous d'écrire

❶ Écrivez un dialogue entre Patricia et sa mère où la petite fille raconte comment le narrateur a été présenté à King. Le dialogue accordera une plus longue prise de parole à Patricia et Sybil devra formuler des questions amenant des explications.

Consigne. Vous veillerez à introduire les répliques en respectant la présentation du dialogue (tirets, retours à la ligne lors du changement d'interlocuteur).

❷ Écrivez le récit de l'enfance de King fait par Bullit au narrateur. Il donnera son point de vue sur la manière dont sa fille s'est occupée du lionceau.

Consigne. Vous utiliserez la première personne du singulier et le passé composé.

Chapitre 10

L'après-midi approchait de sa fin.

– Courage, nous arrivons, dit Patricia gaiement.

En effet, j'apercevais le seul massif d'épineux que j'étais capable de reconnaître dans la Réserve et qui abritait les rares et légères constructions aménagées pour la vie des hommes. Il était temps. Mes muscles et mes nerfs n'en pouvaient plus. La marche qui nous avait ramenés de la lisière où King gîtait avec sa tribu avait duré près de quatre heures. Cette route interminable à travers ronces et fourrés, dans la chaleur et la poussière, Patricia l'avait faite sans effort. Tantôt elle allait devant moi en chantonnant, tantôt, comme pour me ranimer, elle me donnait la main. Son amitié pour moi avait pris plus de profondeur, de vérité et comme une nouvelle substance : j'avais été le témoin – et le seul, croyait-elle – de sa revanche, de son triomphe.

À intervalles réguliers, elle avait répété de la même voix exultante[1] :

– Vous avez vu ! Vous avez vu !

Le reste du temps, nous avions cheminé en silence. Patricia pensait à sa victoire et moi au *morane*.

Comment et pourquoi Oriounga s'était-il trouvé juste à l'instant et à l'endroit voulu pour surprendre Patricia dans son pari terrible ? Avait-il découvert par hasard la tanière de King (la *manyatta* n'en était pas très éloignée) en rôdant à travers le Parc

---

1. **Exultante** : pleine de joie, triomphante.

royal ? S'acharnait-il [1] depuis à guetter le grand fauve et à rêver
25 aux années encore si proches où une coutume immémoriale et
forte comme un mythe exigeait de tous les hommes Masaï qu'ils
fussent tueurs de lions ? Et que signifiait le regard inflexible et
brûlant qu'il avait tenu sur la petite fille tout le temps qu'elle
était restée entre les pattes de King lorsqu'elle lui avait fait ses
30 adieux ?

Patricia peut-être aurait pu répondre à mon souci. Mais elle
ne savait pas qu'Oriounga l'avait vue et je ne sais quelle crainte
voisine de l'effroi superstitieux m'interdisait de dissiper cette
ignorance.

35 — Eh bien, nous y voilà tout de même, dit Patricia en riant
avec gentillesse de mon visage harassé [2].

Nous avions atteint le village nègre. De là partaient deux
chemins divergents [3] : l'un conduisait au bungalow de Bullit,
l'autre, beaucoup plus bref, au camp des visiteurs où j'avais
40 ma hutte.

Patricia s'arrêta, indécise, au croisement des pistes. Elle inclina
légèrement la tête et se mit à tracer du bout de son soulier des
figures géométriques dans la poussière. Une étrange timidité
s'était emparée de ce visage et de ces yeux qui venaient d'affronter
45 sans peur deux lionnes en furie.

— Si vous n'êtes pas trop, trop fatigué, dit enfin la petite fille
à mi-voix, accompagnez-moi à la maison… Vous me ferez très
plaisir : si vous êtes là, maman ne se mettra pas en colère… Je
suis terriblement en retard.

50 Patricia releva le front et ajouta vivement :

— Ce n'est pas pour moi que je le demande, vous savez. C'est
pour elle. Ça lui fait très, très mal.

---

1. **S'acharnait-il** : continuait-il.
2. **Harassé** : épuisé.
3. **Divergents** : partant dans des directions différentes.

Mon influence avait-elle la valeur que lui accordait Patricia
ou Bullit avait-il inventé pour sa fille l'excuse convenable, je
l'ignore, mais nous fûmes accueillis par Sybil avec la meilleure
grâce du monde. Puis elle envoya Patricia sous la douche et, en
son absence, me dit :

– Je tiens beaucoup à vous parler en tête à tête.

– C'est plus facile chez moi, dis-je.

– Entendu, je passerai un de ces jours, dit Sybil en souriant.

Dans ma hutte, je m'abattis tout de suite sur le lit de camp.
Ce fut un mauvais sommeil, courbatu, fiévreux. Quand il cessa, la
nuit était complète. J'avais le cœur pesant et l'esprit tourmenté.
Je m'en voulais de prolonger un séjour qui ne servait plus à rien.
Ma curiosité avait été comblée au-delà de toute espérance. Je
savais tout de la vie de King et de ses rapports avec Patricia. Bien
plus, le grand lion était devenu pour moi un animal familier. Je
pouvais partir tranquille. Je le devais.

Mais le dénouement[1] ? pensai-je soudain. Il faut que j'assiste
au dénouement.

Je sautai du lit et arpentai[2] avec irritation la véranda obscure.

Pourquoi un dénouement ? Et lequel ?

M'attendais-je à voir Kihoro tirer sur Oriounga ? Ou le *morane*
percer de son javelot le vieux pisteur borgne ? Ou un rhinocéros
éventrer Bullit ? Ou King, oubliant tout à coup les règles du jeu,
déchirer Patricia ? Ou Sybil devenir folle ?

Toutes ces pensées étaient odieuses et absurdes à la fois. J'étais
en train de perdre tout sens commun. Il fallait quitter au plus
vite et ces lieux et ces bêtes et ces gens.

---

1. **Dénouement** : ce qui termine une aventure.
2. **Arpentai** : marchai de long en large, à grands pas.

Mais je sentis que je resterais dans le Parc royal jusqu'au dénouement car – et c'était une inexplicable certitude – il y aurait un dénouement.

J'allumai la lampe tempête et allai chercher une bouteille de whisky. J'en bus assez pour m'assoupir beaucoup plus tard.

Une toute petite patte veloutée souleva une de mes paupières. Je trouvai, assis au bord de mon oreiller, un singe qui avait la taille d'une noix de coco et portait un loup de satin noir sur le museau. Tout était comme à mon premier réveil dans la hutte du Parc royal : l'aube indécise, mes vêtements de brousse en tas au bout du lit, près de la lampe tempête que j'avais laissée brûler.

Et, ainsi que je l'avais fait alors, j'allai sur la véranda. Et j'y trouvai Cymbeline, la gazelle minuscule qui avait des dés pour sabots et pour cornes des aiguilles de pin. Et la brume cachait la grande clairière qui descendait jusqu'au grand abreuvoir.

Oui, je trouvai toutes choses semblables à la première fois. Mais à présent, elles étaient sans pouvoir sur moi. Nicolas et Cymbeline avaient perdu leur mystère de poésie. Je voyais à l'avance chaque détail du paysage que le brouillard allait découvrir. En bref, mes sentiments n'étaient qu'un assez pauvre décalque [1] de l'émerveillement que j'avais connu.

Mais l'aurore surgit d'un seul coup, prompte et glorieuse. La neige du Kilimandjaro devint un doux brasier. La brume se déchira en écharpes de fées, en poudre de diamant. L'eau étincela au fond de l'herbe. Les bêtes commencèrent à composer leur tapisserie vivante au pied de la grande montagne.

Alors cette beauté fut de nouveau toute fraîche, toute neuve pour mes yeux et telle qu'ils l'avaient découverte dans un matin sans précédent. La nature avait beau répéter éternellement ses miracles, elle ne perdait rien, elle, de sa splendeur et de son

---

1. Décalque : imitation, copie.

intégrité. Et le désir me revint de partager la liberté et l'innocence des troupeaux sauvages. Et il était tout aussi violent qu'à
mon arrivée en ces lieux, car, en quoi, véritablement, l'avais-je
115 satisfait?

Je m'habillai donc et suivis la bordure des grands épineux.
Il me semblait que je vivais un demi-rêve, que tout allait recommencer comme à l'aurore de mon premier jour en ces lieux.
Si bien que, parvenu à l'endroit où je devais quitter le couvert des
120 arbres, je m'arrêtai un instant pour écouter la voix de Patricia.

Sa voix dit en effet :
– N'allez pas plus loin, c'est défendu.

Mais justement parce que je l'avais pressenti, cet appel insonore, clandestin m'étonna, m'effraya beaucoup plus que le
125 matin où je l'avais entendu sans m'y attendre. C'était trop de
coïncidences. C'était une hallucination que j'avais moi-même
fabriquée.

Or, quand je me retournai, la petite fille en salopette grise,
aux cheveux coiffés en boule, s'appuyait contre le même arbre.
130 Seulement, cette fois, elle riait.

– C'est de la sorcellerie…, lui dis-je. Nicolas… Cymbeline…
Et vous maintenant.

Le rire silencieux de Patricia devint plus vif, plus intense.
La malice la plus charmante dansait au fond de ses yeux.
135 – Je pensais bien que vous ne devineriez pas, dit-elle. Mais
c'est moi, voyons, qui les ai envoyés chez vous. Je savais bien que
cela vous ferait venir jusqu'ici.

Je ris sans bruit, comme elle. Puis avec elle, je regardai les bêtes.

Je reconnus, à la ravine [1] qui mutilait son dos, le rhinocéros
140 qui nous avait chargés… Je me disais que le petit zèbre qui
roulait dans la boue et l'herbe ses flancs rayés pouvait être le
frère du poulain dont les petits guépards avaient dépecé les

---

1. **Ravine** : petit ravin. Ici, cicatrice profonde.

restes. Et voyant paître les buffles, je pensai à celui qui, dans sa course suprême [1], avait emporté King accroché à son garrot.

145 Et bien d'autres pensées, d'autres associations d'images me venaient à l'esprit. Je les confiais à Patricia. Elle approuvait, corrigeait, expliquait.

Soudain, elle me dit très sérieusement :

– Je me demande ce que vous faites en général dans la vie.

150 – Je voyage… je regarde, lui dis-je. C'est très amusant.

– Assurément, dit Patricia. Mais c'est tout ?

– Non… Après, j'écris.

– Quoi ?

– Ce que j'ai vu en voyage.

155 – Pourquoi ?

– Pour les gens qui ne peuvent pas voyager.

– Je comprends, dit Patricia.

Une ride se creusa entre les sourcils de la petite fille. Elle me demanda en indiquant les bêtes.

160 – Vous allez écrire sur elles ?

– Je ne crois pas, dis-je.

– Vous aurez raison. Vous ne sauriez pas, dit la petite fille.

– Je l'avais bien compris.

– Pourquoi ?

165 – À cause de vous.

Patricia eut un petit rire amical et me prit la main.

– Il faudra, dit-elle, revenir chez nous, souvent, longtemps… Alors, peut-être…

Elle rit encore et ajouta :

170 – Il est temps que j'aille parler à mes amis. Attendez-moi.

La silhouette mince et frêle et grise fila entre les hautes herbes, les buissons, les larges flaques pour chuchoter les maîtres mots aux bêtes du Kilimandjaro.

---

1. **Suprême** : ultime.

Je m'appuyai contre un arbre et fixai mes yeux sur le sommet
175 de la montagne et ses neiges couleur d'aurore.

Après quelques instants de rêverie, je ramenai mon regard
au sol pour y chercher Patricia. Je l'aperçus aisément. Elle
n'avait pas encore rejoint le gros des bêtes. Et puis, je faillis crier
d'épouvante : sur les pas de la petite fille, une forme sombre
180 et mince se déplaçait rapidement au ras des herbes, précédée
par une tête triangulaire et plate qui brillait au soleil. Est-ce que
les charmes de Patricia s'étendaient aux reptiles ? Et Kihoro –
fût-il le meilleur tireur du monde – pouvait-il toucher cette cible
ondoyante, furtive ? J'étais prêt à céder à la panique, à héler
185 le trappeur borgne, à courir vers Patricia… que sais-je. Mais la
petite fille s'arrêta auprès d'une gazelle et la forme noire se
redressa lentement. Elle devint alors un corps d'homme, nu et
beau, muni d'une lance et couronné d'une chevelure profilée
comme un casque et qui avait la couleur de l'argile.

190 Je criai :

– Patricia, prenez garde ! Oriounga !

Est-ce que la voix m'avait manqué ? Est-ce que le vent était
contraire ? Mon avertissement n'atteignit pas la petite fille. Il ne
réussit qu'à effaroucher une bande d'antilopes, à faire galoper
195 quelques zèbres qui passaient près de moi. Et déjà il était trop
tard. Le *morane* avait rejoint Patricia.

Je retins ma respiration. Mais il n'arriva rien. Simplement
Oriounga et la petite fille continuèrent leur chemin ensemble.
Oriounga, aussi, était habitué aux bêtes sauvages et peut-être
200 possédait-il également les maîtres mots.

Le soleil était beaucoup plus haut et plus chaud dans le ciel
quand Patricia revint, seule. Elle me demanda en riant :

– Vous avez vu le *morane* ?

– Oui (et ma gorge était sèche). Eh bien ?

205 – Il a passé la nuit aux environs de notre bungalow, dans le
bois, à guetter que je sorte, dit Patricia.

– Pourquoi ?

– Pour être sûr de me suivre et de me parler, dit Patricia.

– Qu'est-ce qu'il voulait?

210 – Savoir si je suis la fille du grand lion ou bien une sorcière, dit Patricia qui riait de nouveau.

– Et vous lui avez répondu?

– Qu'il devine, dit Patricia.

Elle me considéra en clignant de l'œil et dit :

215 – Vous le saviez, vous, qu'il se cachait hier, près de la maison de King, et qu'il a vu toute l'histoire avec les lionnes?

– C'est vrai, dis-je.

– Pourquoi ne m'avez-vous pas prévenue? demanda la petite fille.

220 Je ne répondis pas. Patricia cligna de l'autre œil.

– Oh! je le sais, dit-elle. Vous avez peur de lui pour moi. Mais vous avez tort. Il ne peut rien. Je suis une femme blanche.

Elle se plia tout à coup en deux sous l'afflux d'un rire étouffant et d'autant plus difficile à supporter qu'il devait, à cause 225 des bêtes, demeurer silencieux. Quand Patricia l'eut maîtrisé, elle reprit :

– Il m'a demandée en mariage.

– Et alors? dis-je.

– Alors, dit Patricia, je lui ai conseillé d'en parler à King.

230 – Je ne voulus pas admettre dans ma conscience tout ce que ses paroles impliquaient et dis :

– Je ne comprends pas.

– C'est pourtant bien simple, répliqua la petite fille. J'ai raconté au *morane* l'endroit où je vois King chaque jour. Et 235 je lui ai dit qu'il n'oserait pas venir là sans armes. (Patricia hocha gravement la tête.) King déteste les Noirs qui portent des lances. Il sait peut-être que ses parents ont été tués par des hommes comme eux.

– Mais vous m'avez dit vous-même que les Masaï étaient fous 240 d'orgueil? m'écriai-je.

– Eh bien ? demanda la petite fille avec une ingénuité [1] parfaitement jouée.

– Oriounga ne peut pas manquer de venir, maintenant.

– Vous croyez ? dit Patricia.

245 Sa voix gardait la même innocence, mais elle cligna des deux yeux, presque à la fois.

Et Oriounga vint.

À peine étions-nous installés sous l'arbre aux longues branches en compagnie de King – il me traitait maintenant en 250 vieil ami – que le *morane* se détacha d'un fourré où sans doute il guettait depuis longtemps et marcha vers nous. Il n'avait rien sur lui que la pièce d'étoffe grise jetée sur une épaule qui, à chaque foulée, découvrait tout son corps.

Le grand lion gronda sourdement. Ses yeux jaunes se fixèrent 255 avec hostilité sur Oriounga. Il n'aimait pas ce Noir inconnu à la rouge chevelure qui approchait avec arrogance et le défiait du regard.

King tourna la tête vers Patricia pour lui demander conseil.

– Reste assis, dit la petite fille.

260 King continua de gronder mais ne bougea point.

Oriounga entra dans l'ombre des branches, passa si près du lion qu'il lui effleura le mufle d'un pan de son étoffe flottante et alla s'adosser contre le tronc de l'arbre.

Patricia se leva et King avec elle. Mais comme la petite fille 265 tenait sa main posée sur la nuque énorme, le lion se laissa conduire lentement vers le *morane.* Patricia et King s'arrêtèrent à trois pas de lui.

Il les considérait, parfaitement immobile, le cou droit, la tête haute sous le casque de cheveux et d'argile. La gueule de King 270 s'ouvrit. Les crocs brillèrent. L'une de ses pattes de devant où

---

1. **Ingénuité** : ignorance, naïveté.

les griffes avaient surgi labourait le sol. Oriounga sourit avec dédain.

Alors, ainsi qu'elle l'avait fait pour moi, Patricia lâcha King contre le *morane* et le retint, le lâcha de nouveau et le retint encore. Mais aujourd'hui, ce n'était pas seulement pour satisfaire la petite fille que le lion prenait son élan et rugissait. C'était pour son propre compte. Il haïssait Oriounga de tout son instinct. On eût dit qu'il flairait dans l'homme adossé à l'arbre toute une race qui, depuis toujours, s'était contre la sienne acharnée. Et Patricia devait user de tout son empire sur King pour maîtriser sa fureur.

Durant ces assauts répétés, suspendus et repris, où la gueule de King n'était qu'à un pouce de la gorge offerte, et où le *morane* sentait la chaleur du souffle léonin [1], pas un muscle ne tressaillit sur le sombre corps d'athlète et d'éphèbe, pas une fibre ne remua sur le visage hautain.

Est-ce que Oriounga était certain de se voir protégé jusqu'au bout par la petite fille blanche ? Était-ce la bravoure d'un orgueil insensé ? Ou l'orgueil d'une bravoure sans défaut ? Ou bien encore et, en vérité, était-ce, par-delà le raisonnement, la bravoure et l'orgueil, une fidélité obscure et toute-puissante aux mythes de la tribu, aux ombres [2] innombrables et sans âge de tous les *moranes* du peuple masaï, tour à tour victimes et tueurs de lions ?

Je ne pouvais détacher mon regard d'Oriounga et j'avais peur. Mais non pas pour lui. Après ce que j'avais vu du pouvoir de Patricia, j'avais le sentiment que, dans le domaine des bêtes sauvages, tout lui était possible et permis. Mais les bêtes ne suffisaient plus à son jeu, je le voyais bien. La petite fille éprouvait le besoin d'y mêler les hommes afin d'étendre sa puissance dans le même instant sur deux règnes interdits l'un à l'autre.

Soudain, Oriounga leva le bras droit et parla rudement.

---

1. Souffle léonin : souffle du lion.
2. Ombres : ancêtres morts.

– Il veut s'en aller, dit Patricia, parce qu'il ne veut pas servir de jouet – même à un lion.

Oriounga passa devant King hérissé et grondant que Patricia retenait de toutes ses forces par la crinière et s'éloigna de son pas nonchalant et ailé. Arrivé à la limite de l'ombre portée par les longues branches, il se retourna et parla encore.

– La prochaine fois, il aura sa lance, me dit Patricia.

Le *morane* avait disparu depuis longtemps dans la brousse que le grand lion tremblait encore de fureur. Patricia s'étendit entre ses pattes, contre son poitrail. Alors seulement il se calma.

Chapitre 11

Le même jour, vers le milieu de l'après-midi, Sybil arriva dans ma hutte, à l'improviste. Elle m'avait bien dit qu'elle viendrait chez moi pour un entretien où nous serions seuls. Mais j'avais pensé qu'elle me ferait prévenir à l'avance de sa visite. Ce manquement
5 aux conventions me surprit moins toutefois que le comportement de la jeune femme. Elle était simple, calme et gaie et ne portait pas ses affreuses lunettes noires.

Je m'excusai de ne pas avoir de thé à lui offrir sur-le-champ. Je n'en prenais que le matin et tiré d'une bouteille Thermos.
10 – Mais je vais appeler un boy ou Bogo, dis-je à Sybil.

Elle m'interrompit avec bonne humeur.

– Vous préférez le whisky, n'est-ce pas, à cette heure ? Eh bien à la vérité, moi, c'est le gin avec un peu de lime [1].

J'étais encore riche en alcools et en ingrédients qui les accom-
15 pagnent. Je les posai sur la table de la véranda et remplis les verres.

– Quand je pense, dit Sybil, à la corvée que je vous ai infligée pour votre premier soir ici, par seul besoin de montrer notre argenterie et notre vaisselle.
20 Elle eut un sourire un peu ironique et un peu triste et dit encore :

– Par moments, on se raccroche à n'importe quoi.

---

1. Lime : fruit au jus acide, qui ressemble au citron vert.

Je n'osais plus regarder Sybil en face. Je craignais de lui montrer combien j'avais de peine à croire à tant de naturel de
25 sa part et de lucidité [1].

Elle but une gorgée de son breuvage et reprit à mi-voix :

– C'est vraiment bon… Trop bon… Trop facile… Il n'y a qu'à voir certaines femmes de colons ou même de Nairobi. Et j'ai les nerfs déjà assez malades.

30 Elle fixa un instant sur les miens ses yeux devenus très beaux et dit avec une simplicité et une émotion singulières :

– Vous nous avez fait à tous un bien immense. Regardez John, regardez la petite… Voyez comme je suis moi-même.

La franchise de Sybil était contagieuse.

35 – Croyez-vous vraiment que mon mérite personnel soit en cause ? lui demandai-je. Vous aviez besoin tout simplement de parler à quelqu'un qui ne fût pas engagé dans vos problèmes de famille.

– C'est juste, dit Sybil. Nous ne pouvons plus parler entre
40 nous des choses qui importent.

Elle inclina la tête. Elle abaissa presque complètement ses paupières. Mais elle n'hésita pas à s'ouvrir davantage encore. Il semblait qu'elle voulût profiter d'une dernière chance. Elle dit :

45 – Ce n'est pas par manque d'amour. Au contraire. C'est par excès.

Pour me regarder en face, la jeune femme releva son visage. Il exprimait en cet instant une résolution et un courage désespérés. La résolution, à tout prix, de voir clair en soi et autour de soi et
50 le courage de dire ce qui a été vu.

– Vous comprenez, reprit Sybil, nous nous aimons assez pour sentir à l'extrême le mal que chacun de nous fait aux autres et nous ne pouvons pas le supporter. Alors, chacun veut, chacun doit rejeter la faute sur les autres.

––––––––––––––

1. Lucidité : clairvoyance, conscience.

55 Les traits de Sybil s'étaient creusés, crispés, mais son calme
et sa fermeté demeuraient les mêmes. Elle continua d'une voix
égale.

– Moi, je me dis que John est une brute insensible à tout
sauf à ses bêtes et qu'il se moque bien de l'avenir et du bonheur
60 de Patricia… Et John se dit (Sybil eut un sourire très doux et très
beau) – oh! bien rarement et bien timidement, j'en suis sûre –
mais tout de même, il se dit que je suis une névrosée [1] des villes,
que je ne comprends rien à la grandeur de la brousse et que, par
snobisme [2] et hystérie, je veux faire le malheur de Patricia. Et la
65 petite se persuade que je préfère la voir mourir à Nairobi plutôt
qu'heureuse ici, avec son lion. Et si son père essaie de lui faire
entendre un mot de raison, elle est sûre que c'est uniquement
pour prendre mon parti et nous déteste ensemble. Et quand
John, le malheureux, veut ménager sa fille, je les accuse de se
70 liguer contre moi.

Sybil croisa ses mains osseuses sur la table et les serra si fort
l'une contre l'autre que les phalanges craquèrent. Son regard était
toujours posé sur le mien, mais il n'attendait pas de réponse.

– Si nous pouvions au moins entretenir indéfiniment cette
75 colère injuste, l'existence serait plus facile, peut-être, dit Sybil. On
aurait pour soi le sentiment du droit, de la vertu offensée. Mais
nous nous aimons trop pour ne pas sentir très vite la bêtise, la
laideur de ces crises. Alors on verse dans la pitié. Ils ont pitié de
moi, j'ai pitié d'eux. Moi, je le vois à chaque occasion. Eux, moins
80 sans doute. Qu'importe! Ni eux ni moi ne voulons de pitié.

Cette fois, la lèvre inférieure de la jeune femme avait tremblé
et sa voix était montée d'un ton. Je ne disais rien parce que je
ne pouvais rien dire.

– Le pire, voyez-vous, poursuivit Sybil, c'est le moment où
85 l'on n'est plus porté par la colère ou déchiré par la pitié. C'est

---

1. Névrosée : déséquilibrée.
2. Snobisme : attitude méprisante.

quand on est tranquille ou lucide. Parce que là, on voit qu'il n'y a rien à faire.

Il m'était trop difficile de supporter une telle cruauté à l'égard de soi-même sans intervenir.

90 — Vous ne pouvez pas, dis-je, être certaine de cela.

Sybil secoua la tête.

— Il n'y a rien à faire, dit-elle. Non, il n'y a rien à faire quand les gens s'aiment trop pour pouvoir vivre l'un sans l'autre, mais qu'ils ne sont pas faits de manière à pouvoir mener la même 95 vie, et que ce n'est la faute de personne. Eux, ils ne le savent pas encore. Patricia, grâce à Dieu, est trop petite. John, par bonheur, est trop simple. Le moindre répit, comme celui que nous avons, et ils croient de nouveau tout possible. Mais moi, je sais.

Sybil se tut. Et, contemplant son profil émacié [1] et déjà flétri, 100 j'éprouvais un sentiment mêlé de chagrin, de tendresse et de faute.

— Voilà cette femme, pensais-je, dont j'ai cru si vite qu'elle était vaine, stupide et butée parce qu'elle gardait une admiration naïve pour une amie de collège qui s'habillait avec recherche et 105 qu'elle a pris un grand plaisir à me donner un thé de cérémonie. Elle m'inspirait au mieux une pitié méprisante. Alors que son tourment vient de l'intelligence la plus aiguë et de la sensibilité la plus fine.

Le regard tourné vers le Kilimandjaro, Sybil, soudain, 110 s'écria :

— Ils pensent que je suis aveugle à la beauté, à la majesté, à la sauvagerie, à la poésie de ce Parc. Et que pour cela je ne peux pas les comprendre.

La voix de la jeune femme se brisa. Elle éleva les mains à la 115 hauteur de ses tempes.

— Mon Dieu ! Si seulement cela pouvait être vrai, dit-elle, est-ce qu'alors je souffrirais autant ?

---

1. **Émacié** : amaigri.

Elle se retourna vers moi d'un mouvement brusque et se mit à parler avec une passion subite :

120 — J'ai un souvenir… Il faut que je vous le raconte… Un souvenir du temps où je ne connaissais pas encore les terreurs contre quoi je ne puis rien. J'accompagnais toujours John… Et j'aimais cela… Un jour, nous étions de ce côté (Sybil pointait un doigt vers l'horizon à l'est de la grande montagne), sur une

125 piste qui traversait une savane et s'arrêtait à une forêt profonde d'un vert très foncé, presque noir. Derrière, on voyait très bien le Kilimandjaro. C'est là, juste à la limite de la brousse et de la forêt, que nous les avons aperçus : l'éléphant et le rhinocéros. Ils se tenaient face à face, l'un contre l'autre, corne contre trompe.

130 Ils s'étaient rencontrés au sortir des arbres sur le même sentier, et aucun ne voulait céder le passage. John m'a dit que c'était toujours ainsi. Vous comprenez : les deux monstres les plus puissants de la nature… L'orgueil… Ils se sont battus à mort sous nos yeux. Le fond du combat était ce mur de verdure sombre et, plus loin,

135 la montagne. L'éléphant a eu le dessus – comme toujours, dit John. Il a fini par renverser le rhino d'un coup d'épaule – quel coup et quelle épaule ! – et par le piétiner. Mais les entrailles lui sortaient du ventre. John a dû le faire abattre peu après… Eh bien, j'aurais voulu que ce combat dure sans fin. C'était toute la

140 force et la férocité du monde. Le commencement et la fin des temps. Et moi, je n'étais plus une femme quelconque, chétive, craintive. J'étais tout cela…

Le manque de souffle empêcha Sybil de continuer. Au bout d'un instant, elle dit :

145 — Voulez-vous me donner un autre gin, je vous prie.

Elle but d'un trait et reprit :

— Si je n'avais pas senti cela moi-même et au plus profond, est-ce que j'aurais pu comprendre ce que la brousse et ses bêtes sont pour un homme comme John ? Et alors, croyez-vous que

150 je ne l'aurais pas décidé, obligé à vivre à Nairobi ? Car il l'aurait fait pour moi, le pauvre cher John.

Le sourire et les yeux de la jeune femme exprimaient en cet instant un amour sans mesure.

– John et moi, nous nous arrangerons toujours, poursuivit rapidement Sybil. Ce n'est pas de nous que je suis venue vous parler.

Elle fit une pause très brève, comme pour reprendre ses forces, et dit avec violence :

– Mais il faut enlever d'ici Patricia. Il le faut, croyez-moi. Vous le voyez, je ne suis pas encore folle. Je sais ce que je dis. J'ai réfléchi clairement pendant ce répit. Pension ou maison privée. Nairobi ou Europe, il faut que l'enfant s'en aille et s'en aille vite. Il sera trop tard, bientôt. Et je ne pense pas à son éducation, à ses manières. Je peux encore m'en charger. Mais je pense à sa sécurité, à sa vie. J'ai peur.

– King ? Les bêtes ? demandai-je.

– Est-ce que je le sais ! dit Sybil. C'est tout ensemble. C'est la tension, la passion de l'enfant. C'est le climat, la nature, l'entourage. Cela ne peut pas durer. Cela doit finir mal.

Je pensai à Oriounga. Sybil ignorait son existence mais elle sentit que je partageais sa crainte. Elle me dit avec autorité :

– Vous avez toute la confiance de la petite. Faites l'impossible pour la convaincre.

Sybil se leva et dit encore :

– Je compte sur vous.

Elle descendit lentement le perron pour retourner vers la solitude et l'amour qui se refermaient sur elle, son mari et sa fille, comme les mâchoires d'un piège.

Le soir venait quand Patricia gravit en courant les marches de ma hutte. Les joues lisses de la petite fille étaient toutes brunes de soleil et toutes roses de plaisir. King lui avait montré une tendresse plus vive encore que de coutume. C'était, Patricia en avait la certitude, pour lui faire pardonner la grossièreté, la méchanceté des lionnes.

185 Je laissais bavarder Patricia tout son gré. Mais, comme elle prenait congé de moi, je lui dis :

– Il faudra bientôt que je parte, vous le savez ?

Elle eut soudain des yeux très tristes et répondit à voix basse :

190 – Je le sais bien… C'est la vie.

– Vous ne voudriez pas venir avec moi en France ? demandai-je.

– Combien de jours ? dit Patricia.

– Assez longtemps, dis-je, pour aller dans les grands magasins, les beaux théâtres, pour avoir des amies de votre âge.

La figure de la petite fille, si confiante et si tendre un instant plus tôt, s'était refermée, durcie, ensauvagée.

– Vous parlez comme maman, cria-t-elle. Êtes-vous son ami ou le mien ?

200 Je me rappelai les propos de Sybil sur l'usage instinctif de l'injustice pour étouffer la souffrance. Je dis à Patricia :

– Je n'ai pas à choisir. J'ai toujours été de votre côté.

Mais la petite fille continuait à me considérer avec colère.

– Vous pensez, vous aussi, qu'il vaut mieux pour moi que je parte !

205 Je ne répondis pas. Les lèvres de Patricia étaient blanches et minces.

– Je ne quitterai jamais ce Parc, cria-t-elle. Jamais ! Si on veut m'y forcer, je me cacherai dans le village nègre ou chez les Masaï ou enfin j'irai chez King et je m'entendrai avec ses femmes et je soignerai ses enfants.

J'eus beaucoup de mal à faire ma paix avec Patricia. Quand j'y fus parvenu, elle retrouva toute sa gentillesse pour me dire :

– Vous n'êtes pas méchant, au fond, et je sais bien pourquoi vous voulez m'emmener. Vous avez peur pour moi.

Elle haussa ses épaules légères et s'écria :

– Mais de quoi, mon Dieu !

Chapitre 12

J'appris la nouvelle par Bogo. Chez les Masaï, le vieil
Ol'Kalou était mort. Le clan venait de choisir pour lui succé-
der un autre homme dur et sage. Bogo savait même son nom :
Waïnana. Il savait également que, à cette occasion, il y aurait fête
5   à la *manyatta*, aujourd'hui.

Je remerciai mon chauffeur de m'avoir informé si vite. Mais
Bogo avait encore quelque chose à dire et qui, visiblement,
l'embarrassait. Il triturait les grands boutons plats en métal blanc
qui ornaient sa livrée. Les rides et les plis de son visage remuaient
10 beaucoup. Je fis semblant de ne rien remarquer. Enfin, Bogo
fixa son regard sur le bout carré et à grosses coutures de ses
souliers jaunes et dit :

– Monsieur voudra certainement aller à cette fête. Monsieur
s'intéresse toujours à ces choses.

15 – C'est vrai, dis-je. Eh bien ?

Bogo leva sur moi des yeux misérables et dit d'un seul
souffle :

– Ces Masaï deviennent fous dans leurs danses. Et ils ont
toujours leur javelot à la main et ils se rappellent les vieilles
20 guerres avec nous, les Kikouyou. Si Monsieur avait la bonté de
se faire conduire à la *manyatta* par le maître du Parc.

– Bien volontiers, dis-je, mais est-ce que…

Pour la première fois depuis que nous voyagions ensemble,
Bogo s'oublia suffisamment pour m'interrompre.

25   — Il y va, il y va, Monsieur, s'écria-t-il. Les Masaï l'ont invité.
Waïnana lui parle en ce moment au village.

De ma hutte au hameau noir, il y avait, au plus, cinq minutes
de marche. Je m'y rendais toujours à pied. Cette fois, Bogo voulut
à toute force m'y conduire. Il témoignait par là de la gratitude
30   qu'il me devait et de l'impatience qu'il avait de se voir libérer à
coup sûr du voyage à la *manyatta*.

Je trouvai Bullit en compagnie du Masaï un peu moins âgé
que ne l'avait été Ol'Kalou et plus débonnaire, du moins de traits.
Mais ses yeux vifs, âpres et rusés démentaient cette bonhomie. Les
35   lobes de ses oreilles, décollés du cartilage par un long et patient
travail, pendaient jusqu'aux épaules. Il s'exprimait en swahili.

— Vous êtes déjà au courant, me dit Bullit. Le tam-tam de ce
Parc royal fonctionne à merveille, je le vois !... Bien sûr, je vais à
leur fête. C'est une obligation de politesse. Ils commencent vers
40   midi. On vous prendra un peu avant.

J'achevais un repas froid à l'intérieur de la hutte, quand
Bullit vint me chercher. Sous la toison rousse, son visage avait
une expression enfantine de joie et de mystère.

Je compris pourquoi en voyant que dans la Land Rover, en
45   même temps que Patricia, se trouvait Sybil.

— Vous voyez, dit-elle en souriant de ma surprise, à quel point
je vais mieux. Je reprends goût à la couleur locale.

La jeune femme, qui ne savait rien encore du résultat de
mon entretien avec Patricia, prit sa fille sur ses genoux pour
50   me ménager une place à l'avant de la voiture et nous allâmes
prendre trois *rangers* au village.

— C'est une précaution ? demandai-je à Bullit.

— Une précaution… quand nous sommes les hôtes des Masaï !
s'écria-t-il. Vous plaisantez !

55   — En somme, c'est pour vous faire honneur, dis-je.

— À eux, surtout, dit Bullit.

Il me regarda par-dessus la tête de Patricia et ajouta en clignant d'un œil, puis de l'autre, exactement comme le faisait parfois la petite fille.

60   – À cause de leur dignité.

Je me rappelai notre première rencontre et le mépris, la fureur de Bullit quand j'avais employé ce terme pour Bogo. Les clignements d'œil permettaient de mesurer le chemin que nous avions fait dans le sens de l'amitié.

65   – Le vieil Ol'Kalou, dis-je, était un grand seigneur.

– Et il est mort ainsi, dit Bullit. La bouse de vache a infecté une blessure qui venait des griffes d'un lion. Que peut souhaiter encore un vrai chef masaï?

Sybil me dit :

70   – John est un des rares hommes blancs qui aient vu des *moranes* aller au lion.

Parce que sa femme était dans la voiture, Bullit conduisait beaucoup moins vite qu'à l'ordinaire. Et tandis que la brousse nue alternait avec la brousse boisée, et que le Kilimandjaro se

75   dressait et disparaissait tour à tour, il eut tout loisir de me raconter l'un des combats fabuleux et rituels qui, jusqu'à un passé récent, avaient décimé le peuple des fauves et celui des Masaï.

Un matin, à l'aube, dix ou douze jeunes hommes quittaient la *manyatta* pour le gîte du lion qu'ils avaient reconnu avec une

80   patience inépuisable. Sous leur haute chevelure rouge et brillante de beurre, de sucs végétaux et d'argile, ils étaient nus. Seuls les fronts portaient un vêtement : les crinières des lions que les anciens du clan avaient tués lorsqu'ils étaient eux-mêmes des *moranes*. Pour attaquer, les jeunes hommes n'avaient qu'une lance

85   et un coutelas. Pour se défendre, un bouclier.

Ainsi armés, ils encerclaient la tanière, rampant et glissant comme des reptiles. Quand leur anneau était assez étroit et serré pour qu'il y eût, à coup sûr, un homme dans le chemin du fauve, les *moranes* se dressaient ensemble avec des cris stridents, des

90   insultes sauvages et faisaient sonner les fers des lances contre le

cuir des boucliers. Le lion surgissait. Les javelots se plantaient dans sa chair. Il chargeait à mort.

– Je ne connais pas d'homme qui, à la place des *moranes*, disait Bullit, n'eût pas reculé au moins d'un pas et baissé la tête
95 au moins d'un pouce. Même avec un calibre lourd [1] dans les mains, on essaie de se faire plus petit quand un lion vient à vous de cette manière.

Mais les *moranes*, eux, s'élançaient à la rencontre de l'énorme fauve, projeté sur eux par toute sa fureur et toute sa puissance. Leurs
100 cris de guerre étaient tellement stridents que les rugissements ne parvenaient pas à les couvrir. Leur cercle était devenu si réduit que, pour retrouver l'espace libre, le lion avait à rompre, abattre, ravager, lacérer un maillon de cet anneau si friable d'os et de muscles humains. Le *morane* qui se trouvait sur la trajectoire
105 meurtrière, celui qui recevait contre son bouclier la force et la rage du choc s'écroulait aussitôt. Mais ni les crocs ni les griffes n'atteignaient son courage. Il s'agrippait au fauve. Et déjà tous les autres guerriers étaient sur la bête, enfonçaient leurs lances entre ses côtes, dans sa gueule et la frappaient à coups redoublés de
110 leurs coutelas. Un, deux, trois *moranes* roulaient égorgés, éventrés, l'épaule, la nuque, l'échine rompues. Mais ils ne souffraient pas. Leur transe les rendait insensibles. Ils revenaient à l'assaut. Ils aidaient les autres. Et il en restait toujours assez pour terminer cette chasse frénétique, incroyable, pour massacrer, hacher le
115 fauve. Les survivants revenaient alors à la *manyatta*, leur peau noire teinte de leur propre sang et du sang du lion et, à la pointe de leurs lances, ils faisaient flotter la crinière.

– Voilà de quoi est mort Ol'Kalou, acheva Bullit. Après cinquante ans. Comme un vieux soldat qui traîne sa blessure pendant
120 un demi-siècle.

Patricia demanda à son père :

---

1. **Calibre lourd** : fusil puissant.

– Est-ce qu'il est arrivé à un *morane* d'aller seul contre un lion ?

– Je n'en ai jamais entendu parler, dit Bullit. Ils sont fous, mais il leur faut au moins l'espoir d'une chance.

À ce moment, s'ouvrit devant nous la grande savane où était située la *manyatta*. On apercevait dans le fond le faible pli du sol qui la portait. Bullit poussa la voiture sur le terrain propice. Nous fûmes rapidement aux abords de l'éminence couronnée par l'espèce de termitière[1] ovale qui servait d'abri au clan masaï. Patricia me dit alors :

– Vous et moi, on ferait bien de s'arrêter ici et de se promener un peu. Avant la fête, il y a toujours beaucoup de discours et d'ennui. C'est bien plus amusant d'arriver quand tout a vraiment commencé.

Je consultai du regard Bullit et Sybil.

– Elle n'a pas tout à fait tort, dit Sybil en souriant.

– C'est une vieille habituée, dit Bullit avec un grand rire.

Je descendis de voiture, Patricia, avant de quitter les genoux de sa mère, l'embrassa avec élan. Les yeux de Sybil cherchèrent les miens par-dessus les cheveux de la petite fille. Je devinai à leur expression que Sybil croyait que j'avais convaincu Patricia de changer de vie. Je n'eus pas le temps de la détromper, fût-ce d'un signe. Patricia m'avait pris par la main et m'entraînait.

Quand elle vit la Land Rover s'engager sur la pente douce qui conduisait à la *manyatta*, Patricia me dit :

– À vous, je peux avouer la vérité. C'est pour faire une surprise aux Masaï que je veux attendre. Ils ont trop envie de me voir, j'en suis sûre. Vous pensez bien qu'Oriounga leur a parlé de King. Alors, ils vont croire que je ne viens pas. Et tout à coup, me voilà. Vous comprenez ?

---

1. Termitière : monticule de terre durcie fabriqué par les termites, percé de nombreuses ouvertures.

Patricia rit silencieusement et cligna de l'œil. Puis, contournant la petite colline, elle me conduisit jusqu'aux haies d'épineux qui contenaient le bétail.

155   – Là, nous sommes à l'abri, dit-elle. On va s'étendre et laisser passer le temps.

Je fis comme Patricia. Mais je n'avais pas la faculté qu'elle possédait naturellement de fermer sa pensée aussi bien que les yeux et de subir sans malaise les feux du soleil tropical au sommet
160   de sa course, sur une terre qui, à travers l'herbe sèche et les vêtements, brûlait le corps. À cause de cela, sans doute, je fus le premier averti ou incommodé par une odeur en même temps fétide et suave. Elle ne venait pas de l'enclos des vaches, ainsi que je l'avais cru d'abord, mais d'un rideau de buissons qui en
165   était assez éloigné. Je le fis remarquer à Patricia.

– Je sais, dit-elle avec paresse. Quelque bête morte.

Elle referma de nouveau les yeux mais les rouvrit aussitôt et se redressa sur un coude. Une plainte s'était élevée de ces mêmes buissons. Et, toute basse et faible qu'elle fût, elle ressemblait à
170   une plainte humaine. Elle cessa, reprit et se tut de nouveau. Patricia tourna la tête vers le sommet de la petite colline. Une rumeur barbare scandée par des battements de mains résonnait dans la *manyatta*.

– Ils ont commencé la fête et ne pensent à rien d'autre, dit
175   Patricia. On peut aller à ces buissons sans risquer d'être vus.

À mesure que nous approchions des arbustes, l'odeur devenait plus épaisse et d'une douceur immonde.

– La charogne sent autrement, murmura Patricia.

En effet, ce n'était pas d'une bête crevée qu'émanait la
180   puanteur, mais d'un homme à l'agonie [1]. Et l'homme était le vieil Ol'Kalou.

---

1. **Agonie** : instants précédant la mort.

Il ne pouvait plus reconnaître personne. La gangrène [1] dont l'horrible parfum flottait sur la brousse achevait son ouvrage. Mais il vivait encore. Des frissons secouaient ses membres décharnés et faisaient pour un instant lever l'essaim de mouches collé à sa plaie en putrescence. Sa gorge émettait les chuintements réguliers du râle.

– Qu'est-ce que cela veut dire ? m'écriai-je. Tout le monde assure qu'il est mort.

– Mais il est mort puisqu'il ne peut plus vivre, dit Patricia.

Il n'y avait pas trace d'émotion dans sa voix et ses grands yeux fixés sur Ol'Kalou étaient paisibles.

– Mais les siens auraient pu le soigner, dis-je, ou le garder tout au moins jusqu'à la fin.

– Pas les Masaï, dit Patricia.

Elle eut une fois de plus, sur le visage, cette expression de condescendance [2] qui lui venait quand elle avait à m'enseigner des notions dont elle pensait qu'elles étaient les plus naturelles et les plus évidentes.

– Quand il meurt un homme ou une femme dans la *manyatta*, son esprit y reste, et il est très méchant pour tout le clan, dit Patricia. Et il faut tout de suite brûler la *manyatta* et s'en aller. Alors, pour éviter tant d'ennuis, la personne qui va mourir, on la jette dans un buisson. Comme ce vieux.

La voix de la petite fille était sans pitié ni crainte. Où et comment Patricia aurait-elle eu l'occasion et le temps d'apprendre le sens de la mort ?

– Bientôt, il ne sentira même plus mauvais, reprit Patricia. Les vautours et les chiens de brousse vont venir.

Au sommet de la petite colline, les cris éclataient avec frénésie.

– Il est temps, il est temps ! s'écria Patricia.

---

1. Gangrène : mortification et putréfaction de la chair.
2. Condescendance : supériorité bienveillante mêlée de mépris.

Elle voulut s'élancer. Je la retins par le bras.

– Attendez, lui dis-je. Il me semble qu'Ol'Kalou essaie de
parler.

La petite fille écouta attentivement, puis haussa les épaules.

– Il répète la même chose, dit-elle. Lion… Lion… Lion…

Elle se mit à courir vers la *manyatta*. Je la suivis lentement.
Le dernier délire d'Ol'Kalou m'obsédait. Le délire où revivait
le fauve que le vieil homme avait tué en son temps de *morane* et
qui, aujourd'hui, après cinquante années, le tuait à son tour.

Je n'arrivai pas à temps pour admirer l'effet que Patricia avait médité de produire. Mais il me fut donné, en quelque sorte, de l'entendre. Car au moment où je me trouvai à mi-pente de la colline, le tumulte qui résonnait dans la *manyatta* cessa d'un seul coup. Je pus mesurer à ce silence l'étonnement par lequel les Masaï honoraient la petite fille blanche qui commandait à un lion. Cet hommage fut très bref, d'ailleurs. Quand j'atteignis la chicane d'épineux par où l'on accédait à la *manyatta*, les bruits de la fête retentirent de nouveau et avec une force accrue. Et quand je pénétrai à l'intérieur, la fête masaï jaillit, éclata dans toutes ses sonorités, ses couleurs et son mouvement barbares.

Quel décor…

Quels personnages.

Basse et voûtée, couverte d'un seul tenant par une croûte qui était soulevée à intervalles réguliers par les arches de branchages sur lesquels j'avais vu, quelques jours plus tôt, couler une bouse liquide, la *manyatta* ressemblait à une longue chenille brune et annelée qui refermait sur elle ses anneaux. Dans l'espace que cette chenille enserrait ainsi, le clan était assemblé.

Tous, excepté une douzaine de jeunes hommes à qui le milieu de la plate-forme était réservé, se tenaient sur le pourtour, contre la paroi craquelée de la *manyatta*.

Les femmes et les filles portaient leurs atours les plus beaux : robes de cotonnades aux teintes crues; cercles de métal blanc entassés sur la peau noire des cous, des bras et des chevilles;

bijoux de lave ou de cuivre arrachés aux lits secs des rivières et aux petits volcans éteints qui bosselaient la brousse. Les plus vieilles remuaient avec dignité les lobes de leurs oreilles devenues ficelles de peau racornie qui, détachées du cartilage et appesanties par

30 des rouleaux d'étoffe, des morceaux de bois et de fer, traînaient sur leurs épaules.

Les hommes n'avaient que leur lance pour parure.

Tous, excepté les jeunes hommes qui, l'un derrière l'autre, tournaient au centre du terre-plein.

35 Chacun de ceux-là portait, outre la lance, un long coutelas taillé comme un glaive [1] et un épais bouclier en cuir de vache teint d'une couleur violente et couvert de signes étranges. Et chacun d'eux avait quelque ornement : plumes d'autruches fixées au front, boucles d'oreilles en ivoire, colliers de verroterie. Mais

40 seuls les trois *moranes*, qui allaient devant, portaient chevelure. Car les autres qui approchaient seulement l'âge privilégié ou venaient d'en sortir avaient la tête rase comme le reste de la tribu. Et seuls, les *moranes* étaient parés des trophées suprêmes, des dépouilles de lion : crocs, griffes, morceaux de peau fauve.

45 Et c'était Oriounga, le plus grand, le plus beau, qui menait la file mouvante, c'était Oriounga qui portait, accrochée à son casque de nattes et d'argile rouges, la crinière royale.

Toutes les armes, tous les ornements frémissaient, tressaillaient, ondoyaient, cliquetaient au rythme des mouvements

50 qui agitaient les jeunes corps vigoureux et sombres et dont le morceau d'étoffe jeté sur leur épaule ne cachait rien. L'un derrière l'autre, ils tournaient, tournaient, toujours plus vite et toujours plus contorsionnés.

Ce n'était pas une marche et ce n'était pas une danse. C'était

55 une ronde faite de tressautements, de soubresauts, d'élans saccadés et aussitôt rompus. Rien ne réglait, ne liait ces pas. Chacun était son maître. Ou plutôt, chacun était maître d'abandonner son

---

1. **Glaive** : épée.

corps à la transe qui le désarticulait. Il n'y avait pas une attache,
une jointure, une ligature, une phalange qui ne semblât animée
60 de sa vie propre et ne fût secouée de sa propre convulsion.

Et ce n'était ni un langage ni un chant qui s'arrachait des
poitrines et des gorges en sons épais et d'une raucité animale
pour scander les vibrations des membres désunis. C'était une
sorte de cri qui ne cessait pas. Heurté, brisé, étouffé, enivré.
65 Chacun le poussait à sa façon, au gré du désir et de l'instant – et
chez l'un dominait la joie et chez l'autre la souffrance, et chez
l'un la plainte et chez l'autre le triomphe.

Et pourtant, dans ces mouvements sans frein, ni ordre ni
forme, et dans ces voix sans cadence ni accord, il y avait une indé-
70 finissable unité, une harmonie barbare qui ne relevait d'aucune
loi, mais prenait aux entrailles.

Elle appartenait à un domaine qui échappait au pouvoir des
gestes et des rythmes concertés[1]. Elle venait de la profonde fièvre
du sang, du défi au destin, du délire de bataille et d'amour, de
75 l'extase tribale.

Les hommes et les femmes sur le pourtour de la *manyatta* en
subissaient également la puissance. Ils criaient et battaient des
mains, orchestre, chœur et public à la fois. Et bien qu'immobiles,
on les sentait engagés, emportés dans le piétinement convulsif
80 des jeunes guerriers du clan et livrés par leur intermédiaire aux
mêmes démons.

Les noirs visages de ces jeunes hommes dont les traits rigides
ressemblaient à ceux que l'on voit sur les bas-reliefs de l'antique
Égypte étaient des masques d'une funeste[2] beauté. Et le plus
85 beau, le plus mystérieux, le plus effrayant était, sous la masse
des cheveux cuivrés et la crinière de lion, le *morane* Oriounga.

Quand je parvins à détacher mon regard de ces figures et
de ces corps, qui avaient pour fond le mur bas de la *manyatta* et

---

1. Concertés : organisés, calculés.
2. Funeste : qui annonce la mort.

pour arrière-plan toute la brousse inondée de soleil, je vis Bullit
90 et Sybil assis sur un carré d'étoffe pareil à celui qui servait de
vêtement aux Masaï. Patricia se tenait entre eux, à genoux pour
mieux voir. Je me glissai derrière leur groupe.

– Que disent-ils ? demandai-je à la petite fille.

– Ils racontent la chasse d'Ol'Kalou quand il était jeune,
95 chuchota Patricia, sans bouger. Les crocs, les griffes, la crinière
étaient au lion qu'il a tué.

– Où en sont-ils ? demandai-je encore.

– Ils ont entouré le lion, dit Patricia avec impatience. Laissez-
moi écouter.

100 Sybil, alors, approcha lentement sa tête de la mienne et murmura en regardant le profil tendu de la petite fille :

– Eh bien ? Elle accepte de partir ?

– Je n'ai rien pu faire, dis-je tout bas.

Sybil ne changea pas d'expression. Seulement, d'un geste
105 machinal, elle tira d'une poche ses lunettes noires et les mit. Il
est vrai que le soleil frappait de toute sa force le terre-plein de la
manyatta. Les yeux de Sybil, maintenant dissimulés, se fixèrent
sur Patricia.

La petite fille ne faisait aucune attention à nous. Elle appar-
110 tenait complètement à ce qui l'entourait et qui prenait chaque
instant davantage un caractère de furie, de possession [1]. Le
piétinement qui faisait retentir la plate-forme était de plus en
plus rapide et la ligne de marche de plus en plus brisée. Les
secousses des membres, les torsions des reins, les déhanchements
115 brutaux, les chocs des chevilles et des genoux, les convulsions
des épaules et des ventres augmentaient toujours d'intensité,
de rapidité, d'amplitude. Mais c'étaient les cous longs, noirs,
robustes et flexibles à l'extrême qui, dans cette dislocation [2] des
corps, semblaient le ressort essentiel. Tantôt rentrés et comme

---

1. Possession : délire surnaturel.
2. Dislocation : déboîtement, déplacement anormal des membres.

120 effacés, tantôt jaillissants et dressés en minces colonnes ou reje-
tés, retournés, agités de mouvements reptiliens, désarticulés,
invertébrés, ils menaient leur propre jeu, leur propre danse.
Et à leur surface, les cris faisaient saillir veines et tendons ainsi
que des nœuds de lianes.

125 Les hommes et les femmes rangés le long du mur de la *manyatta*
reprenaient, multipliaient ces clameurs et, s'ils ne bougeaient
pas de place, leurs cous commençaient à s'animer d'un rapide
et sinueux balancement.

Les guerriers, soudain, bondirent tous ensemble, javelots et
130 glaives tendus, boucliers brandis. Le métal des armes résonna
contre le cuir épais.

Je me penchai sur Bullit assis devant moi et lui demandai :
– C'est bien la fin de la chasse qu'ils jouent ? La fin du lion ?
– Oui, dit Bullit sans se retourner.

135 Je m'aperçus alors qu'autour de sa nuque pesante les muscles
tressaillaient. Je sentis que les miens étaient soumis à d'étranges
tiraillements. Même sur nous agissait la frénésie masaï.

Mon regard alla vers Patricia. Elle se tenait droite et raide sur
ses genoux réunis. Son visage était calme et lisse, mais ses lèvres
140 remuaient très vite. Elle répétait en silence les syllabes hurlées
par les guerriers et reprises en chœur par le reste du clan.

Seule, les yeux masqués par les verres sombres, Sybil échappait à la dure magie de cette fureur. Des crispations, sans doute,
creusaient les joues de la jeune femme et la commissure de ses
145 lèvres. Mais je les reconnaissais. Elles étaient les signes d'un
mal chronique [1], du mal que les dernières journées, pourtant,
semblaient avoir guéri. Je pensai à tout ce qu'elle m'avait dit sur
la véranda et à cette intelligence lucide qui l'inspirait alors. Je
songeai un instant à lui rappeler ses paroles afin qu'elle retrouvât
150 la maîtrise de ses nerfs. Mais comment l'aurais-je pu et comment
aurait-elle pu entendre ?

---

1. Chronique : qui dure longtemps, se prolonge toute la vie.

La ronde précipitait encore sa cadence disloquée il n'y avait plus une intonation humaine dans les halètements, les grondements qui soulevaient les poitrines en sueur. Lances, glaives martelaient les boucliers. Les cous ressemblaient à de noires couleuvres saisies de spasmes[1] furieux.

Soudain, deux, trois, dix petites filles quittèrent d'un même élan les places où elles s'étaient tenues jusque-là pour se former en file. Et cette file doubla celle des guerriers en transe et se mit à épouser, de la nuque aux orteils, tous les mouvements de cette transe. Les frêles attaches, les hanches étroites, les épaules sans chair étaient livrées aux tressaillements, saccades et sursauts, à toute la ronde épuisante et sauvage qui désarticulait les jeunes hommes. Seulement, il y avait un peu d'écume aux bouches hurlantes des petites filles et leurs yeux étaient révulsés[2].

Des ongles entrèrent dans ma paume : ceux de Sybil. Elle s'était redressée et disait :

– J'ai cru que je pourrais… Mais non… C'est trop ignoble… Ces petites… déjà… les femmes de ces fous furieux…

Sybil ajouta presque dans un cri :

– Demandez, demandez à John !

– C'est vrai, dit Bullit sans se retourner. Mais ne sont véritablement mariés que ceux-là qui sont sortis de l'état de *morane*. Les autres n'ont que les concubines.

La voix de Patricia s'éleva tout à coup, brève, rauque, méconnaissable :

– Je vous en supplie, ne parlez plus, dit-elle. C'est le grand moment. Les *moranes* sont rentrés à la *manyatta* avec les dépouilles du lion.

Les deux files parallèles se déployaient, se repliaient.

– Regardez la petite, chuchota Sybil. C'est horrible.

_____

1. **Spasmes** : crispations brusques et violentes.
2. **Révulsés** : tournés de telle manière qu'on ne voit plus la pupille.

Patricia était à genoux, mais ses flancs, ses épaules et son cou – son cou surtout si tendre et si pur – commençaient à frémir, vibrer, se disloquer.

185 – John ! John ! appela Sybil.

Bullit ne répondit pas car, à cet instant, Oriounga, entraînant tous les autres à sa suite, vint se placer devant lui, et brandit son javelot en criant.

Je me tournai malgré moi vers les *rangers*. Ils étaient appuyés
190 à leur fusil et riaient.

Bullit interrogea des yeux Waïnana, debout à ses côtés. Le nouveau chef du clan répéta en swahili les paroles du *morane*. Il parlait avec lenteur et application. Sybil comprit ce qu'il disait.

– John ! s'écria-t-elle. Il demande Patricia pour femme.

195 Bullit se releva sans hâte. Il enveloppa d'un bras les épaules de Sybil et lui dit très doucement.

– Ne vous effrayez pas, chérie. Ce n'est pas une insulte. Au contraire, c'est un honneur. Oriounga est leur plus beau *morane*.

200 – Et qu'est-ce que vous allez répondre ? demanda Sybil dont les lèvres blanchies remuaient difficilement.

– Qu'il n'est pas encore un homme et que nous verrons plus tard. Et comme ils quittent le Parc à la fin de cette semaine…

Il se tourna vers Waïnana, lui parla en swahili et Waïnana
205 transmit le message à Oriounga.

Sybil grelottait, maintenant, malgré la chaleur accablante. Elle dit à Patricia d'une voix inégale et proche de l'hystérie :

– Lève-toi, voyons. Ne reste pas à genoux devant un sauvage.

Patricia obéit. Ses traits étaient paisibles mais ses yeux aux
210 aguets. Elle attendait encore quelque chose.

Oriounga fixa sur elle un regard insensé, arracha de son front la crinière léonine, l'éleva très haut sur la pointe de sa lance et jeta vers le ciel une sorte d'invocation [1] frénétique. Puis son cou

---

1. **Invocation** : prière à la divinité.

s'affaissa, resurgit, ondula, vertèbre par vertèbre et, les membres
215 désossés, le bassin comme rompu, les jointures disloquées, il reprit
sa ronde. Les autres guerriers le suivirent, brisant leur corps à la
même cadence. Contre leurs flancs, les petites filles aux lèvres
écumantes et aux yeux perdus menaient la même convulsion.

Patricia eut un mouvement vers leur file. Les deux mains de
220 Sybil s'agrippèrent à elle.

— Allons-nous-en, John, tout de suite ! cria la jeune femme.
Je vais être malade.

— Très bien, chérie, dit Bullit. Mais je dois rester encore un
peu. Sans quoi je leur ferais outrage. Il faut les comprendre. Ils
225 ont leur dignité.

Cette fois, il n'y avait aucune ironie, aucun sous-entendu dans
le mot.

Bullit me demanda :

— Raccompagnez Sybil et la petite, je vous prie. Un *ranger*
230 vous conduira et me ramènera la Rover.

Nous étions loin de la *manyatta* mais nous entendions encore
son tumulte. Dans la voiture, le silence n'en était que plus accen-
tué. Pour le rompre, je demandai à Patricia :

— La fête va durer longtemps ?

235 — Toute la journée et toute la nuit, dit Patricia.

Sybil, qui tenait la petite fille sur ses genoux, aspira l'air comme
au sortir d'un évanouissement. Elle se pencha sur les cheveux
coupés en boule et demanda à Patricia :

— Qu'est-ce qu'il a crié, le *morane*, pour finir ?

240 — Je n'ai pas compris, et cela n'a sûrement aucune importance,
maman chérie, dit Patricia avec gentillesse.

Elle mentait, j'en étais certain et je croyais savoir pourquoi.

Chapitre 14

Il me fallut attendre jusqu'au lendemain pour revoir Patricia. Et la matinée touchait à son terme lorsque la petite fille apparut dans ma hutte. Ni la gazelle ni le singe minuscule ne l'accompagnaient cette fois. Pourtant, elle ne venait pas de l'abreuvoir,
5 elle ne s'était pas mêlée aux bêtes. Il n'y avait pas une goutte de boue, pas une trace d'argile humide sur ses petits souliers de brousse et la salopette qu'elle portait ce jour-là, d'un bleu pastel très usé, n'avait pas une tache, pas un pli.

– Je suis restée tout le temps avec maman, me dit tout de
10 suite Patricia comme si elle avait à s'excuser de m'avoir négligé. Nous avons beaucoup travaillé et beaucoup parlé. Elle va bien, maintenant, tout à fait bien.

Le visage de Patricia était uni, calme, doux et très enfantin. Elle me sourit avec sa plus gentille malice et dit :
15 – Maman m'a permis de déjeuner chez vous.

– C'est parfait, dis-je, mais je n'ai rien que de froid.

– Je comptais bien là-dessus, dit la petite fille. On mangera plus vite.

– Vous êtes pressée ? demandai-je.
20 Elle ne répondit pas à ma question et s'écria :

– Vous allez me laisser faire. Montrez-moi où sont les provisions.

Il y avait dans la hutte-cuisine des boîtes de biscuits, de sardines, de corned-beef [1], de beurre, de fromage sec. Patricia,
25 les sourcils joints, la langue un peu tirée, arrangea, mélangea toutes ces nourritures, les arrosa de moutardes et d'épices, les disposa sur la table de la véranda. Elle avait un visage sérieux, heureux.

Nous achevions notre repas quand Bogo survint pour pré-
30 parer mon déjeuner. Kihoro était avec lui.

– Très bien, dit Patricia, on s'en va.

– Où ? demandai-je.

– L'arbre de King, dit Patricia.

– Si tôt ?
35 – On ne sait jamais, dit Patricia.

Ses grands yeux sombres me regardaient bien en face et ils portaient cette expression d'innocence et d'entêtement par où la petite fille signifiait qu'il était vain de lui demander la moindre explication.
40 Nous prîmes l'itinéraire habituel : la grande piste médiane, puis le sentier qui menait vers le lieu où la petite fille et le lion avaient leurs rendez-vous. Bogo, comme à l'ordinaire, arrêta la voiture dans ce sentier, peu après le croisement. Et comme à l'ordinaire, Kihoro fit semblant de rester avec lui. Nous avions
45 fait route sans que j'eusse échangé un mot avec Patricia. Il en fut de même jusqu'à ce que nous eûmes atteint l'arbre épineux aux longues branches en parasol.

King n'était pas là.

– Vous voyez bien, dis-je à la petite fille.
50 – Ça m'est égal, je suis mieux ici pour attendre, répondit Patricia.

Elle s'allongea au pied de l'épineux.

– Comme on est bien, soupira-t-elle. Comme ça sent bon.

---

1. **Corned-beef** : conserve de bœuf salé.

Je ne savais pas si elle entendait par là le parfum desséché
55 et un peu âpre et comme piquant de la brousse ou l'odeur,
insaisissable pour moi, que le grand lion avait laissée dans
l'herbe.

– Oui, on est vraiment bien, murmura Patricia.

Elle semblait munie d'une patience inépuisable. Et assurée
60 du succès de son attente.

Une belle antilope qui arrivait à grands bonds nonchalants
nous découvrit derrière l'arbre, fit un écart énorme et disparut
au galop.

– Elle nous a pris pour King, dit Patricia en riant aux éclats.

65 Puis elle ferma les yeux et dit rêveusement :

– Elle ressemblait un peu, surtout par la taille, à une bête
qu'on ne rencontre jamais dans ce Parc.

La petite fille se haussa soudain sur un coude et poursuivit
avec vivacité :

70 – Je ne l'ai pas connue, mais j'ai vu des photos, et mes parents
m'ont beaucoup parlé de cette antilope. Elle avait été prise toute
petite en Ouganda par un ami de mon père et il en avait fait
cadeau à maman pour son mariage. Cette antilope, je ne sais pas
très bien sa race. On l'appelait Ouganda-Cob. Maman l'a emme-
75 née dans une ferme près du lac Naïvascha. Cette ferme, mon
père l'avait louée après le mariage. Pour faire plaisir à maman,
il a essayé d'être planteur pendant une année avant de venir
dans ce Parc.

Patricia haussa l'épaule à laquelle était attaché le bras qui
80 soutenait sa tête.

– Mon père… planteur dans un endroit où il y avait des hippo-
potames, de grands singes et des canards sauvages. Il passait son
temps à regarder les hippos, à s'amuser avec les singes, à tirer
les canards. Et savez-vous ce qu'il avait fait de l'Ouganda-Cob ?
85 Il avait dressé l'antilope à chercher les oiseaux tombés dans les
marécages et l'antilope était devenue plus maligne qu'un chien.
Demandez-lui.

L'excitation de Patricia tomba brusquement et ce fut d'une voix toute différente qu'elle acheva :

90 – Quand nous serons rentrés.

Elle s'allongea de nouveau et répéta dans un souffle :

– Quand nous serons rentrés.

Quelle était la vision qui, derrière les paupières baissées, faisait d'un visage d'enfant un masque de passion et de mystère ? 95 Je croyais le savoir. J'en étais sûr. Pourtant, j'avais peur, non seulement d'en parler, mais d'y penser même. Je m'assis près de Patricia. Elle ouvrit les yeux. Ils étaient doux et purs.

– Maman m'a encore demandé d'aller à la pension, dit Patricia... Elle était si triste et je l'aime tant... Elle ne peut 100 pas savoir. (« Elle ne le sait que trop », pensai-je.) Alors j'ai promis, mais pour plus tard. (La petite fille cligna d'un œil.) Vous comprenez, ça sera longtemps plus tard. Mais maman a été contente. Et quand elle est contente qu'est-ce que je peux désirer de plus ?

105 D'un geste vague et ample, Patricia montrait la brousse, les forêts d'épineux, la neige du Kilimandjaro. Elle se mit à genoux pour avoir ses yeux au niveau des miens.

– Est-ce qu'il est possible de laisser tout cela ? demanda-t-elle.

110 Je détournai la tête. Je me sentais trop d'accord avec la petite fille.

– Je suis tellement heureuse, ici. Tellement ! dit Patricia dans un murmure nourri de certitude entière. Mon père le sait bien, lui.

115 Une brusque montée de sang colora d'un rose délicat ses joues brunies. Elle cria presque :

– Est-ce que je pourrais passer ma vie dans une pension sans le voir ? Et lui, qu'est-ce qu'il ferait sans moi ? On est si bien ensemble. Il est plus fort que tout le monde. Et il fait tout ce 120 que je veux.

Patricia rit silencieusement.

– Et Kihoro ? Est-ce que je pourrais l'emmener ?

La petite fille hocha la tête :

– Maman, dit-elle, parle toujours des beaux jouets que les
125 enfants ont dans les villes. Des jouets ! Des…

Patricia voulait répéter le mot dérisoire [1], mais elle n'y pensa
plus. Au loin, entre les hautes herbes, une masse fauve et une
toison en forme d'auréole venaient à nous. King marchait sans
hâte. Il se croyait en avance. Chacun de ses pas faisait valoir la
130 puissance magnifique de ses épaules et la majesté royale de sa
foulée. Il ne regardait pas devant lui. Il dédaignait même de flairer.
Pourquoi l'eût-il fait ? Ce n'était pas l'heure de sa chasse. Pour le
reste ce n'était pas à lui de s'inquiéter des autres animaux, mais
à eux de le craindre. Et l'homme, dans le Parc, était son ami.
135 Aussi le grand lion avançait-il avec nonchalance et superbe et
si, de temps à autre, sa queue lui battait le flanc, ce n'était que
pour le débarrasser des mouches.

Patricia le contemplait en retenant son souffle. On eût dit
qu'elle le voyait pour la première fois. On eût dit qu'elle avait peur
140 de briser un charme. Le soleil fit briller les yeux d'or. La petite
fille ne put se maîtriser davantage. Elle modula le cri d'appel
familier. La crinière de King se redressa. Le joyeux rugissement
qui lui servait de rire se répandit dans la savane. Le grand lion
fit un bond paisible et comme négligent, un autre, un troisième,
145 et fut avec nous.

King lécha le visage de Patricia et me tendit son mufle que
je grattai entre les yeux. Le plus étroit, le plus effilé me sembla,
plus que jamais, cligner amicalement. Puis le lion s'étendit sur
un flanc et souleva une de ses pattes de devant afin que la petite
150 fille prît contre lui sa place accoutumée.

Mais Patricia n'en fit rien. Son humeur, son comportement
avaient pris soudain un tour très bizarre. Elle qui, jusque-là, s'était
montrée sereine et tendre et insoucieuse du temps, elle devint

---

1. **Dérisoire** : négligeable.

155 d'un seul coup, après l'arrivée de King, la proie d'une impatience qui touchait à la fureur.

Elle quitta en courant le couvert des branches et, la main sur les yeux, scruta la brousse dans toutes les directions. Puis elle revint s'accroupir sur ses talons, entre le lion et moi, se releva, se rassit. Je voulus parler. Elle me fit taire.

160 King, le mufle aplati contre l'herbe, contemplait Patricia et de temps à autre l'appelait d'un grondement affectueux. Il était là, sous leur arbre, Patricia tout près de lui et, pourtant, elle ne semblait pas s'apercevoir de sa présence. Il ne comprenait pas.

Tout délicatement, le lion étendit une patte et effleura l'épaule
165 de Patricia. Elle, qui avait le regard fixé sur l'horizon, tressaillit de surprise et rejeta la patte. Le lion frémit de plaisir. Le jeu commençait enfin. Il toucha la petite fille un peu plus fort. Mais cette fois Patricia le repoussa en le frappant de toutes ses forces et cria sauvagement :

170 — Tiens-toi tranquille, idiot !

King se déplaça avec lenteur, s'accroupit sur le ventre. Sous les paupières pesantes et à peu près closes, ses yeux n'étaient plus qu'un fil jaune. Il ressemblait au sphinx. Mais c'est lui qui interrogeait Patricia du regard. Jamais il ne l'avait connue ainsi.

175 Il avança un peu le mufle, lécha très légèrement la joue de la petite fille. Elle lui donna un coup de poing sur les narines.

King secoua légèrement sa crinière, puis, sans pousser le moindre grondement, se leva, baissa la tête, nous tourna le dos et fit un pas pour s'en aller.

180 — Ah ! non, cria Patricia. Tu ne vas pas me laisser ! Ce n'est pas le jour !

Elle courut derrière King, agrippa la crinière, la tira à pleines mains, posa son visage enfiévré contre les narines du lion. Et King rit de nouveau et de nouveau se laissa glisser sur le flanc.
185 Les yeux heureux du lion étaient de nouveau des yeux d'or. Patricia s'étendit contre lui. Mais elle ne quittait pas du regard la lointaine lisière de brousse.

Le bruit d'un moteur qu'on met en marche arriva jusqu'à nous. Je me levai instinctivement.

190 – Ne bougez pas, dit Patricia avec irritation. Votre imbécile de chauffeur noir aura eu peur de rester seul trop longtemps.

Son visage se crispa dans un effort de réflexion qui l'importunait. Elle murmura :

– Mais il n'est pas seul… Kihoro est avec lui.

195 J'aurais pu lui dire que le vieux trappeur borgne se tenait aux alentours, tout près, le fusil en alerte. Mais il m'était interdit d'avertir Patricia.

Quelques instants s'écoulèrent en silence. Et, enfin, émergea d'un fourré lointain l'homme que la petite fille avait attendu 200 avec tant de passion et dont j'avais su, depuis que nous avions quitté la *manyatta*, qu'il viendrait.

Pourtant je ne reconnus pas cette silhouette. Elle semblait sortir de la nuit des temps. Un grand bouclier tenu à bout de bras la précédait et, couronnant la tête aux reflets d'argile et 205 de cuivre, flottait, à la hauteur du fer de lance, l'auréole royale des lions.

Armé, paré selon la coutume sans âge, Oriounga le *morane* venait pour l'épreuve – qui d'un Masaï faisait un homme et pour gagner par elle Patricia.

210 Et plus ardent, plus brave, plus fort que les ancêtres, il venait seul.

Patricia et King furent debout dans le même instant. À travers les réflexes de ce corps fragile dont il connaissait tous les mouvements et toutes les odeurs depuis qu'il était né, le lion avait 215 senti approcher l'insolite, le trouble, la menace. Maintenant, la petite fille et King, côte à côte, elle, le tenant par la crinière et lui, les babines légèrement retroussées sur les crocs terribles, regardaient grandir le guerrier masaï.

J'avais reculé pour m'adosser au tronc de l'épineux. Ce n'était 220 point lâcheté, j'en suis certain ; si j'en avais été la proie, je n'aurais aucun scrupule à le dire. Mais ce sentiment ni celui du courage n'avaient de sens après tout ce que Patricia m'avait fait éprouver et connaître et qui, dans cet instant, s'accomplissait.

C'était la fin du jeu.

225 La petite fille l'avait soudain compris. Sa figure n'exprimait plus ni la gaieté, ni la curiosité, ni l'amusement, ni la colère, ni la tristesse. Pour la première fois, je voyais sur les traits de Patricia la surprise épouvantée devant le destin en marche, l'angoisse la plus nue et la plus enfantine devant l'événement qu'on ne 230 peut plus arrêter.

Elle cria des paroles en masaï. Je compris qu'elle ordonnait, qu'elle priait Oriounga de ne plus avancer. Mais Oriounga agita sa lance, leva son bouclier, fit ondoyer la toison fauve qui ornait sa chevelure et avança plus vite.

235 Je cherchai du regard Kihoro. Il était là, à portée de balle. Il devait se montrer. Il devait empêcher. Je crus voir au bord d'un sentier, entre deux buissons, briller le métal d'une arme. Elle semblait suivre les mouvements du *morane*. Mais le reflet s'éteignit. Oriounga était à quelques pas de nous.

240 Un grondement sourd mais qui glaçait le sang ébranla la nuque et les côtes de King. Sa queue avait pris le mouvement du fléau. Il avait reconnu l'odeur du *morane*. Il sentait l'ennemi. Et l'ennemi avait cette fois une lance étincelante et un morceau de cuir aux couleurs barbares, et, surtout, surtout cette crinière.

245 – Tout doux, King, reste calme, écoute-moi, écoute-moi, dit Patricia.

Sa voix n'avait plus le ton du commandement, mais l'accent de la prière. Parce qu'elle avait peur et qu'elle le suppliait, King obéit.

250 Oriounga s'était arrêté. Il ramena son bouclier contre lui et poussa un cri dont la stridence me parut aller jusqu'au ciel.

– King, non ! King, ne bouge pas, murmura Patricia. King obéit encore.

255 Oriounga rejeta une épaule en arrière et leva le bras dans
le geste éternel des lanceurs de javelot. La longue tige de métal
étincelant, à la pointe effilée, prit son vol.

Alors, à la seconde même où le fer entra dans la chair de
King et juste à l'instant où le sang parut, Patricia hurla comme
s'il s'était agi de sa propre chair et de son propre sang. Et au lieu
260 de retenir King de toutes ses forces, de toute son âme comme
elle l'avait fait jusque-là, elle le lâcha, le poussa, le jeta droit sur
l'homme noir.

Le lion s'éleva avec une légèreté prodigieuse et sa masse hérissée, rugissante retomba d'un seul coup sur Oriounga. Les deux
265 crinières, la morte et la vivante, n'en firent qu'une.

Le *morane* roula à terre, mais couvert de son bouclier. Insensible au poids qui l'écrasait, aux griffes qui l'atteignaient déjà, il
frappait au hasard, aveugle, frénétique, de son glaive.

Patricia s'était approchée à la frôler de cette mêlée, de cette
270 étreinte. Elle n'avait pas conscience de l'avoir voulue, provoquée,
appelée, préparée d'un instinct têtu et subtil. Elle n'avait plus
conscience de rien, sauf qu'un homme avait osé porter le fer sur
King et que cette atteinte, l'homme devait la payer de sa mort.
Et même ce mot ne signifiait rien pour elle.

275 C'est pourquoi, les narines et les lèvres dilatées, Patricia criait
au lion, sans mesurer la portée de son cri :

– Tue, King, tue !

Déjà le bouclier, malgré la triple épaisseur du cuir, s'ouvrait
sous les griffes tranchantes et déjà la misérable et sombre gue-
280 nille humaine dépouillée de sa carapace dérisoire se tordait, se
débattait, sous la gueule du trépas[1].

Je fermai les yeux, mais les rouvris aussitôt. Un grondement
mécanique avait soudain couvert le grondement animal. Un
tourbillon de poussière s'éleva sur la savane. De son sein la Land
285 Rover surgit, lancée à la limite de sa puissance. Bullit était au

---

1. **Trépas** : mort.

volant. Arrivé à la hauteur d'un fourré tout proche, il freina de telle manière que la voiture hurla. Et il se trouva à terre. Et Kihoro fut près de lui.

Les paroles qu'ils échangèrent, je ne pouvais les entendre.
290 Leurs mouvements intérieurs, je n'étais pas en eux pour les suivre. Mais il est des moments où quelques gestes, quelques expressions du visage permettent de tout sentir, de tout savoir.

– Tire, criait Bullit désarmé à Kihoro qui tenait à pleines mains les deux canons de son fusil.
295 – Je ne peux pas, disait Kihoro. Le Masaï est caché par le lion.

Car il ne pouvait pas venir à la pensée du vieil homme borgne qui avait servi de nourrice et de garde à Patricia depuis qu'elle avait vu le jour, au pisteur infaillible qui lui avait apporté King encore vagissant [1] et aveugle, au descendant des Wakamba qui
300 haïssait le *morane* et pour sa race et pour sa personne, non, il ne pouvait pas lui venir à la pensée, en toute justice, en toute vérité, que Bullit lui désignât une autre cible qu'Oriounga.

Bullit, alors, arracha le fusil des mains de Kihoro. Et toute son attitude montrait qu'il ignorait encore quel serait son plus
305 prochain mouvement. Et puis il vit l'homme sous le fauve. Et, bien que cet homme fût un Noir, c'est-à-dire une peau abjecte sur une chair sans valeur et que ce Noir eût lui-même voulu et poursuivi sa perte, Bullit fut saisi, et au fond de sa moelle par la solidarité instinctive, originelle, imprescriptible [2], venue du fond
310 des temps. Dans l'affrontement de la bête et de l'homme, c'est pour l'homme qu'il avait à prendre parti.

Et Bullit se rappela dans le même instant, et sans même le savoir, le contrat qu'il avait passé avec la loi et avec lui-même lorsqu'il avait accepté d'être le maître et le gardien de cette
315 brousse consacrée [3]. Il devait protéger les animaux en toutes

---

1. Vagissant : poussant des cris de nouveau-né.
2. Imprescriptible : quelque chose qui ne peut changer.
3. Consacrée : réservée, sacrée.

circonstances, excepté celle où un animal menaçait la vie d'un homme. Alors, il n'y avait plus de choix. Il l'avait dit lui-même : à la bête la plus noble, son devoir était de préférer l'homme le plus vil.

320 Et enfin, et surtout, s'éleva chez Bullit l'appel primordial, refoulé, étouffé, et d'autant plus exigeant et avide : le désir du sang. Il y avait eu pendant des années interdiction majeure. Mais, aujourd'hui, il avait le pouvoir, il avait le devoir de lever le tabou. Bull Bullit pouvait, et devait, ne fût-ce qu'un instant,
325 renaître à l'existence et connaître de nouveau, ne fût-ce qu'une fois, la jouissance de tuer.

Tout fut simple et prompt. L'épaule droite de Bullit s'effaça d'elle-même. Le fusil sembla prendre tout seul l'alignement nécessaire. À l'instant où King allait saisir le cou du *morane* entre
330 ses crocs, une balle l'atteignit là où il le fallait, au défaut de l'épaule, droit au cœur. Il fut soulevé, rejeté par le choc et rugit de surprise plus encore que de colère. Mais avant même que ne s'achevât son grondement, une autre balle s'enfonçait en lui, tout près de la première, la balle de sécurité, le coup de grâce
335 qui, autrefois, avait rendu célèbre le chasseur blanc à toison rousse, le grand Bull Bullit.

Et tout à coup ce fut le silence. Et tout à coup, à l'ombre des longues branches chargées d'épines, il y eut, couronnées de crinières, deux formes inertes : le corps d'un homme et
340 le corps d'un lion. À leur côté, une petite fille se tenait sans mouvement.

Bullit courait vers ce groupe. Je le rejoignis à mi-chemin et criai :
– Comment… Mais comment…

Bullit me répondit sans comprendre, en vérité, qu'il parlait :
345 – Depuis hier, je faisais surveiller le Masaï. Mon *ranger* l'a suivi. Il a trouvé votre voiture et l'a prise. J'ai pu arriver à temps… Par chance.

Seulement alors, Bullit eut conscience de ce qu'il disait. Je le
350 vis parce que le fusil lui échappa des mains. Un rictus misérable
d'innocent, d'idiot, lui déforma le visage tandis qu'il répétait :

– Par chance… Par chance…

Puis il reprit figure humaine et chuchota :

– Pat, mon petit.

355 Mais Patricia regardait King.

Le lion gisait sur le flanc, les yeux ouverts, la tête appuyée
contre l'herbe. Il semblait attendre que Patricia vînt s'allonger
contre lui une fois de plus. Et Patricia, qui n'avait pas encore
appris qu'il existait une fin aux jeux les plus beaux, à l'être le plus
360 précieux, Patricia se pencha sur King, voulut soulever la patte
tutélaire. Mais la patte était d'un poids sans mesure. Patricia la
laissa retomber. Elle tendit alors une main vers les yeux d'or, vers
celui qui, à l'ordinaire, semblait rire et cligner. L'expression du
regard n'avait plus de sens, plus de nom.

365 Patricia appuya ses paumes contre ses tempes, comme Sybil
le faisait souvent.

– King, cria-t-elle d'une voix épouvantable, King, réveille-
toi !

Une espèce de voile vitrifié commençait à recouvrir les yeux
370 du lion. Il y avait déjà un essaim de mouches sur le sang qui se
coagulait à l'endroit où les balles avaient porté.

Bullit étendit sa grande main sur les cheveux de Patricia. Elle
l'évita d'un bond. Ses traits exprimaient la haine et l'horreur.

– Ne me touchez plus jamais, cria-t-elle. C'est vous… c'est
375 vous…

Ses yeux allèrent un instant à King immobile et se détour-
nèrent aussitôt. Elle cria encore :

– Il vous aimait. Il a si bien joué avec vous la dernière fois
encore, dans la savane.

380 La voix de Patricia se brisa soudain. Elle avait dit avec tant
d'orgueil, ce jour-là, que Bullit et King semblaient deux lions. Tous
deux lui appartenaient alors. Maintenant, elle avait perdu l'un

et l'autre. Des larmes douloureuses, difficiles, vinrent aux yeux de Patricia. Mais elle ne savait pas pleurer. Les larmes séchèrent

385 aussitôt. Le regard de Patricia, brûlé d'un feu pareil à celui des hautes fièvres, appelait au secours. Bullit fit un pas vers sa fille.

Patricia courut vers Kihoro et entoura de ses bras le bassin rompu. Le vieux trappeur noir inclina sur elle toutes les cicatrices de son visage.

390 Bullit vit cela. Il y avait une telle humilité sur ses traits, un tel affaissement, que je craignis pour sa raison.

– Pat, murmura-t-il, Pat, mon petit, je te le promets, je te le jure, Kihoro te trouvera un lionceau. Nous prendrons un petit de King.

395 – Et je l'élèverai, et il sera mon ami, et, alors, vous, vous allez encore tirer sur lui, dit Patricia.

Elle avait détaché chaque mot avec une cruauté calculée, sans merci.

Une plainte rauque s'éleva en cet instant sous l'arbre aux

400 longues branches. Elle venait de la poitrine lacérée d'Oriounga. Bullit retourna d'un coup de botte le corps tout sanglant. Le *morane* ouvrit les yeux, regarda le lion abattu, eut un rictus de victoire et perdit de nouveau connaissance.

Je demandai à Bullit :

405 – Qu'est-ce qu'il va devenir ?

– Ça regarde les siens, gronda Bullit. Ici ou près de la *manyatta*, il crèvera de toute manière.

Patricia considéra Oriounga gisant près de ses armes rompues.

410 – Lui au moins, il était brave, murmura la petite fille.

Soudain elle se détacha de Kihoro, fit un pas vers Bullit.

– Et votre fusil ? lui demanda-t-elle. Vous avez promis de ne jamais prendre une arme.

– Il est à Kihoro, murmura Bullit.

415 Les yeux fiévreux de Patricia étaient devenus immenses et ses lèvres toutes blanches. Elle dit de sa voix feutrée, clandestine :

– Alors, Kihoro, vous étiez sûr de le trouver ici ? Pourquoi ?

Bullit baissa la tête. Sa bouche tremblait, incapable d'émettre un son.

420 – Vous m'avez toujours fait suivre, dit Patricia.

Le front de Bullit se courba davantage.

– Et il vous a obéi contre moi, dit encore Patricia.

Elle se détourna de Bullit et de Kihoro comme d'ombres sans substance et se pencha sur King. Le seul ami pur. Le seul
425 qui, en sa tendresse et sa puissance, ne l'avait jamais meurtrie, jamais trompée.

Il ne pouvait pas être devenu d'un seul coup et sous ses propres yeux, sourd, aveugle, sans mouvement et sans voix.

Il n'avait pas le droit de s'obstiner dans une insensibilité, une
430 indifférence monstrueuses alors qu'elle souffrait à cause de lui comme elle n'avait jamais su qu'on fût capable de souffrir.

Patricia agrippa furieusement, sauvagement la crinière de King pour le secouer, le forcer à gronder ou à rire. La tête du lion ne bougea pas. La gueule resta béante, mais inerte. Le regard était de
435 verre. Seul, l'essaim des grosses mouches s'éleva, tourbillonnant et bruissant, au-dessus de la plaie déjà sombre.

Pour la première fois, je vis la peur saisir les traits de Patricia. La peur de ce qui ne se conçoit pas, de ce qui ne peut pas être. Patricia lâcha la toison et d'instinct leva le visage vers le ciel, le
440 soleil. De grandes formes noires aux ailes déployées et à tête chauve tournoyaient au-dessus de l'arbre de King.

Un cri ténu mais atroce par la révélation qu'il exprimait échappa à Patricia. Il n'existait pas d'écriture aussi lisible pour la petite fille du Parc royal que les cercles tracés par un vol de
445 vautours. S'ils se rassemblaient de la sorte, c'était pour fondre sur une bête crevée – elle le savait depuis toujours. Et Patricia avait tant vu de ces chairs mortes – antilopes, buffles, zèbres, éléphants – que rien, jusqu'alors, ne lui avait semblé plus simple, plus naturel, plus conforme à l'ordre de la brousse… Un
450 cadavre… Une charogne… Voilà tout.

Et même Ol'Kalou. Et même Oriounga.

Mais King, non! King, ce n'était pas possible! Elle l'aimait et il l'aimait. Ils étaient nécessaires l'un à l'autre. Et voici que, étendu près d'elle dans son attitude familière de protection, de tendresse et de jeu, il s'éloignait chaque instant davantage. Et comme en lui-même, comme au fond de lui-même. Il s'en allait… Mais où? Mais où était-il déjà parti puisque les vautours approchaient, approchaient sans cesse pour le dévorer, lui, le tout-puissant?

Les sentiments essentiels – la maternité, l'amitié, la puissance, le goût du sang, la jalousie et l'amour – Patricia les avait tous connus par le truchement de King. C'était encore le grand lion qui lui faisait découvrir le sentiment de la mort.

La petite fille chercha de ses yeux obscurcis par l'épouvante un homme qui pût l'aider contre tant de mystère et d'horreur. Elle ne trouva qu'un étranger, un passant. Lui, du moins, il n'avait pas eu le loisir de la blesser.

– Emmenez-moi, emmenez-moi d'ici, me cria-t-elle.

Je pensai qu'il s'agissait seulement de l'endroit où nous étions. Mais la petite fille cria encore:

– Je ne peux plus voir mon père, je ne peux plus voir ce Parc.

Mes mains se posèrent aussi doucement que possible sur les étroites épaules toutes raidies.

– Je ferai comme vous voudrez, dis-je à Patricia.

Elle s'écria alors:

– Emmenez-moi à Nairobi.

– Mais où?

Patricia eut, de biais, pour Bullit, un regard chargé de haine.

– À la pension où j'ai déjà été, dit-elle froidement.

Je crus à un simple réflexe de fureur, de vengeance et qui passerait vite. J'avais tort.

243

Nous partîmes pour Nairobi avant même le lever de la lune. Ainsi l'avait exigé Patricia. La passion voisine de l'hystérie qu'elle avait montrée auparavant pour s'accrocher au Parc royal, elle venait de la mettre en œuvre, mais avec une violence silencieuse et comme hantée, pour abandonner au plus vite ces mêmes lieux. La pensée d'y subir une seule nuit encore avait agité la petite fille de convulsions qui pouvaient mettre en péril la santé de son corps et de son esprit. Il avait fallu céder. Nous devions dormir dans un hôtel de Nairobi et je devais ensuite conduire Patricia à la pension qui l'avait déjà reçue.

Patricia n'avait permis à personne de s'occuper des préparatifs de son voyage. Elle avait choisi elle-même pour la route une robe de lainage léger, un manteau de tweed, un chapeau de feutre rond. Elle avait trié elle-même et plié les vêtements qu'elle emportait. Il n'y en avait pas un – salopettes, souliers de brousse – qui rappelât ses courses dans la Réserve.

Maintenant, une petite valise et la serviette qui contenait des cahiers et des livres de classe étaient posées entre nous sur la banquette arrière de la voiture. Bogo la mit en marche. Deux *rangers* armés se tenaient près de lui. Ils avaient pour mission de nous accompagner jusqu'à la sortie du Parc. On pouvait faire des rencontres dangereuses. Aucun visiteur n'avait eu liberté jusque-là de surprendre les animaux dans leurs heures nocturnes.

25   La hutte qui m'avait abrité disparut. Ensuite le village nègre. Nous prîmes la grande piste médiane. Patricia, enfoncée et tassée dans son coin, n'était, sous le chapeau rond, qu'une petite ombre vague. Elle tenait la tête tournée vers l'intérieur obscur de la voiture. Elle ne faisait pas un mouvement. On eût dit qu'elle
30 ne respirait pas.

    Son silence, surtout, m'effrayait. Il fallait l'obliger à sortir de cette solitude terrible. Je posai la première question qui me vint à l'esprit.

    – Pourquoi avez-vous refusé que votre mère, au moins, vous
35 accompagne ?

    Patricia ne remua pas et dit entre ses dents serrées :

    – Elle a beau pleurer pour moi, elle est contente.

    Et c'était vrai. À travers les larmes de Sybil et malgré la douleur qu'elle avait éprouvée à voir tant souffrir Patricia, je l'avais sentie
40 heureuse. Enfin, était exaucé le désir le plus profond qu'elle nourrissait pour le bien de sa fille et dont elle avait désespéré qu'il pût s'accomplir.

    – Mon père lui reste, elle se plaira à le consoler, dit encore Patricia d'une voix qui faisait mal.

45   Et c'était vrai encore. Le tourment de Bullit offrait à Sybil une tâche merveilleuse. Elle s'y était déjà appliquée sous nos yeux avec un visage rajeuni. Et Bullit gardait son amour, son métier, son whisky.

    À Patricia, il ne restait plus rien. Par sa faute ? En quoi ? Elle
50 avait eu un lion. Elle avait eu un *morane*. Elle avait voulu seulement leur faire jouer un jeu que son père bien-aimé lui avait conté tant de fois.

    Les phares de la voiture faisaient jaillir de l'ombre le grain de la piste et des arbres et les sous-bois. Tout à coup, une sorte de rocher
55 en marche barra la route. Bogo arrêta la voiture d'un seul coup de frein. Les *rangers* lui crièrent quelque chose. Il éteignit les phares. L'énorme éléphant, masse plus noire que la nuit, demeura tourné vers nous. Sa trompe se balançait lentement, confusément.

245

– C'est un solitaire, sans doute ? demandai-je à Patricia.

60 Elle ne répondit pas. Elle ne regarda même pas la forme colossale. Elle reniait, rejetait le Parc royal et son peuple.

L'éléphant s'ébranla, passa près de nous, s'enfonça dans un taillis d'épineux. On entendait craquer la brousse.

Bogo relança la voiture. Patricia était immobile, la tête incli-
65 née sous son chapeau rond. Soudain, elle saisit la poignée de la portière, l'entrouvrit et fut sur le point de sauter dehors. Elle avait eu beau se verrouiller en elle-même d'un effort désespéré, elle avait su que nous étions arrivés à l'endroit où, de la grande piste, partait le sentier qui menait vers l'arbre aux longues branches.

70 Je ne fis rien pour la retenir. J'étais obsédé par ce qui l'attendait à Nairobi : le dortoir, le réfectoire, la prison de bonne société. Mais Patricia rabattit elle-même la portière et se rencogna plus profondément, encore. Seulement elle tremblait.

J'étendis un bras par-dessus sa petite valise, cherchai sa main.
75 Elle l'enfonça dans la poche de son manteau.

La lune était haut dans le ciel quand nous atteignîmes, au centre du Parc royal, une immense plage circulaire, brillante et lisse, qui avait été autrefois recouverte par les eaux d'un lac. La clarté nocturne faisait courir à sa surface un scintillement d'ondes
80 argentées. Et dans ce mirage lunaire, qui s'étendait jusqu'à la muraille du Kilimandjaro, on voyait jouer les troupeaux sauvages attirés par la liberté de l'espace, la fraîcheur de l'air et l'éclat du ciel. Les bêtes les plus lourdes et les plus puissantes, gnous, girafes et buffles, se déplaçaient calmement le long du cirque
85 enchanté. Mais les zèbres, les gazelles de Grant, les impalas, les bushbucks se mêlaient au milieu du lac desséché dans une ronde sans fin, ni pesanteur ni matière. Ces silhouettes désincarnées et inscrites sur l'argent de la nuit ainsi qu'à l'encre de Chine, glissaient à la surface d'un liquide astral, filaient, s'élançaient,
90 se cabraient, s'élevaient, s'envolaient avec une légèreté, une vitesse, une aisance et une grâce que leurs mouvements, même

les plus nobles et les plus charmants, ne connaissaient pas dans les heures du jour. C'était, imprégnée, menée par le clair de lune, une danse folle et sacrée.

95 Patricia tremblait de plus en plus fort, de plus en plus vite. Et ce fut elle qui saisit ma main et la serra comme si elle se noyait.

– Il est seul, gémit-elle. Tout seul. Pour toujours.

Le premier sanglot fut si difficile qu'il ressembla à un râle. D'autres suivirent plus aisément le chemin frayé.

100 Patricia se mit à pleurer comme l'eût fait n'importe quelle petite fille, comme n'importe quel enfant des hommes.

Et les bêtes dansaient.

Un quiz pour commencer

Cochez les bonnes réponses.

❶ *Pourquoi Patricia demande-t-elle au narrateur de l'accompagner chez elle au retour de sa visite à King ?*

- ❐ Elle veut continuer à discuter avec lui.
- ❐ Elle veut lui montrer quelque chose.
- ❐ Elle veut éviter d'être grondée pour son retard.

❷ *Quelle est la profession du narrateur ?*

- ❐ Il est chasseur professionnel.
- ❐ Il est journaliste et écrit des reportages de voyages.
- ❐ Il dirige un zoo et vient choisir des animaux.

❸ *Quel accueil King fait-il à Oriounga quand Patricia le lui présente ?*

- ❐ Il éprouve pour lui une haine instinctive.
- ❐ Il lui témoigne de l'amitié.
- ❐ Il est terrifié et s'enfuit.

❹ *Qu'essaie de faire accepter, sans succès, le narrateur à Patricia ?*
- ☐ De ne pas laisser Oriounga affronter King.
- ☐ De rester tous les matins faire ses devoirs avec sa mère.
- ☐ De quitter le Parc royal.

❺ *Comment le narrateur se rend-il à la fête masaï ?*
- ☐ Son chauffeur Bogo le conduit en voiture.
- ☐ Bullit l'emmène dans sa Land Rover avec sa famille.
- ☐ Il s'y rend à pied.

❻ *Pourquoi Patricia se fait-elle attendre à la fête des Masaï ?*
- ☐ Elle veut ménager un effet de surprise.
- ☐ Elle trouve les discours qui précèdent la fête trop ennuyeux.
- ☐ Elle veut d'abord aller voir les animaux.

❼ *Quelle apparence a le village des Masaï où se déroule la fête ?*
- ☐ C'est un grand cercle de huttes.
- ☐ Il ressemble à une longue chenille brune.
- ☐ Ce sont de simples cabanes bâties dans les arbres.

❽ *Quels attributs porte Oriounga pour aller affronter King ?*
- ☐ Une armure, un casque et une épée.
- ☐ Une lance, un bouclier et la crinière d'un lion.
- ☐ Un fusil, un pagne et un collier en plumes d'autruche.

❾ *Qui tue finalement King ?*
- ☐ Oriounga.
- ☐ Bullit.
- ☐ Kihoro.

❿ *Où s'en va Patricia à la fin du roman ?*
- ☐ Elle part pour l'Europe avec le narrateur.
- ☐ Elle part en vacances.
- ☐ Elle va en pension à Nairobi.

Des questions pour aller plus loin

👉 Analyser le dénouement du roman

Un désastre imminent

❶ À son retour de l'excursion dans la brousse, le narrateur se met à réfléchir sur son séjour au Parc (p. 197). Est-ce que sa curiosité à propos du lion est satisfaite ? Lui reste-t-il quelque chose à attendre ?

❷ Au chapitre 10, le réveil du narrateur est comme une répétition de son premier réveil au Parc royal. Quelles sont les différences et les ressemblances entre les deux scènes ?

❸ Un des personnages, dont la présence était plutôt discrète, prend peu à peu de l'importance dans le récit. Quel est ce personnage et pourquoi son rôle est-il décisif dans l'histoire ?

❹ Au chapitre 11, quelle nouvelle requête Sybil vient-elle faire au narrateur ?

Fête et rituels chez les Masaï

❺ Comment Bullit caractérise-t-il l'attitude des jeunes *moranes* qui affrontent les lions dans son récit (chapitre 12) ?

❻ De quoi l'ancien chef des Masaï meurt-il ? Quelle obsession cette mort entretient-elle dans l'esprit du narrateur ?

❼ Que miment les danses des Masaï lors de la fête ? Quel est le seul personnage qui réussit à percevoir leur véritable sens ?

❽ Quelles sont les causes de la terreur qui saisit à nouveau Sybil au cours de la fête ?

❾ Que propose le jeune Oriounga à Patricia vers la fin du chapitre 13 ? Cela calme-t-il la terreur de Sybil ?

Une fin dramatique

❿ Pourquoi la rencontre fatale de King et du fier Oriounga était-elle inévitable ?

⓫ Quel est le dilemme qui s'impose à Bullit lors de la confrontation de King et d'Oriounga, et quelle raison l'emporte finalement ?

⓬ En quoi peut-on dire que Patricia est en partie responsable de la mort de King ?

> *Rappelez-vous !*
> Le dénouement est l'événement qui met fin à l'histoire d'un roman. Dans *Le Lion*, c'est la mort de King qui remplit cette fonction.

De la lecture à l'écriture

Des mots pour mieux écrire

❶ *Trouvez un synonyme pour chacun des mots soulignés dans les phrases suivantes, en utilisant les mots de la liste :* bravoure, meurtri, pesant, trépas, dénouement, harassé, léonin.

Après avoir beaucoup marché dans la brousse, le narrateur est <u>épuisé</u>. Il a le cœur <u>lourd</u> en songeant à l'immense amour <u>du lion</u> et au <u>courage</u> du *morane*. <u>La mort</u> est désormais le lot d'Oriounga et de King. Patricia se retrouve seule et <u>malheureuse</u>. Personne ne s'attendait à une <u>fin</u> pareille.

❷ *Complétez le texte à l'aide des mots suivants appartenant au lexique de la mort et accordez-les si nécessaire :* convulsion, funeste, ombres, décimé, agonie, spasme, course suprême.

a. Les _____ de nos ancêtres persistent encore dans nos esprits.

b. Une personne à l'_____ est souvent agitée de _____ et de _____ .

c. On appelle le dernier galop d'un animal avant sa mort la _____ .

d. Des signes _____ annoncent un malheur.

e. Cette population a été _____ par la famine.

À vous d'écrire

❶ Servez-vous de l'une des hypothèses de dénouement émises par le narrateur à la page 197 du chapitre 10 pour écrire une fin différente de celle du roman. « M'attendais-je à voir Kihoro tirer sur Oriounga ? Ou le *morane* percer de son javelot le vieux pisteur borgne ? Ou un rhinocéros éventrer Bullit ? Ou King, oubliant tout à coup les règles du jeu, déchirer Patricia ? Ou Sybil devenir folle ? »
Consigne. Votre récit sera écrit à la troisième personne et au passé.

❷ Imaginez une suite au roman *Le Lion*. Vous vous appuierez sur les circonstances précises décrites lors des derniers chapitres.
Consigne. Vous pourrez inclure des dialogues dans votre récit en respectant ce que vous savez des caractères des personnages.

❸ Rentré en Europe, le narrateur écrit un reportage consacré à la tribu masaï. Il y évoque particulièrement la construction de la *manyatta*, la fête à laquelle il a assisté ainsi que le combat mortel entre le *morane* et le lion. Rédigez ce reportage en lui donnant un titre et des intertitres susceptibles d'attirer l'attention des lecteurs.
Consigne. Vous utiliserez un ton journalistique avec des phrases plutôt courtes et décrirez les faits en restant neutre dans vos jugements.

Du texte à l'image

Histoire
des arts

➡ Guerrier terrassant un lion, drapeau en coton et soie.
➡ Lion dévorant un ennemi, tenture africaine.

(Images reproduites en fin d'ouvrage au verso de la couverture.)

👁 Lire l'image

❶ Observez les illustrations. Qui sont les personnages représentés?
Quels sont les supports de ces dessins?
❷ Quelle impression donne le lion dans la première image ? Et dans
la seconde?

📄 Comparer le texte et l'image

❸ Quels sont précisément les passages du roman que pourraient
illustrer ces deux images?
❹ Laquelle des deux choisiriez-vous pour illustrer *Le Lion* et pourquoi?

✏ À vous de créer

❺ Dessinez à votre tour une illustration représentant un combat avec
un lion. Vous utiliserez de préférence des couleurs vives pour rappeler
l'Afrique.
❻ En une vingtaine de lignes, écrivez le récit du combat entre l'homme
et le lion, soit d'après l'illustration du haut, soit d'après celle du bas.

Arrêt sur l'œuvre

Des questions sur l'ensemble du roman

Une nature paradisiaque ?

❶ Comparez la perception de la nature qu'a le narrateur au début et à la fin du roman.

❷ L'éloge des Masaï coïncide-t-il avec l'éloge de la nature que fait le narrateur ? Qu'ont-ils de commun avec elle ?

❸ En quoi les façons de vivre des Masaï en harmonie avec la nature contribuent-elles à créer une atmosphère inquiétante ?

Une amitié hors du commun

❹ King est le vrai héros du roman : d'après vous, pourquoi est-il absent durant toute la première partie du livre ? Faites ensuite le relevé de ses apparitions.

❺ Dans la deuxième partie, relevez les passages qui mettent en scène l'affection de Patricia et de King.

❻ Quelles menaces la présence des Masaï fait-elle planer sur leur relation ?

Un drame inévitable

❼ Qui avait pressenti le drame final ?

❽ Que fait le narrateur pour éviter la catastrophe ?

❾ La fin du roman est-elle considérée comme une catastrophe par Sybil ?

Des mots pour mieux écrire

Lexique de la réserve africaine

Aigrette : oiseau dont les plumes sont très recherchées.

Aridité : grande sécheresse.

Autruche : oiseau coureur de grande taille vivant en Afrique, et qui ne peut pas voler.

Brousse : région africaine couverte de broussailles, éloignée des centres urbains et souvent inhabitée.

Buffle : mammifère ruminant voisin du bœuf, à longues cornes arrondies dirigées vers l'arrière et au pelage noir.

Bushbuck (daim de la brousse) : mammifère de taille moyenne ou petite, caractérisé par l'aplatissement de ses bois et par sa robe tachetée.

Éminence : point surélevé, colline.

Futaies : groupes d'arbres poussés au maximum de leur taille.

Gnou : mammifère au corps lourd qui rappelle le taureau par la tête et les cornes, le cheval par la queue et la crinière, et l'antilope pour le reste. Il vit en troupeaux.

Impala : nom masculin. Antilope du Sud et de l'Ouest africains. L'impala trouve dans les feuillages son mets principal.

Orée : lisière, bordure.

Pitons : pics, montagnes.

Rangers : gardes dans une réserve.

Ravine : petit ravin.

Savane : formation herbeuse des régions tropicales, vaste prairie dont la période de repos est la saison sèche, caractérisée par la pauvreté en arbres et en fleurs et par la richesse en animaux.

Le Lion

❶ **Complétez les phrases suivantes à l'aide des mots du lexique de la réserve africaine.**

a. À l'_____ des bois, on découvre l'immensité du paysage.

b. Au milieu des buissons de la _____ dominent parfois des _____.

c. Le paysage africain se compose de grandes étendues de _____ où se promènent de nombreux animaux.

d. Une grande partie du territoire africain souffre d'une _____ chronique.

e. Depuis les _____ rocheux, on aperçoit d'étroites vallées que l'on nomme des _____.

❷ **Beaucoup d'expressions françaises utilisent le mot « lion ». En vous aidant du dictionnaire, expliquez chacune de ces expressions et employez-les dans une phrase comprenant au moins un complément circonstanciel :**

a. Avoir un cœur de **lion**.

b. Tourner comme un **lion** en cage.

c. Hardi, courageux, fort comme un **lion**.

d. Se battre, se défendre comme un **lion**.

e. Avoir mangé du **lion**.

f. La part du **lion**.

Lexique de la chasse

Affût : poste d'où l'on guette le gibier.
Braconnier : chasseur qui n'a pas l'autorisation de chasser.
Carcasse : ensemble des ossements du corps d'un animal.
Gibier : tout animal que l'on chasse.
Gîte : lieu où s'abritent les bêtes.

Horde : meute.
Pisteur : chasseur qui relève les traces du gibier.
Trappeur : chasseur professionnel.
Trophées : têtes ou corps empaillés d'animaux que l'on a abattus.

Complétez les phrases suivantes à l'aide des mots du lexique de la chasse.

a. À l'intérieur de la réserve, seuls les _____ se permettent de tuer du gibier.

b. Une _____ d'éléphants s'enfuit aux confins de la plaine.

c. Pour surprendre les animaux, les chasseurs se sont mis à _____ dans le bois.

d. Chaque matin, les _____ partent en quête d'indices pour trouver le gibier.

e. Pour éviter d'être la proie des chasseurs, le guépard reste dans son _____.

À vous de créer

❶ *Réalisez une affiche de film*

Pour l'adaptation cinématographique du *Lion*, vous créez l'affiche de promotion du film. Vous devrez penser au visuel et à ce que vous voudrez représenter (quels personnages, quels paysages, quelle scène apparaîtront sur l'affiche ?). Vous penserez également aux informations qui figureront sur votre affiche (titre, nom du réalisateur, noms des acteurs…). Vous pourrez vous inspirer d'autres affiches de films que vous connaissez.

❷ *Contez un exploit*

En Afrique, les tribus se transmettaient de génération en génération le récit des exploits d'anciens devenus célèbres. À votre tour, préparez un récit oral que vous ferez devant vos camarades : vous leur raconterez le combat d'Oriounga avec King, comme si vous étiez l'un des membres de la tribu masaï.

Consignes

- Vous utiliserez le passé dans votre récit.
- Selon la règle du conte, vous pourrez ajouter des péripéties et inventer des exploits.

Des animaux et des hommes

Aulu-Gelle, *Les Nuits attiques*, « Le lion d'Androclès »

Dans son ouvrage *Les Nuits attiques*, Aulu-Gelle (120-180 après J.-C.), grammairien latin, nous apporte de nombreux renseignements sur la littérature et la civilisation antiques. Au chapitre 14 du livre V, on trouve un bel exemple de la fidélité et de la reconnaissance d'un lion envers un homme.

Il y avait là beaucoup d'animaux féroces, des bêtes d'une taille peu commune ; toutes étaient extraordinaires par leur aspect ou par leur férocité. Mais plus que tout le reste les lions monstrueux étonnaient, et l'un d'eux plus que tous les autres. Ce lion à lui seul avait tourné vers lui l'attention et les yeux de tous par l'élan et la grande taille de son corps, son rugissement retentissant et terrifiant, ses muscles et sa crinière flottante. Avait été introduit au milieu de plusieurs autres, offert à la bataille contre les bêtes, l'esclave d'un personnage consulaire [1] ; cet esclave se nommait Androclus. Dès que le lion le vit de loin, aussitôt, il s'arrêta comme étonné, puis doucement et paisiblement comme pour le

---

1. **Personnage consulaire** : homme ayant été élu pour exercer des responsabilités politiques.

reconnaître, il s'approche de l'homme. Alors il remue la queue gentiment et affectueusement selon la manière et l'habitude des chiens quand ils flattent, il s'approche du corps de l'homme, et caresse de la langue, avec douceur, les jambes et les mains de l'homme déjà presque mort de peur.

L'homme, Androclus, sous les caresses d'une bête aussi épouvantable, reprend ses esprits perdus, peu à peu il ramène ses yeux vers le lion et le regarde. Alors comme ils s'étaient reconnus mutuellement, on eût pu voir l'homme et le lion faire des grâces joyeusement.

Apion dit que ce phénomène étonnant souleva les plus grandes clameurs du public, qu'Androclus fut appelé par César et qu'on lui demanda pour quelle raison ce lion si épouvantable l'avait épargné lui seul. Alors Androclus raconte une histoire merveilleuse et étonnante. «Comme mon maître tenait, dit-il, le pouvoir proconsulaire sur la province d'Afrique, je fus contraint à prendre la fuite par ses corrections [1] quotidiennes injustes, et, pour trouver des cachettes plus sûres contre mon maître qui était gouverneur de la province, je me retirai dans les plaines sableuses et désertes avec l'idée, au cas où la nourriture me manquerait, de chercher la mort de quelque manière. Alors ayant trouvé à midi, sous un soleil de feu dévorant, une grotte écartée et secrète, j'y pénètre et m'y cache. Peu de temps après, ce lion vient à la même grotte, une patte impotente et sanglante, poussant des gémissements et des rugissements de plainte sur la douleur et la souffrance de sa blessure.» Et il dit que là, à peine aperçut-il le lion arrivant, il fut terrifié et abattu de peur. «Mais quand le lion, entré dans ce qui était son repaire [2], comme les faits le prouvaient, me voit de loin en train de me cacher, il s'approcha doux et apprivoisé, souleva sa patte, et parut me la montrer et me la tendre comme pour demander secours. Alors, dit-il, j'arrachai une immense racine fixée à la plante de sa patte, je fis sortir le pus [3] qui s'était formé à l'intérieur de la blessure et avec bien du soin, sans grande crainte dès lors, je séchai à fond et

---

1. **Corrections** : punitions.
2. **Repaire** : lieu de refuge.
3. **Pus** : liquide qui se forme après une infection.

essuyai le sang. Soulagé par mon aide et par mes soins, sa patte dans mes mains, il se reposa et se calma, et à partir de ce jour nous avons pendant trois années entières, moi et le lion, vécu dans la même grotte et aussi de la même nourriture. Car les bêtes qu'il chassait, il m'en présentait à la grotte les morceaux les plus charnus : n'ayant pas de feu à ma disposition, je les faisais griller au soleil de midi pour les manger. Lorsque je fus las[1] de cette vie d'animal sauvage, je quittai la grotte alors que le lion était parti à la chasse, et, après avoir parcouru une route d'environ trois jours, je rencontrai des soldats qui m'arrêtèrent ; et je fus ramené d'Afrique à Rome chez mon maître. Celui-ci s'occupa aussitôt de me faire condamner à mort et livrer aux bêtes. Or je comprends, dit-il, que ce lion, qui fut pris, lui aussi, après mon départ, me récompense maintenant de mon bienfait et de mes soins. »

Aulu-Gelle, Les Nuits attiques [IIe siècle ap. J.-C.],
trad. du latin par R. Marache © Les Belles Lettres, Paris, 1978.

Chrétien de Troyes, *Yvain ou le Chevalier au lion*

Dans ce roman de chevalerie écrit par Chrétien de Troyes (v. 1135-v. 1183), Yvain le chevalier vit des aventures merveilleuses. Il est accompagné d'un lion, qu'il a rencontré dans la forêt.

Messire Yvain cheminait pensif par une profonde forêt et soudain ouït[2] un cri très fort et douloureux. Il se dirigea vers l'endroit d'où lui semblait parti le cri. Quand il parvint en ce lieu-là, il vit un lion dans un essart[3] et un serpent qui l'enserrait dedans sa queue et lui brûlait l'échine[4] de cent flammes qu'il vomissait. Messire Yvain ne regarda longtemps cette merveille. En lui-même il se demanda lequel des deux il aiderait. Il se décida pour le lion, pensant qu'on ne doit faire du mal qu'à bête

---

1. **Las** : fatigué.
2. **Ouït** : entendit.
3. **Essart** : lieu défriché.
4. **Échine** : dos.

venimeuse et félonne[1]. Or le serpent est venimeux. Il lui sort du feu par la bouche et il est plein de félonie. Pour cela messire Yvain pensa qu'il l'occirait[2] premièrement. Il tire donc l'épée. Devant la face de la bête il met l'écu[3] pour que ne l'atteigne la flamme qui se gîtait dedans la gueule qu'il avait plus large qu'une oule[4]. À l'épée il attaque la bête. Il tranche le serpent félon jusqu'en terre et le retronçonne, frappe et tant le refrappe qu'il le démince et le dépièce. Mais il lui faut enfin trancher un morceau de la queue du lion car la mâchoire du serpent par la queue encore le tenait. Il en trancha le moins qu'il put.

Quand il eut délivré le lion il crut qu'il allait maintenant falloir combattre car le lion allait l'attaquer, pensait-il. Mais le lion ne fit pas ainsi. Écoutez ce que fit la bête, preux animal et débonnaire[5] : elle commença à faire comme si elle se rendait à lui ; elle étendait ses deux pattes jointes ; vers la terre inclinait la tête, se dressait sur ses pieds de derrière, puis elle se ragenouillait et toute sa face mouillait de larmes par humilité. Messire Yvain en vérité comprit que le lion le remerciait et s'humiliait devant lui qui l'avait sauvé de la mort en tronçonnant le serpent. Cette aventure lui plut fort. Il essuya son épée pleine de venin et de bave et la remit dans son fourreau. Puis il continua son chemin. Le lion marcha auprès de lui, montrant bien que jamais il ne le quitterait et qu'avec lui toujours irait car il voulait assurément servir ce maître et le protéger.

Chrétien de Troyes, *Yvain ou le Chevalier au lion* [XIIe siècle], trad. J.-P. Foucher, Belin-Gallimard, « Classico », 2008, © Éditions Gallimard.

1. **Félonne** : trompeuse.
2. **L'occirait** : le tuerait.
3. **Écu** : bouclier.
4. **Oule** : marmite.
5. **Débonnaire** : noble.

Jacques de Voragine, *La Légende dorée*, « Jérôme et le lion »

Voici une autre version de l'histoire du lion d'Androclès, réécrite au Moyen Âge par Jacques de Voragine (XIIIᵉ siècle), auteur d'une histoire des saints et des martyrs, *La Légende dorée*. Dans ce passage, le moine Jérôme, qui habite alors à Bethléem, rencontre pour la première fois un lion, qui est blessé.

Une fois, le soir approchant, Jérôme était assis avec ses frères pour entendre une sainte lecture, quand un lion entra dans le monastère en boitant. À cette vue, les autres frères prirent la fuite, mais Jérôme alla l'accueillir comme on accueille un hôte. Le lion lui fit voir alors qu'il avait une patte blessée, et Jérôme appela les frères en leur demandant de la lui laver et d'examiner soigneusement la plaie. On le fit, et on trouva que la plante du pied avait été blessée par des ronces. On le soigna bien, et le lion guérit ; il perdit toute férocité et habita parmi eux comme un animal domestique. Alors Jérôme, voyant que le Seigneur leur avait envoyé l'animal moins pour sa patte blessée que pour leur propre utilité, après avoir pris l'avis des frères, lui confia la tâche de mener au pâturage et d'y surveiller leur âne, qui rapportait leur bois de la forêt. Ce qui fut fait. Et quand on eut confié au lion la garde de l'âne, en allant au pré, il se tenait à ses côtés et le surveillait indéfectiblement à la façon d'un pasteur vigilant ; et quand l'âne s'écartait pour aller paître, le lion était pour lui le meilleur des protecteurs.

Jacques de Voragine, *La Légende dorée* [XIIIᵉ siècle], trad. du latin par A. Boureau, M. Goullet et L. Moulinier © Éditions Gallimard.

Rudyard Kipling, *Le Livre de la jungle*

Rudyard Kipling (1865-1936) est un auteur britannique connu pour son recueil de nouvelles *Le Livre de la jungle* : l'une des histoires qui y figurent est celle de Mowgli, petit enfant recueilli et élevé par des loups. L'extrait ci-dessous décrit le moment de la rencontre du petit d'homme et de la famille de loups.

Il y eut un petit froissement de buisson dans le fourré. Père Loup, ses hanches sous lui, se ramassa, prêt à sauter. Alors, si vous aviez été là, vous auriez vu la chose la plus étonnante du monde : le loup arrêté à mi-bond. Il prit son élan avant de savoir ce qu'il visait, puis tenta de se retenir. Il en résulta un saut de quatre ou cinq pieds droit en l'air, d'où il retomba presque au même point du sol qu'il avait quitté.

– Un homme ! hargna-t-il. Un petit d'homme. Regarde !

En effet, devant lui, s'appuyant sur une branche basse, se tenait un bébé brun tout nu, qui pouvait à peine marcher, le plus doux et potelé petit atome qui fût jamais venu la nuit à la caverne d'un loup. Il leva les yeux pour regarder Père Loup en face et se mit à rire.

– Est-ce un petit d'homme ? dit Mère Louve. Je n'en ai jamais vu. Apporte-le ici.

Un loup, accoutumé à transporter ses propres petits, peut très bien, s'il est nécessaire, prendre dans sa gueule un œuf sans le briser. Quoique les mâchoires de Père Loup se fussent refermées complètement sur le dos de l'enfant, pas une dent n'égratigna la peau lorsqu'il le déposa au milieu de ses petits.

– Qu'il est mignon ! Qu'il est nu !… Et qu'il est brave ! dit avec douceur Mère Louve.

Le bébé se poussait, entre les petits, contre la chaleur du flanc tiède.

– Ah ! Ah ! Il prend son repas avec les autres.

Ainsi, c'est un petit d'homme. A-t-il jamais existé une louve qui pût se vanter d'un petit d'homme parmi ses enfants ?

– J'ai parfois ouï parler de semblable chose, mais pas dans notre clan ni de mon temps, dit Père Loup. Il n'a pas un poil, et je pourrais le tuer en le touchant du pied. Mais, voyez, il me regarde et n'a pas peur !

Rudyard Kipling, *Le Livre de la jungle* [1894],
trad. de l'anglais par L. Fabulet et R. d'Humières
© Mercure de France, 1972.

Jack London, *Croc-Blanc*

Le héros du roman de Jack London (1876-1916), Croc-Blanc, est le fils d'une chienne et d'un loup. Il a connu la liberté, au début de sa vie, dans la forêt, avant d'être capturé avec sa mère par les Indiens qui le domestiquent. Il finit par être vendu en échange de whisky et il devient prisonnier d'un maître cruel qui ne le sort de sa cage que pour l'exhiber dans des combats où il est connu comme le « loup combattant ». Un homme, Scott, le prend en pitié en le découvrant agonisant entre les crocs d'un bouledogue. Il entreprend un patient travail de reconquête de cette bête devenue un véritable démon. Dans l'esprit de Croc-Blanc, les hommes sont des « dieux » trop souvent trompeurs et cruels...

La viande paraissait bonne. L'attitude du dieu était on ne peut plus engageante[1]. Mais il y avait une dette de sang entre l'homme et la bête, un châtiment[2] qui attendait son heure. L'offrande[3] pouvait être un piège, une de ces inventions cruelles, diaboliques, dont les humains semblaient avoir le secret. Croc-Blanc avait déjà fait l'expérience de ce genre de punition avec les femmes indiennes, qui avaient la détestable habitude de préparer des repas qui pouvaient provoquer de terribles souffrances. Il demeura donc immobile, les oreilles dressées, toute son attention concentrée sur le dieu.

Celui-ci poursuivit son manège pendant quelques minutes, puis lança la viande au pied de Croc-Blanc. Le loup la flaira, les yeux toujours fixés sur l'homme. Rien ne se produisit. Il ouvrit alors la gueule et l'avala rapidement, persuadé qu'un éclat de rire ou une explosion de colère marquerait la fin de l'expérience – et le début de ses ennuis. Mais le dieu souriait toujours. Sans se presser, il sortit un second grand morceau et le tint à bout de bras. Croc-Blanc le refusa. Le morceau roula jusqu'à lui. Il le prit et attendit le déchaînement de la violence. Rien. Un troisième morceau suivit, puis un quatrième, puis un autre encore. Puis le jeu cessa. Il patienta un moment, mais le morceau demeurait dans la main du dieu, et celui-ci l'invitait du geste à venir le prendre.

---

1. **Engageante** : encourageante.
2. **Châtiment** : punition.
3. **Offrande** : don.

La viande était délicieuse et il avait très faim. Centimètre par centimètre, aussi prudemment que s'il s'était trouvé au bord d'un gouffre ou à proximité d'un nid de serpents, il s'approcha de la main tendue. Ses yeux étaient fixés sur l'homme, ses oreilles couchées en arrière, il hérissait instinctivement les poils de son cou, un sourd grondement montait de sa gorge, avertissant le dieu qu'il se tenait sur ses gardes. Mais lorsqu'il allongea la tête et prit la viande, le ciel ne lui tomba pas sur la tête et le sourire du dieu s'élargit. Il mangea ainsi toute la viande, vaguement inquiet, oubliant peu à peu le châtiment qui lui était dû.

Lorsqu'il eut terminé, il se lécha consciencieusement [1] les babines, et Scott se remit à parler. Mais cette fois-ci il ne gronda pas. La musique du dieu était belle. La musique du dieu le berçait. La houle qu'elle faisait naître en lui le remplissait d'aise et le stupéfiait à la fois. Il avait l'impression qu'un de ses plus secrets désirs était enfin satisfait, qu'un vide dont il n'avait jamais eu conscience auparavant était désormais comblé. [...]

Cet épisode décisif marqua pour lui le commencement de la fin. Ou plutôt : la fin d'une existence ingrate [2], vouée à la haine, et le commencement d'une vie meilleure, déroutante, à laquelle rien de ce qu'il avait vécu auparavant ne l'avait préparé. Pour l'aider à franchir ce cap, Weedon Scott dut déployer des trésors de patience et d'ingéniosité. Mais ses efforts, aussi louables fussent-ils, n'étaient rien en comparaison de ceux que devait accomplir le jeune loup, qui ne pouvait s'adapter à la situation qu'au prix d'une véritable révolution intérieure.

Jack London, *Croc-Blanc* [1906],
trad. de l'anglais par P. Sabathé, Gallimard, «Folio junior», 2008.

---

1. Consciencieusement : avec soin.
2. Ingrate : pénible.

Walter Farley, *Flamme, cheval sauvage*

Walter Farley (1915-1989) est l'auteur de *L'Étalon noir* et de *Flamme, cheval sauvage*. Dans ce roman, le jeune Stève a découvert, sur une île des Caraïbes, des chevaux vivant depuis des siècles à l'état sauvage, abandonnés là par les Conquistadors. Le chef du troupeau, le plus beau et le plus farouche d'entre eux, est un étalon que Stève prénomme Flamme parce qu'il est couleur de feu. Dans la scène qui suit, Steve tente d'approcher Flamme après l'avoir sauvé lorsque celui-ci était enlisé dans un marécage.

L'étalon n'était plus qu'à vingt pas de Stève, à présent ; celui-ci pouvait distinguer les veines qui saillaient sur son encolure puissante. Les oreilles du cheval étaient pointées en avant. Il avait cessé de mâchonner l'herbe qui lui sortait de la bouche, pour écouter, semblait-il, la voix du garçon. Elle lui rappelait celle qu'il avait entendue si souvent au cours des dernières heures. Ses grands yeux regardèrent Stève avec curiosité. Encore quelques minutes, et Stève pourrait le toucher. Il se remit à lui parler, la main tendue.

L'étalon s'arrêta à quelques pas de Stève pour brouter. N'y tenant plus, le jeune homme s'avança doucement vers l'animal, puis il se ravisa : il valait mieux laisser le cheval approcher de lui-même. Le cœur battant, Stève attendit ; il avait grand peine à maîtriser son émotion, tandis qu'à mi-voix, il continuait de parler à l'étalon. Sans relever la tête, celui-ci approcha de la main tendue vers lui. Doucement, très doucement, Stève caressa ses naseaux. La peau en était douce. La bête se laissa faire sans essayer de mordre.

Ému jusqu'aux larmes, Stève murmurait en continuant de flatter l'étalon : «Tu es à moi, Flamme. Tu es venu à moi tout seul, comme je l'espérais, comme il le fallait.»

Walter Farley, *Flamme, cheval sauvage* [1948],
trad. par J. Bréant, Hachette, «La Bibliothèque verte», 1964.

Impressions d'Afrique

Evelyn Waugh, *Hiver africain*

Evelyn Waugh (1903-1966) est un écrivain britannique qui a fait
plusieurs voyages en Afrique. Il est l'auteur, notamment, de *Officiers
et Gentlemen*. Voici ce qu'il découvre lors de son voyage en Éthiopie et
au Kenya, en 1930-1931.

En l'occurrence, toutes les idées préconçues que j'avais au début
de ce voyage se révélèrent fausses. Zanzibar et le Congo, des noms
chargés de connotations romantiques, ne m'apportèrent strictement rien, et les pays que je trouvai les plus intéressants furent
précisément ceux que je m'attendais précisément à détester, à
savoir le Kenya et Aden. [...] Mon courrier arriva enfin et je pus
partir pour le Kenya. Je m'embarquai sur le *Mazzini*, un paquebot
italien pratiquement désert. Il amène des passagers de Gênes à
Mombasa. Puis il fait route vers Zanzibar, Dar-es-Salaam, et au
bout d'une semaine, fait une nouvelle escale à Mombasa, avant
de repartir pour l'Europe. Les rares passagers étaient des gens
paisibles qui se reposaient en faisant une croisière de quelques
jours. [...]

Je n'avais passé que quelques jours à Nairobi, et pourtant,
je commençais déjà à être amoureux du Kenya. J'y trouvais un
charme, une chaleur, une ouverture d'esprit et une générosité
qui n'existent nulle part ailleurs, sauf en Irlande. Ce n'était pas
une simple attirance, comme celle que l'on éprouve pour tout
endroit où les gens sont amusants et sympathiques et où le climat
est agréable, mais un profond sentiment de tendresse. Je crois
que tous ceux qui vivent sur les hauts plateaux du Kenya ressentent cela plus ou moins consciemment. [...]

Le paysage est extraordinaire, beaucoup plus beau que tout ce
que j'ai vu en Abyssinie. De tous côtés, les crêtes[1] des plateaux se
succèdent à perte de vue. [...] Un soleil brillant, sans voile, dont
rien ne modifie l'incidence[2] ; la lumière du soleil plus claire que

---

1. **Crêtes** : cimes.
2. **Incidence** : ici, direction des rayons lumineux.

la lumière du jour ; on songe à la lune tant la fraîcheur ambiante semble déplacée. La lumière solaire évoque l'ambre en Europe, elle évoque le diamant en Afrique. L'air est frais comme une réclame pour un dentifrice.

Evelyn Waugh, *Hiver africain* [1931], trad. de l'anglais par M. Gibot, Payot, 1992.

Louis-Ferdinand Céline, *Voyage au bout de la nuit*

Voyage au bout de la nuit est le premier roman de Louis-Ferdinand Céline (1894-1961), qui connut un grand succès lors de sa parution malgré le ton pessimiste qui le caractérise et la vision sombre qu'il donne du monde. Le personnage, Bardamu, voyage en Afrique, et décrit ce continent avec un regard critique très différent de celui qui domine dans de nombreux romans évoquant l'Afrique.

Les crépuscules dans cet enfer africain se révélaient fameux. On n'y coupait pas. Tragiques chaque fois comme d'énormes assassinats du soleil. Un immense chiqué. Seulement c'était beaucoup d'admiration pour un seul homme. Le ciel pendant une heure paradait tout giclé d'un bout à l'autre d'écarlate en délire, et puis le vert éclatait au milieu des arbres et montaient du sol en traînées tremblantes jusqu'aux premières étoiles. Après ça le gris reprenait tout l'horizon et puis le rouge encore, mais alors fatigué le rouge et pas pour longtemps. Ça se terminait ainsi. Toutes les couleurs retombaient en lambeaux, avachies sur la forêt comme des oripeaux [1] après la centième. Chaque jour sur les six heures exactement que ça se passait.

Et la nuit avec tous ses monstres entrait alors dans la danse parmi ses mille et mille bruits de gueules de crapauds. La forêt n'attend que leur signal pour se mettre à trembler, siffler, mugir de toutes ses profondeurs. Une énorme gare amoureuse et sans lumière, pleine à craquer. [...]

À moi donc seul le paysage ! J'aurais désormais tout le temps d'y revenir, songeais-je, à la surface, à la profondeur de cette immensité de feuillages, de cet océan de rouge, de marbré jaune,

---

1. Oripeaux : vêtements usés.

de salaisons flamboyantes magnifiques sans doute pour ceux qui aiment la nature. Je ne l'aimais décidément pas. La poésie des Tropiques me dégoûtait. Mon regard, ma pensée sur ces ensembles me revenaient comme du thon. On aura beau dire, ce sera toujours un pays pour les moustiques et les panthères. Chacun sa place.

Louis-Ferdinand Céline, *Voyage au bout de la nuit* [1932]
© Éditions Gallimard.

Karen Blixen, *La Ferme africaine*

Karen Blixen (1885-1962) est d'origine danoise. Elle a vécu une vingtaine d'années au Kenya, dans une plantation de café. En 1937, elle publie *La Ferme africaine*, inspirée de sa vie en Afrique. Dans le passage suivant, elle fait le portrait d'un enfant noir de retour à la ferme où elle vit.

C'était un Masaï de la tête aux pieds.

Un guerrier masaï est un spectacle magnifique. Ces jeunes hommes possèdent pleinement cette forme particulière d'intelligence que nous appelons le *chic*, et malgré leur audace et leur fantaisie, ils sont fidèles à leur nature et à leur idéal. Leur style n'a rien d'emprunté[1] et n'est pas une quelconque imitation d'un modèle étranger, il est le produit et l'expression de leur race propre et de son histoire. Les armes et les bijoux sont une part intégrante de celui qui les porte, à l'instar de[2] la crinière du lion ou des cornes du buffle.

Kabero avait adopté la coiffure des guerriers masaïs, il portait les cheveux longs et tressés avec une cordelette pour former une natte épaisse qui lui fouettait le cou, et son front était ceint[3] d'une lanière de cuir. Il avait également le port de tête des Masaïs, avec le menton proéminent, comme s'il me présentait sur un plateau son visage jeune, hautain et arrogant. Il se tenait très droit, avec la posture parfaitement passive, fière et dédaigneuse des Moranis,

---

1. D'emprunté : qui manque de naturel.
2. À l'instar de : à la manière de.
3. Ceint : entouré.

qui en font un objet de contemplation et d'admiration, telle une sculpture ou une statue que chacun observe mais qui ne voit rien elle-même.

Les jeunes guerriers masaïs se nourrissent principalement de lait et de sang, et peut-être est-ce ce régime qui donne à leur peau l'étonnant lustre [1] de la soie. Leurs faces aux pommettes saillantes et aux maxillaires [2] insolents sont lisses et tendues, sans ride ni repli, et leurs yeux sombres qui ne voient rien sont enchâssés dans leur visage comme deux petits morceaux de pierre noire dans une mosaïque, oui, en fin de compte, tout dans l'allure des Moranis ressemble à une mosaïque. Les muscles de leur cou sont gonflés d'une manière saisissante, comme la queue d'un serpent à lunettes en colère, d'un léopard ou d'un taureau de corrida, et cette tension est un signe de virilité si net qu'elle paraît comme une déclaration de guerre au monde entier, à l'exception des femmes.

Karen Blixen, La Ferme africaine [1937],
trad. du danois par A. Gnaedig © Éditions Gallimard.

Romain Gary, *Les Racines du ciel*

Romain Gary (1914-1980) reçut le prix Goncourt en 1956 pour *Les Racines du ciel*. Dans ce roman qui se déroule en Afrique-Équatoriale française (actuel Tchad) dans les années 1950, Morel s'acharne à protéger les éléphants contre les chasseurs et les braconniers. Ce roman est un très bel appel à la protection et à la préservation de la nature et de ses richesses.

Il ne lui dit ni qui il était, ni d'où il venait, mais lui parla des éléphants, comme si c'était la seule chose qui comptait. C'était par dizaines de milliers, dit-il, que les éléphants étaient abattus chaque année en Afrique – trente mille, l'année dernière – et il était décidé à tout faire pour empêcher ces crimes de continuer. Voilà pourquoi il était venu au Tchad : il avait entrepris une campagne pour la défense des éléphants. Tous ceux qui ont vu

---

1. **Lustre** : éclat.
2. **Maxillaires** : mâchoires.

ces bêtes magnifiques en marche à travers les derniers grands espaces libres du monde savent qu'il y a là une dimension de vie à sauver. La conférence pour la protection de la faune africaine allait se réunir bientôt au Congo et il était prêt à remuer ciel et terre pour obtenir les mesures nécessaires. Il savait bien que les troupeaux n'étaient pas menacés uniquement par les chasseurs – il y avait aussi le déboisement, la multiplication des terres cultivées, le progrès quoi ! Mais la chasse était évidemment ce qu'il y avait de plus ignoble et c'était par là qu'il fallait commencer. Savait-elle par exemple qu'un éléphant tombé dans un piège agonisait souvent, empalé sur des pieux, pendant des jours et des jours ? Que la chasse au feu était encore pratiquée par les indigènes sur une large échelle et qu'il lui était arrivé de tomber sur les carcasses de six éléphanteaux victimes d'un feu auquel les bêtes adultes avaient pu échapper grâce à leur taille et à leur rapidité ? et savait-elle que des troupeaux entiers d'éléphants s'échappaient quelquefois de la savane enflammée brûlés jusqu'au ventre et qu'ils souffraient pendant des semaines ? – il avait entendu pendant des nuits entières les cris de ces bêtes blessées. Savait-elle que la contrebande de l'ivoire était pratiquée sur une grande échelle par les marchands arabes et asiatiques qui poussaient les tribus au braconnage ? […] Les indigènes, eux, au moins, avaient des excuses : il n'y avait pas assez de protéines dans leur régime alimentaire. Ils abattaient les éléphants pour les manger. C'était, pour eux, de la viande. La préservation des éléphants exigeait donc, en premier lieu, l'élévation du niveau de vie en Afrique, condition préalable de toute campagne sérieuse pour la protection de la nature. Mais les blancs ? La chasse « sportive » – pour la beauté du coup de fusil ?

Romain Gary, Les Racines du ciel [1956] © Éditions Gallimard.

Karen Blixen, *Ombres sur la prairie*

Paru en 1960, *Ombres sur la prairie* fut rédigé après le retour définitif de Karen Blixen au Danemark. Elle évoque ici ses souvenirs de chasse, notamment la chasse au lion.

Un lion en liberté dans la brousse ressemble bien plus aux anciens lions monumentaux en pierre qu'aux lions que l'on voit de nos jours dans un jardin zoologique. Son aspect nous bouleverse le cœur. Dante ne pouvait être plus ému la première fois qu'il aperçut Béatrice dans les rues de Florence.

Le lion est la parfaite image que les générations humaines se sont faites de l'indépendance et de l'invincibilité à l'état pur. De grands rois ont considéré comme un très grand honneur d'être qualifiés de cœur de lion. En face d'un lion, on éprouve toujours à la fois une surprise bouleversante et le sentiment d'un revoir. Je crois que je me souviens de chacun des lions que j'ai rencontrés, à la blanche clarté de la lune ou aux premières lueurs de l'aube. Je vois le mouvement de la tête altière et je vois le balancement rythmé de la queue qui rappelle l'ondulation dangereuse du serpent. « Loué sois-tu, Seigneur, pour frère lion. Il est très calme, ses pattes sont puissantes, il glisse entre les vagues des hautes herbes, muet, la gueule rouge. De sa poitrine le grondement du tonnerre est prêt à jaillir. » [...]

Autrefois, c'était le lion qui revenait triomphant d'une pareille rencontre, ivre de sa victoire et se léchant les babines. Depuis lors, nous avons acquis des armes efficaces. L'épreuve de force entre nous n'est plus réellement loyale. Pourtant le lion m'a tué plus d'un ami cher. [...]

Au début de mon séjour en Afrique, je n'avais ni cesse ni repos avant de posséder un beau spécimen de chaque espèce de gibier. Mais pendant les dix dernières années, je ne tirai pas un seul coup de fusil qui ne fût destiné à la nourriture de mes gens. La chasse dans le seul but de vivre quelques heures de fiévreuse excitation me paraissait déraisonnable, voire laide et vulgaire. C'était seulement mettre fin à une vie faisant partie intégrante de ces vastes espaces depuis dix ou vingt ans et même s'il s'agissait de buffles et d'éléphants, depuis cinquante à cent ans.

Karen Blixen, *Ombres sur la prairie* [1960],
trad. de l'anglais par M. Metzger © Éditions Gallimard.

Interview imaginaire de Joseph Kessel

▶▶ *Quel a été votre parcours jusqu'à l'âge adulte, Joseph Kessel ?*

Je suis né en 1898, en Argentine. Mon père était médecin, d'origine lituanienne et de famille juive. Peu de temps après ma naissance, nous sommes retournés dans l'Oural où se trouvait la famille de ma mère. Nous y sommes restés trois ans avant de nous installer en France. J'ai fait ma scolarité secondaire à Nice puis à Paris. En 1916, après ma licence de lettres, je me suis engagé dans l'aviation, où j'ai servi pendant la Première Guerre mondiale contre l'Allemagne. À la fin de la guerre, j'ai

Joseph Kessel
(1898-1979)

demandé la nationalité française. On m'a aussi donné la croix de guerre et la médaille militaire.

▶▶ *Quels ont été vos débuts professionnels ?*

J'ai commencé une carrière de journaliste en 1915 en participant au *Journal des débats*. J'ai fait mon premier grand reportage en Irlande, en 1920, lors de la guerre d'Indépendance et la lutte contre la domination britannique. J'ai continué à voyager, et j'ai notamment volé sur les lignes de l'Aéropostale. Parallèlement à ma carrière, j'ai mené ce qu'on appelle la « grande vie » parisienne en compagnie de nombreuses personnalités, dont l'écrivain Jean Cocteau ou le compositeur Francis Poulenc par exemple. Et surtout, j'ai commencé, de 1922 à 1932, à publier des romans et des nouvelles, notamment *L'Équipage* en 1923, qui évoquait ma vie à l'escadrille, et *Belle de jour*, en 1928.

▶▶ *Qu'avez-vous fait lors de la Seconde Guerre mondiale ?*

Dès 1942, j'ai gagné la Grande-Bretagne et j'ai rejoint le général de Gaulle et les Forces françaises libres. Avec mon neveu, Maurice Druon, c'est à Londres que nous avons écrit les paroles du « Chant des partisans », qui deviendra le chant de ralliement de la Résistance. En hommage aux résistants, j'ai aussi publié *L'Armée des ombres*, en 1943, consacrée à cette période décisive de notre Histoire.

▶▶ *Quelle a été votre activité d'écrivain après la guerre ?*

Ayant poursuivi mes voyages à travers le monde, j'ai surtout continué ma carrière journalistique. J'ai tout de même publié *Le Tour du malheur*, en 1950, dont l'écriture remontait déjà à plusieurs années. L'échec relatif de ce roman m'avait laissé un peu découragé. Dans l'esprit des gens, j'étais surtout connu comme journaliste. C'est d'ailleurs en tant que reporter que je suis parti au Kenya en 1953.

▶▶ *Qu'est-ce qui vous a inspiré pour écrire* Le Lion *?*

L'Afrique m'a toujours intéressé. Une enquête sur l'esclavage m'avait déjà conduit en Abyssinie dans les années 1920. Dans les années 1950, mon voyage au Kenya en tant que grand reporter m'a permis de visiter, au pied du Kilimandjaro, la Réserve d'Amboseli. Là, le major Taberer m'a fait découvrir la nature sauvage de l'Afrique, et je l'ai dès lors considérée comme un paradis terrestre. C'est de cette fascination qu'est né *Le Lion*. Volontairement, je n'y évoque pas du tout les événements politiques pourtant brûlants tels que la révolte des Mau-Mau (révoltés kikuyus qui se sont soulevés contre les colonisateurs dans les années 1950). Ce mouvement violent, qui mènera à l'indépendance du Kenya, je le couvrais en revanche dans mes reportages. L'intrigue du *Lion* est inspirée de l'histoire de la fille du conservateur du Parc d'Amboseli, Fiona, qui avait été élevée avec un bébé lionne baptisée Iola. Les deux petites créatures étaient devenues inséparables et Fiona n'avait pas eu de meilleure compagne de jeu que la lionne, qui faisait ses quatre volontés. Iola avait connu une fin tragique : elle avait été abattue dans une rue de Nairobi. Vous voyez que nous ne sommes pas loin de la trame du *Lion*... Mais j'ai surtout essayé de montrer dans ce livre l'Afrique telle que je l'ai rencontrée, dans sa vérité. Je n'avais pas d'ambition pour *Le Lion*. Son seul intérêt me semblait être la description de l'amour entre le lion et la petite fille. Je pensais qu'il n'aurait aucun succès.

▶▶│ *Quelle a été votre plus grande fierté par rapport à ce roman, qui a été aussi votre plus grand succès ?*

Le fait que le général de Gaulle lui-même ait pris le temps de lire *Le Lion* et de m'envoyer un petit mot où il disait « *Le Lion* est magnifique. C'est peut-être le plus beau de vos livres » m'a réellement comblé de bonheur. C'est un des jugements qui a le plus compté pour moi, surtout de la part du fin lettré qu'était de Gaulle. C'était déjà une forme de consécration, mais une autre est venue couronner le tout : mon entrée à l'Académie française. La partie n'était pas gagnée d'avance et j'avais à combattre bien des réticences morales. Nombre d'académiciens voyaient d'un mauvais œil qu'un écrivain d'origine étrangère, juif de surcroît, à la vie notoirement dissipée, rentre à l'Académie. C'est pourquoi je m'empressai de souligner dans mon discours de réception que mon élection était une victoire sur les idées reçues et qu'elle faisait honneur à l'esprit de justice de l'Académie française.

Contexte historique

Joseph Kessel fut un grand voyageur, et, de ce fait, il fut très impliqué dans la vie politique internationale. De plus, sa profession de journaliste l'amena à se confronter directement aux conflits mondiaux : il se rendit d'ailleurs au Kenya à l'occasion d'un reportage, en 1953.

La décolonisation en marche

Au milieu du XXe siècle, le continent africain est colonisé par les Occidentaux, qui se sont peu à peu approprié le territoire depuis le milieu du XIXe siècle. Les Anglais, les Belges, les Français et les Hollandais ont fait des pays africains leurs provinces. En Afrique orientale, le Kenya, après avoir été placé sous protectorat anglais en 1894, est devenu une colonie britannique en 1920.

En 1952, les Mau-Mau, membres d'une société secrète kikouyou (peuple du Kenya), se soulèvent contre les autorités et les colons britanniques. Leur révolte, qui dura jusqu'en 1956, fut violemment réprimée : 13 000 d'entre eux furent massacrés, 80 000 internés, et l'état d'urgence ne fut levé qu'en 1960. Le 12 décembre 1963, l'indépendance est proclamée, faisant suite à de nombreuses années de lutte.

Le Kenya des années 1950

Dans les années 1950, période à laquelle se déroule l'action du roman, la population locale, avec ses différentes ethnies (comme les Wakamba, les Kikouyou, les Masaï, les Jalluo, les Kipsigui et les Sambourou par exemple) et les colonisateurs occidentaux cohabitent au Kenya. Toutes les tribus africaines, exception faite des Masaï, se sont soumises à l'occupant blanc : leurs membres travaillent pour les Occidentaux.

Dans *Le Lion*, certains personnages sont au service des colons. Le chauffeur du narrateur par exemple, Bogo, est un Kikouyou, mais il est complètement anglicisé : il parle anglais, est converti au christianisme et, nous dit-on, lit les journaux anglais. Au Parc royal, tous les *rangers* sont des Noirs, recrutés dans les tribus locales. Il en est de même pour les domestiques qui travaillent au bungalow de Bullit.

Repères chronologiques

1894	**Le Kenya devient protectorat anglais.** **Début de la colonisation anglaise.**
1902	J. Conrad, *Au cœur des ténèbres* (roman).
1914	**Début de la Première Guerre mondiale.**
1917	**Révolution russe.**
1927	A. Gide, *Voyage au Congo* (journal).
1932	L.-F. Céline, *Voyage au bout de la nuit* (roman).
1933	A. Malraux, *La Condition humaine* (roman).
1939	A. de Saint-Exupéry, *Terre des hommes* (roman).
1939	**Début de la Deuxième Guerre mondiale.**
1942	J. Kessel gagne Londres et rejoint le général de Gaulle et les Forces françaises libres.
1949	H. de Monfreid, *Du Harrar au Kenya* (roman).
1952	**Révolte des Mau-Mau au Kenya, contre la domination britannique.**
1953	J. Kessel se rend au Kenya en tant que grand reporter.
1954	**Début de la guerre d'Algérie.**
1958	**Le général de Gaulle revient au pouvoir.** **Début de la Vᵉ République.** J. Kessel, *Le Lion* (roman).
1962	**Indépendance de l'Algérie.** J. Kessel est élu à l'Académie française.
1963	**Indépendance du Kenya.**
1990	**Fin de l'Apartheid en Afrique du Sud.**

Les grands thèmes de l'œuvre
L'exotisme

Un voyage exotique

De l'Antiquité à la Renaissance, en passant par le Moyen Âge avec le *Livre des merveilles* de Marco Polo, les récits de voyage en Orient et en Amérique se succèdent et décrivent la langue, les mœurs et les coutumes des peuples habitant ces mondes lointains. C'est au xxᵉ siècle que des auteurs comme Pierre Loti, Ernest Hemingway, Henri de Monfreid et Joseph Kessel rendent hommage à l'Afrique noire, longtemps mal connue des Européens.

Écrit au milieu du xxᵉ siècle, *Le Lion* s'inscrit bien dans la lignée de ces récits de voyage exotique avec ses descriptions enthousiastes de la nature à l'état sauvage et du peuple fier et farouche des Masaï.

Splendeur de la nature africaine

Européen et citadin, le narrateur du *Lion*, qui découvre le Kenya, porte un regard fasciné sur ce pays d'Afrique orientale. Il nous livre de nombreuses descriptions éblouies du paysage qu'il découvre et de ses sensations : le Kilimandjaro, la savane, les bêtes sauvages, la nature luxuriante, la qualité de la lumière, composent un univers paradisiaque, « une tapisserie fabuleuse suspendue à la grande montagne d'Afrique » (p. 16). Adjectifs mélioratifs, superlatifs et comparaisons poétiques témoignent de son émerveillement pour l'univers dans lequel il est introduit par son guide, la jeune Patricia. Le lecteur accède ainsi à des lieux secrets, inaccessibles aux simples touristes, des lieux idylliques qui rappellent les premiers temps bénis de l'humanité et s'opposent à l'univers des villes et de la civilisation moderne.

Au seuil du paradis

Le narrateur conçoit le retour à la nature comme une manière de retrouver l'innocence perdue, celle du paradis. Celle de l'enfance ? Or, chaque fois qu'il touche au seuil de cet univers édénique, il se rend compte qu'il ne peut aller plus loin, qu'il n'a pas les clefs qui lui permettraient d'y pénétrer : « Il me semblait que j'avais retrouvé un paradis rêvé ou connu par moi en des âges dont j'avais perdu la mémoire. Et j'en touchais le seuil. Et ne pouvais le franchir » (p. 14). C'est pourquoi, dès sa première rencontre avec Patricia, il est fasciné par la petite fille qui a accès au royaume de la vie sauvage alors que lui est condamné à passer à côté des bêtes : « Vous devez bien voir [...] combien les bêtes sont tranquilles et à l'aise l'une avec l'autre » (p. 19) ; « Les bêtes ne veulent pas de vous » (p. 20).

En dépit de sa beauté et de son apparence paradisiaque, la Réserve n'est pas le nouvel Éden entrevu au début du roman par le narrateur. Hommes et bêtes n'y vivent pas en accord parfait, la pure harmonie est illusoire.

Une amitié hors du commun

Une amitié vouée à l'échec

L'amitié entre Patricia et son lion est d'une incroyable intensité mais, à mesure que l'on prend connaissance de cette histoire peu commune, s'accroît l'inquiétude devant le rapprochement entre l'enfant fragile et le lion adulte à la force terrifiante. L'enfance avait pu les rapprocher, par une forme de fraternité, l'âge adulte de King les sépare inéluctablement : les contraintes de sa vie d'enfant des hommes empêchent Patricia de partager complètement l'existence de King, même dans l'espace trompeusement sauvage de la Réserve.

La relation entre la petite fille et le lion est par ailleurs si intense qu'elle est source de tourments, de jalousie. Dans la deuxième partie du roman, on découvre en effet que Patricia ne supporte pas l'existence de la famille de King, se considérant peut-être comme sa seule famille véritable et souhaitant conserver une relation exclusive avec lui : elle va jusqu'à défier les lionnes (chapitre 9).

Cette amitié extraordinaire semble donc dès l'abord naturellement condamnée, simplement parce qu'il est lion, parce qu'elle est petite fille.

Une amitié source de conflits

L'amitié entre Patricia et King peut symboliser l'union entre l'état de nature et la civilisation et les conflits qu'elle suscite révèlent l'opposition irrémédiable entre les deux univers. Le jeune âge de la petite fille lui confère une innocence qu'ont perdue les adultes, et c'est la seule à pouvoir faire «corps» avec le monde animal. Elle se sent réellement chez elle dans l'espace sauvage et, élevée avec un lionceau, elle en a acquis les instincts et peut partager les jeux des bêtes en toute liberté, sans qu'elles ressentent d'intrusion. Bien plus, toutes les pratiques des hommes qui lui rappellent celles des bêtes lui paraissent naturelles.

L'amitié de Patricia avec son lion fascine le narrateur car il est subjugué par l'idéal d'un retour à l'état de nature. Il est parfois tiraillé entre son désir de s'ouvrir au monde sauvage et son appartenance au monde civilisé mais, en définitive, il symbolise la civilisation européenne et ne joue guère qu'un rôle de spectateur et occasionnellement d'arbitre. À la fin du roman, c'est d'ailleurs avec lui que Patricia quittera la Réserve pour se rendre à Nairobi. C'est donc lui qui assurera le passage de la petite fille vers la civilisation urbaine.

Cette amitié avec le lion est acceptée instinctivement par Bullit car il vit en harmonie avec la nature, connaît parfaitement bien la brousse et a choisi de protéger les bêtes sauvages après avoir été chasseur. Elle est en revanche devenue source de vive inquiétude pour Sybil dès lors que King atteint l'âge adulte. À l'opposé de son mari et de Patricia, elle représente le monde policé de la civilisation urbaine anglaise, ressent la brousse comme un univers hostile et souhaite éperdument en arracher sa fille, car elle pressent un danger et une issue dramatique.

Le conflit occasionné par l'opposition entre la nature sauvage et la civilisation se retrouve donc cristallisé au sein même de la famille Bullit par l'amitié de Patricia et de King.

Une amitié condamnée à mort

La mort de King, insupportable à Patricia parce qu'elle n'est pas naturelle, parce que c'est son propre père qui l'a donnée, est l'unique fin possible de l'amitié hors du commun de la fille de Bullit pour son lion mais elle manifeste aussi l'arrachement de la petite fille à l'univers de la nature. Avec King, Patricia a perdu la part «animale» qui existait en elle. Elle n'est plus qu'une fillette comme les autres. C'est le triomphe douloureux de la civilisation et des idéaux de Sybil, c'est la perte irrémédiable de l'innocence enfantine.

Fenêtres sur...

 Des ouvrages à lire

Sur l'amitié entre l'homme et l'animal sauvage

• Rudyard Kipling, *Le Livre de la jungle* [1894], trad. de l'anglais par
L. Fabulet et R. d'Humières, Gallimard, «Folio junior», 1997.
*En Inde, le jeune Mowgli est un enfant volé par un tigre et sauvé par
les loups. Il vit sous la protection de la panthère Bagheera et de l'ours
Baloo. Mais le danger rôde dans la jungle avec le tigre Shere Khan et Kaa
le serpent...*

• Walter Farley, *L'Étalon noir* [1941], Hachette, «Le livre de poche
jeunesse», 2008.
*En revenant des Indes, sur un paquebot, le jeune Alec Ramsay voit monter
à bord du navire à Aden, en Arabie, un étalon noir d'une beauté et d'une
sauvagerie incomparables. Dès lors, Alec souhaite conquérir le cœur du
merveilleux cheval. C'est alors que le bateau fait naufrage...*

• M. K. Rawlings, *Jody et le faon* [1946], Gallimard, «Folio junior», 1994.
*En Floride, au siècle dernier, la vie est dure pour les Baxter, qui vivent
médiocrement du produit d'une petite ferme et à qui l'on vole régulièrement des bêtes de leur troupeau. Un jour, le père du petit Jody tue
une biche, qui laisse un jeune faon abandonné. Jody adopte le faon, qu'il
baptise Flag et qui devient son compagnon. Un problème se pose alors à*

l'adolescent : Flag, devenu grand, s'obstine à dévorer les maigres récoltes des parents de Jody. Ceux-ci ne peuvent accepter de voir détruire leur unique moyen de survivre...

• René Guillot, *Crin-Blanc* [1953], Hachette, « Le livre de poche jeunesse », 1996.
Dans la Camargue sauvage, le jeune Folco vit avec son oncle au milieu des troupeaux de chevaux sauvages. Il a remarqué un petit poulain à la robe grise, qu'il baptise Crin-Blanc, qui vit avec sa mère. Un jour, Folco voit des hommes capturer au lasso la mère de Crin-Blanc et la séparer brutalement de son poulain, qu'ils attachent avec des cordes pour qu'il ne les suive pas. Folco va tenter de délivrer Crin Blanc et d'apprivoiser le petit cheval sauvage...

• Jackie Valabrègue, *Aliocha, cheval des Steppes* [2002], Milan, « Milan poche junior », 2009.
Au cœur des steppes de Sibérie vivent Youri et Gania, jumeaux et orphelins de mère. Dans cette région rude aux hivers rigoureux et interminables, les deux frères découvrent Aliocha, joli cheval sauvage, avec qui Youri vivra de nombreuses aventures. Un voisin jaloux tente de capturer Aliocha et manque ainsi de le tuer. Youri parvient à sauver le cheval mais ignore si celui-ci acceptera de renoncer à la vie sauvage par amour pour lui.

Sur l'Afrique

• Pierre Loti, *Le Roman d'un Spahi* [1881], Gallimard, « Folio classique », 1992.
Un Français est transplanté au Sénégal, où il connaîtra une grande histoire d'amour. Dans ce roman, l'Afrique est magnifiée par des descriptions qui célèbrent la beauté de la nature, sur fond d'une intrigue où la guerre, l'exil et l'amour se mêlent.

• Karen Blixen, *La Ferme africaine* [1937], Gallimard, « Folio », 2006.
La Ferme africaine *est inspirée de l'expérience que Karen Blixen a vécue au Kenya, durant une vingtaine d'années, où elle a dirigé une plantation de café avec son mari.*

• Henri de Monfreid, *Du Harrar au Kenya* [1949], Grasset, 1998.
Du Harrar au Kenya *raconte les aventures vécues par l'auteur depuis la déclaration de guerre de 1939 jusqu'à la fin de sa détention vers 1943 :*

arrestation, fuite en brousse, attentat, déportation en camion. C'est aussi le cri déchirant d'un homme libre qu'on enchaîne à chaque page.

• **Amadou Hampâté Bâ,** *Amkoullel l'enfant peul* [1991], Flammarion, « J'ai lu », 2000.
Il s'agit d'un livre autobiographique, qui raconte l'enfance au Mali d'Hampâté Bâ au début du XXᵉ siècle. Ce témoignage incomparable sur l'Afrique nous fait découvrir les traditions et les contradictions du continent, dans un livre qui est à la fois un roman d'aventures, une fresque historique et un grand récit qui célèbre l'oralité de la langue africaine.

 ## Des films à voir
(Toutes les œuvres citées ci-dessous sont disponibles en DVD.)

• ***Les dieux sont tombés sur la tête**, Jamie Uys, couleur, 1980.*
Au Botswana, une tribu, qui vit dans la simplicité de la brousse, découvre un jour une bouteille de Coca-Cola vide, jetée par un aviateur négligent. Cet objet absolument inconnu devient un véritable problème pour la tribu, où il sème la discorde. L'un d'eux décide de se débarrasser de la bouteille en marchant jusqu'à l'océan pour l'y jeter. Cela ne se fait pas sans péripéties... Le choc entre la civilisation africaine et la société de consommation est traité sur le mode comique dans ce film culte.

• ***Out of Africa**, Sydney Pollack, couleur, 1986.*
Belle adaptation romancée de La Ferme africaine et des souvenirs de la baronne Blixen, où l'on contemple de superbes paysages en écoutant le concerto pour clarinette de Mozart. Un magnifique témoignage sur l'Afrique et sur ses peuples d'origine, chassés peu à peu de leurs territoires par les immigrés anglais.

• ***L'Enfant lion**, Patrick Grandperret, couleur, 1992.*
Le film raconte l'enfance d'Oulé, né le même jour que la lionne Sirga, et élevé avec elle. Le village du petit garçon vit en harmonie avec les bêtes de la région. Entre l'enfant et le lionceau nés en même temps se développe un lien extraordinaire.

• *Le Lion*, José Pinheiro, couleur, 2003.
Il s'agit d'une adaptation du roman de Kessel.

@ *Un site Internet à consulter*

Pour découvrir d'autres récits sur l'Afrique
http://gallica.bnf.fr/dossiers/html/dossiers/VoyagesEnAfrique

Dans la même collection

CLASSICO**COLLÈGE**

Victor Hugo – *Les Misérables* (110)
Joseph Kessel – *Le Lion* (38)
Jean de La Fontaine – *Fables* (74)
J.M.G. Le Clézio – *Mondo et trois autres histoires* (34)
Jack London – *L'Appel de la forêt* (30)
Guy de Maupassant – *Histoire vraie et autres nouvelles* (7)
Guy de Maupassant – *Le Horla* (54)
Guy de Maupassant – *Nouvelles réalistes* (97)
Prosper Mérimée – *Mateo Falcone* et *La Vénus d'Ille* (8)
Molière – *L'Avare* (51)
Molière – *Le Bourgeois gentilhomme* (62)
Molière – *Les Fourberies de Scapin* (9)
Molière – *George Dandin* (115)
Molière – *Le Malade imaginaire* (42)
Molière – *Le Médecin malgré lui* (13)
Molière – *Le Médecin volant* et *L'Amour médecin* (52)
Jean Molla – *Sobibor* (32)
Ovide – *Les Métamorphoses* (37)
Charles Perrault – *Contes* (15)
Edgar Allan Poe – *Trois nouvelles extraordinaires* (16)
Jules Romains – *Knock ou le Triomphe de la médecine* (10)
Edmond Rostand – *Cyrano de Bergerac* (58)
Antoine de Saint-Exupéry – *Lettre à un otage* (11)
William Shakespeare – *Roméo et Juliette* (70)
Sophocle – *Antigone* (81)
John Steinbeck – *Des souris et des hommes* (100)
Robert Louis Stevenson – *L'Île au Trésor* (95)
Jean Tardieu – *Quatre courtes pièces* (63)
Michel Tournier – *Vendredi ou la Vie sauvage* (69)
Fred Uhlman – *L'Ami retrouvé* (80)
Paul Verlaine – *Romances sans paroles* (12)
Anne Wiazemsky – *Mon enfant de Berlin* (98)

CLASSICOLYCÉE

Pour obtenir plus d'informations, bénéficier d'offres spéciales enseignants ou nous communiquer vos attentes, renseignez-vous sur **www.collection-classico.com** ou envoyez un courriel à **contact.classico@editions-belin.fr**

Imprimé en Espagne par Novoprint (Barcelone)
Dépôt légal : juin 2010 – N° d'édition : 70115434-07/juillet2015